99p

CEIDWAD Y CEYRYDD

Ceidwad y Ceyrydd

John Roderick Rees –
Tyddynnwr, Bardd, Athro

D. Islwyn Edwards

Argraffiad cyntaf: 2022

Rhif rhyngwladol: 978-1-84527-666-9

CYNGOR LLYFRAU CYMRU

Mae'r cyhoeddwr yn cydnabod cefnogaeth ariannol
Cyngor Llyfrau Cymru

Llun clawr: John Roderick Rees yn Eisteddfod Llanbedr Pont Steffan, 1984
Geoff Charles, Casgliad Llyfrgell Genedlaethol Cymru, dan drwydded DigiDo
Cynllun clawr: Eleri Owen

Cyhoeddir gan Wasg Carreg Gwalch,
12 Iard yr Orsaf, Llanrwst, Conwy, LL26 0EH.
Ffôn: 01492 642031
e-bost: llyfrau@carreg-gwalch.cymru
lle ar y we: www.carreg-gwalch.cymru

Cyflwynir y gyfrol

i

Megan Jenkins

gyda diolch am fy rhoddi gynt
ar ben y ffordd:

Yn dyner rhoes o'i doniau
Yn hael y bu yma'n hau.

Diolchiadau

Mae arnaf ddiolch i amryw am ymateb o bryd i'w gilydd i gais am wybodaeth yn ystod y cyfnod y bûm yn ymwneud â llunio'r cofiant hwn.

I Tom Ceredig Griffiths, Llandre; Dewi Ellis, Bethania; Mair Jenkins, Dihewyd; Roderick a Catherine Lloyd Rees, Horeb, Llandysul, am eu croeso a'u sgyrsiau difyr ar eu haelwyd. Mae fy niolch yn fawr hefyd i Lyn Ebenezer am lunio cyflwyniad i'r gwaith. Diolchir i Huw Meirion Edwards, y Cyngor Llyfrau, am ddarllen y gyfrol a chynnig nifer o welliannau. Cefais gymorth hefyd gan Carys Briddon a Marian Beech Hughes. A diolchaf i William Howells am ei barodrwydd i lunio mynegai ac i John Gwynn Jones am ei gymwynasau niferus. Cafwyd hefyd bob rhwyddineb a chymorth gan staff Llyfrgell Genedlaethol Cymru.

Hoffwn gydnabod yn arbennig gyfraniad Myrddin ap Dafydd am ymgymryd â'r gwaith cyhoeddi. Bu'n hael ei gymorth ymarferol a'i gefnogaeth wrth dywys y gyfrol drwy'r wasg a bu'n barod i ysgwyddo llawer o'r baich wrth gasglu a dethol y lluniau. Dyledus wyf hefyd i staff Gwasg Carreg Gwalch am eu cymorth ac am roddi i'r llyfr ddiwyg mor drawiadol.

Yn olaf, hoffwn gydnabod cyfraniad allweddol fy ngwraig, Rosemary, a'm cefnogodd gydol y daith.

Cynnwys

Cyflwyniad

Lyn Ebenezer

Prin fedr neb ohonom edrych yn ôl ar ddyddiau ysgol heb naill ai felltithio neu foli ambell athro neu athrawes. Dyma'r cyfnod ffurfiannol pan fo plant a phobl ifanc yn dod yn drwm o dan wahanol ddylanwadau. Yn fy achos i yn Ysgol Uwchradd Tregaron yn y pumdegau fe adawodd ambell athro ei farc arnaf yn llythrennol. Ond gadawodd un athro ei farc annileadwy ar fy meddwl. Saif allan fel llusern. Y Gamaliel disglair hwnnw oedd fy athro Cymraeg, John Roderick Rees.

Am ychydig dros flwyddyn yn unig fûm i wrth ei draed, hynny ar adeg fy mharatoad ar gyfer sefyll arholiadau Lefel 'A'. Ond er mai byr fu cyfnod ei ddysgeidiaeth arnaf, bu ei ddylanwad yn anferthol. Ef yn anad neb arall wnaeth agor fy llygaid i gyfoeth a cheinder llên a barddoniaeth Gymraeg.

Jack Rees i mi oedd y gwerinwr diwylliedig archdeipyddol. Er mai mawndir ucheldir Pen-uwch oedd tan wadnau ei sgidiau, roedd rhychwant ei wybodaeth o'i bwnc yn ddi-ben-draw. Ni wnaf fyth anghofio'r sesiynau hynny pan drafodem yn y dosbarth *Cerddi'r Gaeaf* R. Williams Parry, un o'r llyfrau gosod.

Ar ôl gadael Ysgol Tregaron, cadwn gysylltiad agos ag ef. Byddwn yn ei ffonio'n aml i drafod hyn a'r llall a gofyn cyngor. Pan enillais Goron Eisteddfod Pantyfedwen, Pontrhydfendigaid, yn 2007, Jack oedd y cyntaf i gael gwybod.

Croesawaf yn fawr felly'r astudiaeth hon o fywyd a gwaith John Roderick Rees, dyn syml ar un wedd ond dyn cymhleth mewn gwirionedd. Fel y corsydd o gwmpas ei gartref yn Bear's Hill, roedd yna ddyfnder yn Jack. Ond fel

Williams Parry, roedd 'yn gymysg oll i gyd'. Ac fe ddaw'r gwrthgyferbyniadau hynny'n amlwg yn y gyfrol onest a di-flewyn-ar-dafod hon, sef astudiaeth athrylithgar o'r gwrthrych a'i waith, o'i fro a'i gyfnod. Daliwyd cymeriad cymhleth Jack yn berffaith fel rhyw ddafad strae ymhlith praidd ufudd, un a fynnai fynd ei ffordd ei hun. Dafad strae oeddwn innau nes i Jack fy nhywys o'r crindir i borfeydd breision barddas a llên.

Ydi, mae'r gyfrol yn llawer ehangach na phortread o dyddynnwr, bardd ac athro, sef y person a'r bersonoliaeth arwynebol. Yn wir, mae'n astudiaeth a dehongliad o feddylfryd gŵr hynod a drigai ar adeg arbennig mewn bro arbennig. Er hynny, mae hi ymhell o fod yn gyfrol blwyfol. Mae ardal Pen-uwch yn y cyfnod 1930–2000 yn ficrocosm o hanes ardaloedd mynyddig tebyg ledled Cymru. Mantais amlwg yw'r ffaith mai dyma'r fath ardal yng nghyffiniau Ffair-rhos a luniodd feddylfryd Islwyn Edwards ei hun.

Croniclir gyda manylder y newidiadau a ddaeth i ran cefn gwlad Ceredigion ac ymateb y gwrthrych i'r newidiadau hynny. Cawn ddarlun gonest o Jack, ei gryfderau a'i wendidau. Roedd Jack yn enigma. A does yma ddim gwyngalchu. Daw ei gryfderau'n amlwg fel athro, bridiwr cobiau a dyn ei filltir sgwâr a fynnodd 'lynu'n glòs'. Daw ei wendidau yr un mor amlwg, ei ragfarnau, ei ystyfnigrwydd a'i fethiant i faddau. Jack, y dyn penstiff. Iddo ef doedd dim graddfeydd o liwiau'n bodoli rhwng du a gwyn.

Cawn yma'r brogarwr digyfaddawd ar y naill law. Ar y llaw arall cawn ladmerydd y mewnfudo gyda cherdd a enillodd Goron Llanbed yn 1984 a ganai glod ymsefydlwyr am gadw'r ysgol leol yn agored a chynnal yr hen fythynnod, a fyddai, fel arall, yn furddunnod. Y flwyddyn wedyn gyda'i bryddest 'Glannau' enillodd eto gydag un o'r cerddi mwyaf i ennill Coron genedlaethol erioed. Wnaeth neb ers

Caradog Prichard ddod yn agos at bortreadu salwch meddwl fel Jack, gyda'i bryddest ingol am Jane, ei fam wen. Mae'r ffaith iddo roi'r gorau i'w swydd fel athro i ofalu amdani yn ei blynyddoedd ffwndrus olaf yn dweud y cyfan am gariad Jack at y wraig a'i magodd wedi iddo golli ei fam fiolegol yn ifanc.

Yn ddiamau, mae cofiant Islwyn Edwards yn gyfrol bwysig sy'n dangos ôl gwaith chwilota arbennig o eang a manwl. Mae'n amlwg iddo drwytho'i hun yn ei bwnc. Aiff â ni i feysydd fel diboblogi, y mewnlifiad, gwleidyddiaeth, addysg a chrefydd. Cawn y ffeithiau heb unrhyw ragfarn. Ymddengys i'r awdur gael hyd i ddogfennau personol ac adroddiadau papur newydd perthnasol. Prin i mi ddarllen cofiant mor drylwyr ei ymchwil erioed. Dyma gampwaith yn wir. Mae'n ychwanegu, os yw hynny'n bosib, at fy edmygedd o Jack Rees, y dyn rhyfeddol hwnnw a wnaeth gymaint i lywio cwrs fy mywyd.

Caiff ei dair cyfrol farddol le o anrhydedd ar fy silff lyfrau. Llofnododd Jack ddwy ohonynt. Ac ar wynebddalen *Cerddi John Roderick Rees*, a gyhoeddwyd yn 1984, ychwanegodd y geiriau canlynol:

'Gyda chyfarchion i Lyn Ebenezer, cyn-ddisgybl arbennig iawn i mi.'

Diolch, Jack, am fod yn athro ac yn arwr arbennig iawn i minnau. A diolch, Islwyn, am wneud cyfiawnder ag un a gyfoethogodd fy mywyd gymaint.

John Roderick Rees y tu allan i'w gartref, Bear's Hill, Pen-uwch

Rhagair

Nid yw cyfeillgarwch fyth yn heneiddio, meddir, a dyna a brofais innau yn fy ymwneud â gwrthrych y gyfrol hon. Fy nghydnabyddiaeth gyntaf â John Roderick Rees oedd pan symudais o'r ysgol gynradd i Ysgol Uwchradd Tregaron yn y chwedegau ac yntau yno ar y pryd yn bennaeth adran y Gymraeg. Blagurodd a thyfodd y cyfeillgarwch rhyngom a barhaodd hyd at ei farwolaeth yn 2009. Deuai'r alwad ffôn gynefin: 'Fi sy 'ma', a hynny gynifer â thair gwaith yr un noson weithiau pan oedd yna bwnc llosg i'w drafod, neu pan fyddai rhywbeth wedi ei gyffroi neu godi ei wrychyn yn y wasg neu ar y teledu. Minnau bryd arall yn galw ei rif a seriwyd yn y cof, Llangeitho 821 221, am sgwrs a allai ar adegau bara rhwng hanner awr ac awr: cyfrol i'w thrafod hwyrach, sioe anifeiliaid y bu'n ymweld â hi, eisteddfodau, gofynion y cwricwlwm, strategaethau addysgu, adolygiad a ddarllenwyd, cynadleddau'r pleidiau gwleidyddol a phob math o bynciau gwladol, sirol, plwyfol ac economaidd eraill. Mor eang oedd cwmpawd y drafodaeth a'r ymateb i ambell bwnc yn fwy cyffrous a chyfoethog na'r pwnc dan ystyriaeth.

Bryd arall wedyn, y llythyron cryno a ddanfonwyd ganddo, wedi eu hysgrifennu o flaen y tân fel arfer. Mor hoff ganddo yma eto oedd sôn am y pethau oesol di-newid yn ei fywyd a'i fro, ei berthynas dan-yr-wyneb â'i ffrindiau, ei falchderau a'i siomedigaethau o dro i dro, nid mewn pethau ond yn hytrach mewn pobl fel arfer. Nid person oedd a geisiai blesio pawb a phlesio neb yn y diwedd. Nid oedd John Roderick Rees yn meddu ar bersonoliaeth ychwaith i blygu glin wasaidd gerbron neb: boed fonedd neu wrêng. Yr oedd ynddo gadernid diwyro ei gyndadau, pobl a oedd wedi bwrw gwraidd a llafurio yn y mynydd-dir llaith a mawnog a hawliwyd cyhyd gan y gwyllt a'r cornicyll, yr afr wanwyn a'r chwibanogl, cyn gwawrio oes y tai unnos ar y tir comin. Lleisiai ei farn yn gyson am y newid a'r difrod cymdeithasol a brofodd ym mro ei febyd, ond gan gydnabod anocheledd y 'goresgyniad' gan i aelodau'r hen genhedlaeth, y gwerinwyr uniaith y darfu eu byd ar gefn gorwel y gweundir, ymadael o un i un yn nydd y chwalfa fawr.

Fe'i cofiaf fel athro yn Nhregaron yn adrodd o'i gof delynegion a rhannau o bryddestau yn y dosbarth. Rhyfeddu at gynildeb ymadrodd a mydryddu diaddurn beirdd fel Parry-Williams ac R. Williams Parry. Er nad oedd yn ddisgyblwr cansennog naturiol ac nis cofiaf yn taro unrhyw blentyn erioed, eto yr oedd y parch a'r edmygedd a enynnai ymhlith disgyblion yn sicrhau iddo dawelwch a gwrandawiad bob amser. Yr oedd yr addysgu'n syml ac yn seiliedig ar ddull y siarad a sialc. Dim gwaith grŵp na thrafod, dim amrywiaeth yn y strategaeth addysgu o flwyddyn i flwyddyn. Y nod oedd ymgyfarwyddo'n drwyadl â'r testun gosod ac yna dysgu ar y cof rannau penodol ohono at 'iws arholiad'. Rhoddai bwyslais mawr ar feithrin cof da a byddai'n dyfynnu adnod, cwpled neu bennill yn gyson yn y dosbarth neu mewn llythyr, a hynny'n bennaf er mwyn egluro pwynt penodol neu atgyfnerthu traethiad.

Bu anifeiliaid o bob math yn rhan bwysig o'i fywyd. Byddai'n aml yn cydnabod mai gwell ganddo gwmni anifail na phobl. Taerai fod anifeiliaid yn ddiniwed a difalais, pobl wedyn yn dwyllodrus a ffals. Rhoesai John enw ar bob anifail a fu dan ei gronglwyd. Dilynai Daisy, ei ast ffyddlon, ef i bobman, felly hefyd Blackie'r gath. Byddent yn ymateb i bob osgo o'i eiddo ac yntau yn ei dro yn darllen iaith eu corff a'u greddf. Hyn a ddengys y berthynas annatod a chyfriniol bron rhwng dyn ac anifail.

Ar ei aelwyd yn Bear's Hill y byddai'n esgyn i'w 'lwyfan'

fel storïwr a diddanwr. Yn ei gadair freichiau y byddai fel un o'r cyfarwyddiaid gynt yn adlonni ei gylch bychan dethol o wahanol westeion yn eu tro. Dynwared Parry Bach yn adrodd un o'i rigymau neu ran o soned; ail-greu llais cwynfannus, trwynol Gwenallt mewn darlith; rhaffu rhai o linellau Bardd yr Haf, darnau o bryddest 'Adfeilion', T. Glynne Davies neu awdl 'Cwm Carnedd', Gwilym R. Tilsley. Swpera wedyn, cyn ailafael eilwaith yn y drafodaeth hyd hwyr y nos. Myfyrio ar y pethau bychain tragwyddol, yna chwerthin iach wrth ddyfynnu limrig neu gwpled a fyddai'n cyniwair yn y cof. Cwmnïaeth fwynaidd, gysurus a diddos y gwladwr diwylliedig. Profiadau bywyd wedi hogi'r meddwl a roes iddo ryw fodlonrwydd mewnol ac unigolyddol. Yng ngeiriau'r soned, gellir honni am John Roderick Rees yntau:

Ni phlygaist lin gerbron canhwyllau cŵyr
Y Sul ar dawel awr, rhwng hen gymheiriaid:
Ceisiaist y Golud fry o fore hyd hwyr
Heb ddisgwyl dim gan ddefod nac offeiriaid.
Fe'th lwyr ddigonwyd, ac arlwyaist fwrdd
O brinder tyddyn ac o fawl Tŷ Cwrdd.

Byddai bob amser yn cadw llygad barcud ar y breintiedig na fu fodlon ond ar fwy na'u haeddiant, ac a ddeil eu llaw i dderbyn grant ac ysgoloriaethau hael y gwahanol gyrff cyhoeddus. Bryd arall, lleddf oedd byrdwn y genadwri, y bagad gofalon wrth geisio ymdopi beunydd â gwarchod ac ymgeleddu Jane, ei fam faeth, yn ei chystudd hir a phan oedd y llong ar grwydr cyson ar fôr ei hanghofrwydd. Bûm yn llygad-dyst amryw weithiau pan oedd yr aelwyd yn ynys ddiddan, Jane a John (neu Jack fel y'i galwai) o gwmpas eu pethau a'r ast yn hawlio'i gorsedd o flaen y tân. Sglein y cŵyr ar y dodrefn deri a glendid y gofal ar wyneb y lloriau. Oriel o luniau'r meirch ar y wal a'u rhoseti'n addurno'r dresel. Silffoedd llwythog o lyfrau a bwrdd mawr ger y ffenest yn barod i'w hulio. Hyn oll cyn dyfod y cerrynt croes o'r dwyrain a'r tywod yn llithro, cyn i'r erydwr gnewian y cof ac i'r culfor ledu a gadael Jane mor amddifad ac ar goll ymhlith y pethau cynefin ar aelwyd Bear's Hill.

Byddai John yn ceisio dyfalu weithiau sut un oedd ei fam o ran pryd a gwedd. Bu hi farw pan oedd yn ddwyflwydd a hanner oed gan adael ar ei hôl farc huawdl ei sawdl yn y sment ar riniog y gegin. Mewn byr o dro daeth Jane i lenwi'r aelwyd ac yno y bu am 58 o flynyddoedd hyd ei marw yn 1981. Er i John aberthu swydd a chyflog i ofalu amdani yn ei henaint, ni chwerwodd y profiad ef, ac ni chlywais ef yn edrych yn ôl ar y saith mlynedd y bu'n ei gwarchod yn hunandosturiol; yn hytrach soniai lawer nad oedd ganddo'r dewis mewn gwirionedd ond gwarchod yn dyner a gofalus yr hon a aberthodd ei bywyd i'w fagu ef yn faban ac i ofalu amdano am yn agos i drigain mlynedd. Gŵr y gwerthoedd traddodiadol oedd John Roderick Rees, ac yn ingol ymwybodol o'i ddyletswyddau teuluol – rhinweddau a draddodwyd iddo gan ei dad a'i dad yntau o'i flaen. Anghenion Jane a gâi ei flaenoriaeth. Nid aeth diwrnod heibio heb iddo grybwyll ei henw hi. Esboniodd wrthyf ryw dro nad oedd am ei hanfon i gartref hen-bobl gan y byddent yno'n ei llenwi â chyffuriau a fyddai'n y pen draw'n byrhau ei dyddiau. Iddo ef, nid dyletswydd yn unig oedd ei gwarchod ac ymateb i'w hanghenion lu, ond braint na fyddai'n ei throsglwyddo am y byd i 'bobol ddierth'.

Parchai air a gweithred ei gyndeidiau, y rheini a fu'n coluro tir ac adeilad â'u gofal. Hen ŷd y wlad a roes ar silffoedd y llechweddau gyfrolau eu llafur a'u byw tlawd. Hebddynt hwy ni fyddai ar y Mynydd Bach na chlawdd na pherth, cwter na choeden. Hwynt-hwy a roes i'r gwanwyn ar dir uchel y fro ei urddas gwyrdd, i'r haf ei gynhaeaf, ac i'r hydref ei ydlannau. Tyfodd ei delynegion o'r pridd a'i bryddestau o'i filltir sgwâr. Syml oedd yr arddull fel ei fywyd, di-rwysg a diaddurn werinol. Iaith yn ei dillad gwaith bob dydd ond weithiau hefyd yn ei dillad parch, clasurol.

Tafarn y Plough and Harrow oedd Bear's Hill yn wreiddiol ac wedi ei adeiladu ar dro braidd yn lletchwith. Roedd lle i gar neu ddau barcio o flaen y bwthyn, a phan ddeuai'n amser gadael, byddai John yn prysuro i agor clwyd y clos i dywys y gyrrwr allan yn ddiogel i'r ffordd fawr. Jane a fyddai'n gyfrifol am roddi'r 'all clear' pan oedd hi o gwmpas ei phethau. Yn ystod ei gwaeledd ac wedyn, byddai'n rhaid i John agor y glwyd, gwirio a oedd car yn dod ai peidio, a rhuthro ar drot yn ôl i'r car a gyrru allan fel cath i gythraul, gan obeithio na fyddai car neu lorri wedi cyrraedd y tro o'i flaen. Bu i amryw o'r llygad-dystion llygadrwth boeni am ddyfodol tymor hir y gyrrwr a bonet ei gar. Gan imi gyfranogi o'r profiad o deithio gydag ef yn ei gerbyd, mae'n wir dweud y byddai'r cyflymder yn amrywio'n aml yn ôl natur y sgwrs rhwng y teithiwr a'r gyrrwr. Pan fyddai angen meddwl clir, treiddgar a chytbwys, pendiliai pin y cloc cyflymder yn ddigalon tua'r gwaelodion isaf oll. Wedi i'r gyrrwr arllwys ei ddoethinebau i glustiau'r gwrandäwr, deuai'r nerth a'r sioncrwydd yn ôl drachefn i gyhyr y pin aflonydd. Rhaid cydnabod y byddai car bach Bear's Hill yn magu cynffon o geir eraill yn fuan wedi gadael y clos ac nid oedd modd eu diosg hyd lonydd cul Ceredigion nes cyrraedd pen y daith. Nid gyrrwr pell mohono, twtian o gwmpas y fro oedd yn ei orfodi i gadw car. Y daith bellaf oedd honno i Aberystwyth bell. Peidiodd y gyrru yn 2006, a chollodd yntau, er gofid mawr iddo, ei annibyniaeth. Yr oedd cael ei amddifadu o'i ryddid i deithio dan ei bwysau yn arwydd fod y pryf erbyn hyn 'yn y rhuddin hen'. Onid oedd bellach yn gaeth i'w fro a'i fwthyn hoff, ond unig?

I rai nas adnabu, gŵr plwyfol, penderfynol a phenstiff oedd gwrthrych y gwaith hwn. I eraill gŵr swil, digyfaddawd a chymhleth. Meddai ar ei ffon fesur ei hun i dafoli pobl a'u cymhellion. Meudwy yn ôl y cymdeithasgar allblyg, person di-droi'n-ôl ac anodd ei drin. Ni werthodd na chyfer o dir na modfedd o'r dreftadaeth am y deg-darn-ar-hugain hudol. Nid oedd angen moderneiddio, a throi cynefin yn wareiddiad 'pop a chrisps'. Un o'r deri ydoedd nas diwreiddiwyd gan wynt ysgubol y mileniwm newydd, ac a gadwodd y pethau bychain yn gysegredig. Bodloni ar ei ddeuddeg erw o ystad a chyfrif ei hun yn freintiedig iddo etifeddu'r gynhysgaeth hon yn ucheldir Ceredigion. Gallai fwynhau cynhesrwydd a chyfeillach ei anifeiliaid a chylch dethol o gyfeillion a fu'n deyrngar iddo hyd y diwedd. Angor ddi-syfl yr aelwyd, sicr ei farn, a ddysgodd fod yna orfoledd yng ngwarineb bywyd ar rofften y tyddyn. Gallaf ddal i'w weld o hyd yn fy nychymyg mewn pilyn trwsiadus ar ben drws ei fwthyn gwyngalch, y gwladwr anwladaidd, y bonheddwr o'i ben i'w sodlau yn edrych allan dros erwau digyfannedd noeth ei etifeddiaeth.

Mae llawer o farddoniaeth fodern yn pwysleisio ansefydlogrwydd a hyblygrwydd bywyd: y profiad dernynnol a'r sefyllfa drosiannol yn y byd modern. Caiff y ffiniau eu hymestyn yn gyson a'u hystumio yn ôl profiad yr awdur. I fardd fel John Roderick Rees, er enghraifft, mae bro arbennig yn offrymu iddo gyd-destun i'w ddychymyg creadigol yn ogystal â'r maeth emosiynol neu'r synwyrusrwydd barddol angenrheidiol. Ymhlith gweddill a gwaddol cymuned y cafodd John Roderick Rees y sefydlogrwydd a'r parhad a geisiai pan oedd llinynnau cymdogol yr hen fyd yn llacio'n araf gyda'r blynyddoedd.

Nid person i foddio'r dorf oedd John, chwarae i'r galeri,

rhyngu bodd yr hwn a'i hystyriai ei hun yn bwysig, yn aelod o'r 'giwed o bwys', breintiedig, y sosialydd a honna gerdded 'y llwybr cul' i'w Nirfana werdd a'r Cymro brwd a blaengar sy'n llafar ar bob llwyfan ond a dderbyniodd arian y Sais 'am ei le' pan ddaeth ar werth. Person di-syfl ond didwyll, unigolyddol a digymrodedd ar adegau, ond coleddai gred sylfaenol y dylai pawb fynnu bod yn ef ei hun, doed a ddelo, ac yn onest ag ef ei hun. Heb hynny, ni wneir ond byw ffug ac anwir. Gallai fod yn llawdrwm arno ef ei hun ac yn ddigyfaddawd ar eraill. Ni phoenai hynny nemor ddim arno. Yr oedd byd natur ei fro yn niffeithdir Ceredigion yn ddelwedd weledig o wir symlrwydd a mawredd bywyd ar ei fwyaf naturiol. Fe'i poenid pan fyddai'r hen gynefinwyr o'r un genhedlaeth ag ef yn diflannu ac adrefu o un i un. Ac ar ryw olwg gwelai â'i lygaid ei hun dameidiau o'r hen fro'n diflannu gyda hwy. Pobl y creodd caledi bywyd y waun a'r mynydd ddur yn eu gwreiddiau.

Bob tro y teithiaf ar y ffordd gul a throellog rhwng Tregaron a Cross Inn, ger Llan-non, bydd yn rhaid mynd heibio Bear's Hill a saif yn anghyffwrdd unig yn ymyl y ffordd fawr. Tu hwnt i'r glwyd gallaf weld y tyddyn, y beudy a'r stabl, a chlawdd yr ardd lle y tyfai gynt lysiau'r cawl. Dyma ar ryw olwg weddill a gwaddol yr athro, y bardd a'r gwerinwr a fu'n dyrchafu llygaid bob tymor i'r Mynydd Bach a thros garthenni'r caeau bach a'r tyddynnod gwasgaredig cyn dyfod y 'cyffuriedig griw' yn rhuthr o'r tu hwnt i'r ffin. Adrefodd yntau bellach fel gweddill yr hen wynebau yn eu tro. 'Rydym ni yma o hyd' ebe'r bardd ar ddiwedd ei bryddest 'Llygaid', ac ar ryw agwedd deil yr ymhoniad hwnnw yr un mor ddilys heddiw ag erioed, oblegid fel afon Gwyrfai y bardd o Ryd-ddu, mae'r fan a roes gychwyn i John Roderick Rees yn parhau ac nid oes dim mwy a'u hysgaro. Mae darnau ohono ar wasgar hyd y fro. A thra bydd darllen a myfyrio ar ei waith a rhyfeddu at ei ddawn, er ei fod wedi mynd 'uwchlaw cymylau amser' mae ef 'yma o hyd', yn bresenoldeb annaearol, yn geidwad y ceyrydd, yn gynhaliwr y ddoe na ddarfu mwyach o dir yr ymylon.

*   *   *

Fy nod gwreiddiol wrth lunio'r cofiant a'r astudiaeth gyd-destunol hon oedd ceisio osgoi unrhyw foliant gwenieithus, i'm galluogi i sicrhau elfen glir o wrthrychedd amhersonol. Canolbwyntio ar ffeithiau a'r gwirioneddau dynol a chymdeithasol gan eu gwau mor gelfydd â phosibl i stori bywyd y gwrthrych. Bu i'r gwaith cychwynnol o loffa'r darnau ynghyd gymryd misoedd lawer gan nad oedd John Roderick Rees wedi gadael ar ei ôl nemor ddim llythyrau nac ysgrifau cofiannol, erthyglau na darnau hwylus i'm cynorthwyo ar y ffordd. Mor amharod ydoedd i ddatgelu unrhyw gyfrinachau a ystyriai ef yn bersonol a phreifat. Golygodd hynny orfod cribinio drwy ddogfennau, pentyrrau o gylchgronau a phapurau newydd, a hynny dros gyfnod o wythnosau a misoedd lawer i geisio dod o hyd i ddarnau gwasgaredig y jig-so er mwyn llunio rhyw fath o amlinelliad o'r darlun y ceisiwn ei greu. Gwaith rhwystredig ac araf fu hwn gan nad oedd y rhan fwyaf o gydoeswyr John bellach ar dir y byw i'w cwestiynu a'u cyf-weld. Fel y ceisiai Kyffin Williams greu lluniau a phortreadau olew gyda chramennau o baent ac amlinellau pendant, felly y ceisiais innau greu darlun gonest a chyflawn o'r gwrthrych yn ei amrywiol weddau. Y nod oedd creu portread amlweddog, nid mewn lliwiau pastel cyffrous a dyfrlliw, ond mewn geiriau yn unig.

Bu'n driw a ffyddlon i'w gongl ef o Gymru. Ni cheisiodd gyflawni'r pethau mawr mewn bywyd, yn hytrach bodlonodd ar geisio amddiffyn y pethau bychain sy'n sownd wrth wreiddiau hen gymdeithas a chymuned a fu unwaith yn 'chwyddo byth i'r lan' cyn dod dydd y chwalfa. Mor falch yw'r rhai ohonom a fu gynt wrth ei draed o ymhonni heddiw yng ngeiriau Gruffydd Gryg gynt i'w athro barddol, Dafydd ap Gwilym:

Dysgbl wyf, ef a'm dysgawdd.

John Roderick Rees, Jane Mary Walters a David Rees
yn Berth-lwyd, Cross Inn, Llan-non

David Rees a sbrigyn o
'hen ŵr' yn lapel ei got

John Roderick Rees
gartref ar y fferm

Pennod 1

Ei ardal a'i deulu

'Ef ei hun yw pawb ohonom yn y diwedd'

Mewn ardal wasgaredig, unig a mynyddig fel Pen-uwch yng nghanoldir Ceredigion, yr oedd y tyddyn a'r cartref yn asgwrn cefn cymuned. Cynhyrchodd y mynyddoedd a'r bryniau o gwmpas boblogaeth fewnblyg a goleddai arwahanrwydd a neilltuaeth ddiwylliannol ac a ymhyfrydai yn y brodorol yn hytrach nag yn y sirol a'r cenedlaethol. Hyn, os mynner, a gynhyrchodd olygwedd lwythol a phlwyfol y bobl. Nid oedd bywyd yn hawdd o gofio ei bod yn ardal oddeutu mil o droedfeddi uwchlaw lefel y môr. Bro anghysbell ydoedd a fu'n gynefin coed breision a choedwigoedd ar un adeg, ac nid oes tystiolaeth o amgáu tir yng Ngheredigion hyd at ganol y ddeunawfed ganrif.[1] Rhwng 1793 ac 1815, cafodd rhyw 10,000 o erwau o dir

---

[1] O'r 435,492 o aceri yng Ngheredigion yn 1795, yr oedd 206,720 acer naill ai'n wyllt neu'n gytir. Erbyn canol yr ugeinfed ganrif, yr oedd yn dal yng Ngheredigion gymaint â 40,675 acer o dir cytir o blith o 443,189 o aceri. Gw. David Hey, ed., *The Oxford Companion to Local and Family History* (London, 1996), tt. 151–2. Am ddarlun mwy cyflawn o'r deddfau cau a basiwyd gan y llywodraeth, gw. John Chapman, *A Guide to Parliamentary Enclosures in Wales* (Cardiff, 1992).

comin y sir eu hamgáu a pharhaodd y broses drwy'r bedwaredd ganrif ar bymtheg. Erbyn dechrau'r bedwaredd ganrif ar bymtheg hefyd yr oedd dros chwe deg o filoedd yn byw yn y sir a'r nifer yn cynyddu a'r galw am dir i'w amaethu'n dwysáu. Yr adeg honno y trowyd y tir comin gwyllt yn dyddynnod a ffermydd bychain. Tai unnos oedd yr anheddau i ddechrau a chodwyd amryw ohonynt yn ardal Pen-uwch a'r Mynydd Bach rhwng 1830 ac 1875. Yn 1880 daeth deddf i rym a orfodai'r rheini a godai dŷ ar y comin i dalu amdano a daeth pennod y tai unnos i ben.[2]

Disgrifir y broses o greu tyddyn unnos a phreswyl o'r cytir mawnog gan John Roderick Rees yn 'Y Winllan': 'Bu Dafydd â'i 'w'ellgaib / Ar Ros Haminiog / Yn dyfal ddigroeni ei grofften rugog / Yng nghyni mud y deugeiniau moel.'[3] Bywyd darbodus, caled ar gorff ac enaid oedd naddu 'hafod fach i'w deulu gyd-fyw' ar y tyddyn.

Enw'r afon a red drwy ardal Pen-uwch ydyw Gwenffrwd, sydd yn tarddu yn agos i Lyn Farch ac a red i afon Aeron. Galwyd hi yn Gwenffrwd gan Dafydd Harri, ebe Glasfryn Jones, un o drigolion Pen-uwch, 'oherwydd y rhaeadr ofnadwy, neu ddisgynfa dros y graig rhwng Llanfaelog a Henbant'. Yn 1844 yr adeiladwyd capel y Methodistiaid Calfinaidd, ond yn 1867 fe'i hailadeiladwyd gan ei godi'n uwch. Pan luniodd Glasfryn Jones (neu Thomas Jones)[4] y llawysgrif yn 1872 yr oedd cymaint â 150 yn mynychu'r Ysgol Sul ym Mhen-uwch, sydd yn tystio mor gadarn oedd bywyd ysbrydol yr ardal ddiwedd y bedwaredd ganrif ar bymtheg.

---

[2] Ceir ychydig o hanes y tai unnos mewn llyfrau fel John Rees Jones, *Sôn am y Bont* (Aberystwyth, 1959), t. 97; Ben Jones, *Y Byd i Ben Trichrug* (Aberystwyth, 1959), t. 54; Richard Phillips, *Dyn a'i Wreiddiau* (Llangwyryfon, 1975), tt. 280–1; Alun Eirug Davies, 'Enclosures in Cardiganshire, 1750–1850', *Ceredigion: Cylchgrawn Cymdeithas Hynafiaethwyr Ceredigion*, Cyf. VIII (1976–1979), tt. 105–7 (100–140).

[3] *Cerddi'r Ymylon* (Llandysul, 1959), tt. 34–6.

[4] LlGC Papurau Thomas Jones, Glasfryn, llsgr. 15486C.

Mae'n amlwg felly i'r fro ddatblygu yn ystod y ddau can mlynedd diwethaf yn gynefin tyddynnwr, pentrefwr a chrefftwr. Yn ysbrydol ac yn ddeallol, hwynt-hwy a'u cyffelyb oedd cynheiliad gwarineb a diwylliant Ceredigion ar un adeg. Ni pherthynent fel y cyfryw i ddosbarth cymdeithasol arbennig, ni rigolwyd pobl yn garfanau hunanddigonol; yn hytrach yr oedd i bawb ei swyddogaeth a'i gyfrifoldeb cyhoeddus o fewn ei gymuned.

Fel pob tyddynnwr, roedd John Roderick Rees yn glynu'n gyndyn wrth ei ychydig erwau er parch a gwrogaeth i'r rhai a'i rhagflaenai. Ni feddai ar wrthrychedd gwyddonol yr alltud, oblegid bu'n byw yn ei fro drwy gydol ei oes, ac ni wnaeth y mewnfudo a'r newid a ddigwyddodd yn hanes Pen-uwch negyddu dim o'i deimladau a'i ymlyniad wrth ei fro gynefin. Ni ellir ysgaru'r elfen emosiynol oddi wrth ei gerddi i'w fro, ac ni ellir amgyffred ei hunaniaeth na gwerthfawrogi corff helaeth o'i ganu heb ddwyn i ystyriaeth y cefndir a'r hanes uchod. Wedi'r cyfan, y mae'n bwysig ystyried y modd y cyflyrodd y cefndir tyddynnol, gwerinol, gwledig y bardd i ganu mewn dull mor delynegol a theimladwy, ond hefyd mewn modd amddiffynnol ac angerddol. Disgrifiodd Ben-uwch mewn englyn o'i eiddo unwaith: 'Pen-uwch! Bro'r gwynt a'r lluwchiau' ond ar y llaw arall, mae'n cyfaddef 'anwesaf hynawsedd ei bryniau.'[5]

Ganed John Roderick Rees ar 1 Rhagfyr 1920 yn Bear's Hill, Pen-uwch, yn fab i David a Mary Rees. Tyddyn o ddeuddeg acer ydyw Bear's Hill, sydd ar y ffin rhwng dwy ardal, sef Pen-uwch a Bethania yn rhan ddeheuol y Mynydd Bach. Gelwid John Roderick Rees, yn arbennig gan ei gydnabod ysgol, yn Jack y Plough, ar sail y ffaith mai tafarndy'r Plough and Harrow oedd Bear's Hill yn

---

5   'Cynefin', *Cerddi John Roderick Rees* (Llandysul, 1984), t. 91.

wreiddiol.[6] Ei ewythr, Harry Rees, brawd i'w dad, a roes i'r tyddyn yr enw Bear's Hill gan fod afon Arth yn rhedeg nid nepell o'r fan. Honnai John Roderick Rees y buasai wedi hoffi newid enw'r lle i Fryn-arth, ond nad oedd am wneud hynny oblegid mai Bear's Hill oedd yr enw ar garreg fedd ei fam. David Rees, tad John Roderick, a'i prynodd a bu yn y teulu hyd farw'r olaf ohonynt yn 2009. Yr oedd yno gymdogaeth glòs a chymdogol ac mewn un rhaglen deledu esboniodd natur garedig y trigolion. Clywsai ei dad yn adrodd fel yr oedd hen wraig o'r enw Nel Pant-yr-oen yn byw ar dyddyn un cae ond heb neb un flwyddyn i gynaeafu ei gwair. Un bore gwelwyd deunaw o gymdogion gyda'u pladuriau yn cyrraedd y cae i ladd ei gwair.[7] Dyma'r math o gymdogaeth gymwynasgar a charedig a geid yma ar ddechrau'r ganrif ddiwethaf.

Nid rhyfedd gan hynny mai bro ydoedd o dyddynwyr a gadwai fuwch neu ddwy ac ychydig ddefaid i ychwanegu at incwm blynyddol y teulu. Tystia John Roderick Rees mai rhyw bedair fferm a oedd yn y fro i gyd a allai fyw ar enillion blynyddol y lle ac nad oedd angen i aelod o'r teulu fynd allan i weithio er mwyn cynyddu'r incwm. Dilys y disgrifiad hwn o'r ardal hyd heddiw. Deil yno rai ffermydd y gellid eu disgrifio fel unedau hyfyw, ond tyddynnod yw'r rhelyw, a thrin y tir a chadw ychydig anifeiliaid yn fwy o orchwyl ran-amser ac o bleser nag o ffordd o ychwanegu at fywoliaeth y deiliaid.

Digon tlawd oedd sefyllfa John a'i wehelyth. Yn ardal Pen-uwch roedd 64% o'r ffermydd yn 1900 o dan 30 erw.

---

6   Sonnir gan Evan Jones yn ei gyfrol, *Y Mynydd Bach a Bro Eiddwen* (Aberystwyth, 1990) fod yn y fro bedwar tafarn gynt: Tŵr-gwyn, Mountain Green, Drover's Arms a Plough and Harrow (t. 21). Y tebyg yw fod y tafarndai hyn yn lleoedd prysur adeg y tair ffair a gynhelid gynt ym Mhen-uwch, yn enwedig yr un a gynhelid ar y 6ed o Hydref. Yn ôl Dafydd Edwardes mewn sgwrs a recordiwyd yn 1971, cynhaliwyd y ffair olaf ym Mhen-uwch yn 1894 (LlGC tâp DRM 6242/4667214).

7   *Pobol Cymru 2000* (S4C), darlledwyd 3 Mehefin 2001.

Yn wir, yr oedd 86% o ffermydd Cymru yn 1896 yn llai na 50 erw.

Pan ymwelodd swyddog y Weinyddiaeth Amaeth ag un o gymeriadau mwyaf diddorol a hynod Pen-uwch, sef Dafydd Edwardes (1894–1976), Tanffynnon, yn ystod yr Ail Ryfel Byd i asesu potensial y pridd ar gyfer tyfu cnydau, gofynnodd i Dafydd, o weld cyflwr brwynog a llaith y ddaear, beth yn hollol y gellid ei dyfu yno. Atebodd Dafydd yn syml, 'Dynion, syr, dynion.'

Bu tyddyn Bear's Hill yn gaer gynnes a dedwydd i John a'i deulu am yn agos i gan mlynedd. Wyth cae oedd i'r 'lle bach', deuddeg erw, ac amhosibl oedd ennill bywoliaeth ar dyddyn mor gyfyng a thlawd ei ddaear. Pan oedd John yn ddwy flwydd ac wyth mis oed bu farw ei fam, Mary, a hynny ar 19 Gorffennaf 1923 yn 34 mlwydd oed ar enedigaeth plentyn a fu farw hefyd. Ni chofiai nemor ddim am ei fam ac eithrio iddo weld ôl ei throed yn y sment ar riniog y gegin. Cofiai hefyd fod ym mreichiau Mari Glan-dŵr, gwraig a oedd wedi ei magu ym Mlaen-waun, Pen-uwch, gyda'i fam-gu a'i dad-cu, ac yntau'n edrych tua'r awyr ac yn dweud wrthi: 'Edrych, Mari, mae Mam lan fan'na y tu ôl i'r cwmwl gwyn.'

Ganwyd ei fam yn Rhyd-las, tyddyn arall yn y fro, ac yno yr âi John yn ddiweddarach i ymweld â'i dad-cu.[8] Yr oedd Mary yn hanu o deulu niferus Rhyd-las, a rhai ohonynt wedi aros yn eu cynefin, ac o leiaf ddau wedi penderfynu mentro i gynorthwyo eu hewythr, John Evans, Bodlondeb, yn y fasnach laeth yn Llundain. Yr oedd 'Roderick' yn enw teuluol. Enwyd John ar ôl ei ewythr, Roderick Jones, brawd ei fam. Treuliodd Roderick Jones ei oes gyfan o'r cyfnod pan oedd yn 11 oed yn Highgate yn Llundain, ac yno y bu farw yn 84 mlwydd oed. Claddwyd Roderick Jones, fel y mwyafrif o'r teulu, ym mynwent capel Bethania. Trigai ei

---

8   Ceir cyfeiriad at Graig Rhyd-las ar ddechrau'r bryddest 'Llygaid'.

frawd, Evan Jones, yn Finchley yn Llundain, a Thomas, ei frawd arall, yn Aberystwyth. Ym Mhenarth, Caerdydd, y cartrefai brawd arall o'r enw Hugh, ac yr oedd chwaer i Mary yn byw yn High Wycombe. Teulu ar chwâl ydoedd gan hynny, fel llawer o deuluoedd y cyfnod a orfodwyd i adael cartref yng Ngheredigion i chwennych gwaith a chyfleoedd amgenach mewn tiroedd brasach y tu hwnt i Glawdd Offa neu yng nghymoedd glofaol sir Forgannwg. Lluniodd John Roderick Rees gerdd goffa i'w fam sydd yn sôn am yr Angau a'i hamddifadodd o'i phresenoldeb ar yr aelwyd pan nad oedd yntau ond deng mis ar hugain oed. Cof yr ardal oedd ei gof am ei fam, ond clywodd ddigon o eiriau teg amdani fel y gallai yntau ganu:

> Diolch ei bod hi
> yn cerdded yn fy ngwaed
> a'i llais yn llef ddistaw
> yn fy ymwybod.[9]

Lleddfwyd llawer ar ei brofiad o golli ei fam pan ddaeth Jane Mary Walters i ofalu amdano ef a'i dad. Daethai atynt i wasanaethu o fwthyn o'r enw Talog, rhwng Pen-uwch a Llangeitho lle y trigai gyda'i mam, Marged Walters. Bu'n gwasanaethu tad-cu John a'r teulu am tua dwy flynedd cyn hynny. Bu'n fam faeth iddo am weddill ei hoes, am 58 o flynyddoedd hyd ei marw yn 86 mlwydd oed nos Wener, 24 Ebrill 1981. Nid oedd ar noson ei marw ond hi a John ar yr aelwyd a thrwch o eira annhymhorol yn gorchuddio'r fro:

> Hi roes ei breichiau amdanaf
> Wedi claddu Mam
> A'm dal yn dynn hyd y diwedd.[10]

---

9   *Cerddi Newydd 1983–1991* (Llandybïe, 1992), t. 34.
10 'Jane', *Cerddi John Roderick Rees*, t. 137.

Ei dylanwad hi a welwyd yn bennaf ar John yn ystod ei blentyndod. Gan y byddai ei dad i ffwrdd am o leiaf dri mis y flwyddyn, o fis Mai i Orffennaf, yn 'dilyn march', Jane a oedd yn gyfrifol am yr aelwyd a'r tyddyn, a hi hefyd a fuasai'n dysgu iddo weddi cyn mynd i gysgu.[11] Nid oedd ei dad, David Rees, yn gapelwr cyson, a Jane a wnaeth ei drwytho yn yr ysgrythurau a'i annog i fynychu capel y teulu, sef capel y Methodistiaid Calfinaidd ym Methania. Pan oedd John yn blentyn, cofiai am Jane yn dysgu dau bennill o weddi iddo i'w hadrodd wrth erchwyn ei wely:

> Rhof fy mhen bach lawr i gysgu,
> Rhof fy enaid bach i'r Iesu,
> Os bydda i farw cyn y bore
> Duw dderbynio'n henaid inne.

ac wedyn:

> O cadw ni drwy'r nos
>   Rhag ofnau, Arglwydd mawr,
> Angylion fo yn gwylio'n hun
>   Hyd doriad bore'r wawr.

Jane fuasai'n cymell, yn annog, yn ysbrydoli pan fyddai'r ysbryd yn pallu. Cododd hi a David, ei dad, gaer fewnol ei fod i John. Ef oedd canolbwynt bywyd y ddau ohonynt, cannwyll eu llygaid yn wir. Cydnabu John yn ei bryddest 'Glannau' mor hyddysg ydoedd Jane yn ei Beibl a chymaint o emynau a phenillion a oedd ganddi er ei dyddiau ysgol ar gof a chadw:

> Unwaith eto
> yn yr ysgol gân
> a'r gymanfa

---

11 *Dylanwadau* (BBC Radio Cymru), darlledwyd 15 Gorffennaf 1991.

yng nghwmni Pantycelyn ac Ann
a'r porthmon o Gaio.[12]

Cofiai John yn ddiweddarach fel y byddai Jane yn berwi
llaeth ac uwd iddo yn ystafell wely ei dad os digwyddai iddo
fod yn dioddef o unrhyw salwch neu anhwylder pan oedd
yn blentyn. Hithau wedyn yn eistedd ar erchwyn ei wely
am oriau ac yn canu iddo emynau ac adrodd wrtho storïau
i blant i basio'r oriau. Honna'r teulu nad aethai diwrnod
heibio heb i John sôn am Jane, gwraig a fu mor ofalus
ohono am dros hanner canrif faith.

Enwebwyd Jane yn 1968 i dderbyn medal ffyddlondeb y
Gymdeithas Amaethyddol Frenhinol am ei gwasanaeth di-
dor i'r un teulu am 45 mlynedd. Roedd yn nodweddiadol
ohoni nad aeth i'r Sioe i dderbyn y gydnabyddiaeth.
Llafuriodd yn galed pan symudodd John a'i dad yn 1939 i
Berth-lwyd, fferm fwy o faint yn Cross Inn, Llan-non. Yr
oedd hon yn fferm 70 erw ac yn gofyn egni a dycnwch gan y
tri ohonynt. Hi a fuasai'n gyfrifol am yr aelwyd, ond byddai
hefyd yn cynorthwyo gyda'r amrywiol orchwylion ar y fferm,
fel llwytho dom i'r gert, cywain gwair, peintio a phorthi
anifeiliaid. Yr oedd hyn yn y cyfnod pan oedd yn ofynnol
crasu bara a chorddi, golchi dillad â llaw a choginio bob
dydd. Yr oedd hi wrth ei bodd yn gofalu am yr anifeiliaid, ac
enwai hwynt bob un. Chwithdod ganddi felly oedd gweld eu
gwerthu, ac yr oedd y teimladrwydd a'r ymdeimlad
gwarcheidiol hwn at greadur yn ffenomenau a
drosglwyddwyd ganddi i'w mab maeth. Anfynych y
gadawai'r aelwyd ac eithrio pan âi am ychydig ddyddiau o
wyliau at ei brawd Ianto a'i wraig, Maggie, a drigai yn
Rhosyfedwen, Hendre Road, yn Nhŷ-croes, Rhydaman. Barn
rhai a'i hadnabu oedd iddi fod yn orfamol ac yn orofalus o'i
mab maeth fel na châi 'yr un awel chwythu arno'. Er y
cydnabu John ei swyddogaeth a'i gofal mamol ohono, fel

---

[12] 'Glannau', *Cerddi Newydd 1983–1991*, t. 24.

Jane y cyfeiriai ati ac fel 'ti' y'i cyfarchai hi bob amser. Er cymaint dylanwad ei dad arno, mae'n sicr mai Jane a lywiodd gyfeiriad ei fywyd o'r cychwyn, bron, a than ei chyfarwyddyd a'i gofal hi yr ymfwriodd ati a disgleirio yn ei waith ysgol.

Soniodd John Roderick Rees am ei dad fel un yr oedd unplygrwydd a chywirdeb yn rhan gynhenid o'i bersonoliaeth. Yr oedd yn gas ganddo ragrith a Phariseaeth. Person gonest oedd David Rees (Dai) a didwyll a chywir yn ei ymwneud â chyd-ddyn. Cymerai ei ddyletswyddau a'i gyfrifoldebau o ddifrif gan gadw adeiladau'r tyddyn a'r tir yn gymen a diddos, a phorthai bob anifail yn dda ac â'r ebran gorau. Nid oedd arno ofn dweud ei farn a gwnâi hynny heb ofni gwg cydnabod na theulu. Ystyrid ef yn un o'r goreuon erioed a fu wrth ben còb Cymreig ar glos fferm neu mewn cylch sioe. Tystia John i ddylanwad ei dad ar ei ffordd o bwyso a mesur pethau, ac er na ddangosai David Rees ogwydd at ysgolheictod, yr oedd ganddo barch at addysg a gwybodaeth.[13]

Y cartref oedd canolbwynt bywyd David, Jane a John Roderick Rees. Bod gyda'i gilydd ar yr aelwyd oedd y diddanwch pennaf. Nid oeddynt yn rhai i gerdded cyfarfodydd cymdeithasol ac i deithio gyda'r nos i ymweld â chydnabod ac eithrio cymdogion, a deuent hwythau yn eu tro i ymweld â theulu Bear's Hill yn y dyddiau di-gar a didrydan hynny.

Derbynnid un papur wythnosol ar yr aelwyd, y *Welsh Gazette*,[14] ac fe dderbynnid *Y Cymro* hefyd pan gychwynnodd yn 1932. Ffrwyth yr amgylchedd hwn a fu'n gyfrifol am wneud John yn blentyn mewnblyg ac encilgar a'i câi'n anodd am weddill ei fywyd i gymdeithasu ac i ymwneud ag eraill. Yr oedd David, Jane a John yn uned deuluol annibynnol, hunangynhaliol a muriau'r cartref a

---

13   *Dylanwadau* (BBC Radio Cymru), darlledwyd 15 Gorffennaf 1991.
14   Papur a argraffwyd yn Stryd y Bont, Aberystwyth, rhwng Ebrill 1899 a Rhagfyr 1964. Gw. W. J. Lewis, *Born on a Perilous Rock* (Aberystwyth, 1980), tt. 118–20.

phridd y cloddiau yn warchodfa rhag y byd amheus y tu allan. Ymwneud â'r bobl gyffredin a wnâi John yn bennaf, y bychain dinod, yn hytrach nag â mawrion daear.

Arwyddocaol yw atgofion John Roderick Rees am y Nadoligau dedwydd ar yr aelwyd pan oedd yn ifanc.[15] Buasai yntau'n disgwyl yn eiddgar am ymweliad Santa Clos a chinio cig ceiliog ar ddydd yr ŵyl. Yr oedd hefyd yn adeg cymdeithasu rhwng cydnabod a theulu:

> Ar y noson ddisgwylgar–lwythog byddai cymydog yn aml ar yr aelwyd ac yn tynnu fy nghoes ynglŷn â Hen Ŵr yr Hosan. Dada ar y sgiw â mwg Ringer ei bibell yn arogldarthu'r aelwyd a Dan ar y gadair gyferbyn yn troelli bysedd trwy fwstas a hen straeon diddan yn dirwyn rhwng y ddau.[16]

Jane a'i dad a fyddai'n rhannu baich Santa yn ddiweddarach y noson honno. Ceisiai gadw'n effro i ddisgwyl ei ddyfodiad, ond bob tro'n dihuno'n rhy hwyr ganol nos ac yn gorfod byseddu am hosanau rhwng barrau'r gwely haearn. Dwylo'n dyfalu eu cynnwys cyn i'r wawr dorri. Hosan y tad a ddefnyddid gan ei bod yn fwy na'i un ef. Hosan a fuasai'n llawn o ffrwythau a chnau erbyn y bore a'r hosan fechan arall yn llawn o fân betheuach a berchid am eu llun yn fwy na'u lles. Yma, o'r golwg, yr oedd y gemau a'r mân deganau, y papur a'r pensil a'r paent.

Byddai Jane wedi paratoi ffowlyn a'r stwffin, heb anghofio'r plwm pwdin a'r saws gwyn. Gwledd i blentyn archwaethus ar dop Pen-uwch. Y tri wedyn o gwmpas y bwrdd, a byddai ei dad-cu (tad ei fam) yn ei

---

15 *Y Goleuad*, Cyf. CXXI, Rhif 52 a 53 (Rhagfyr 24 a 31, 1993), t. 3.
16 Ceir sôn gyntaf am Dan Tan-garn, y fferm nesaf i Bear's Hill, ym mhryddest y bardd, 'Ffynhonnau':
'A Dan
Ei gamau'n bwyllog fel pendil cloc y gegin
Yn dringo'r rhiw,
A'i helo ar y latsh ...' *Cerddi John Roderick Rees*, t. 99.

bedwarugeiniau hefyd yn ymuno â'r drindod a mawr oedd yr hwyl a gaed ar yr aelwyd yn dathlu'r Nadolig.

Âi rhai o'r ardal i hela wedi gwledda. Nid John, er hynny, ond gallai gofio mynd i gapel Pen-uwch ar ddydd Nadolig:

Ni chofiaf pa bregethwr na sill o'u pregethau ond erys y cof am y corau llawn. Darfu'r oedfa Nadolig ers hir flynyddoedd a bellach ni fyddai yno gig a gwaed, dim ond cwmwl tystion anweledig i'w hamenio hi.

Ar dro, mynychai eisteddfod nos Nadolig a gynhelid ym Mlaenpennal, bro gyfagos. Cof byw ganddo am David Williams, y Groesffordd, yn esgyn i ben bwrdd i arwain côr Llangwyryfon. Prin y mynychai teulu Bear's Hill ddigwyddiadau cymdeithasol o'r fath; yn hytrach, cof cynhaliol a mwyaf ysbrydol John yw hwnnw ohono ef, Jane a'i dad yn y gegin gynnes gyda'r nos, y llenni wedi eu tynnu a'r byd gwamal ac ansicr wedi ei gau allan. Gwres y tân, sgwrsio a darllen yng ngolau'r lamp baraffin. Ambell gêm o ddraffts gyda'i dad, ac ar dro, bwrw rings at fachau'r bwrdd a hongiai ar gefn drws y gegin. Y feudwyaeth drindodol hon a'i cynhaliai ac a'i llywiodd gydol ei ieuenctid. Y noddfa dawel a'i gwarchodai rhag awelon croes y byd ar y dydd y 'Daeth Brenin yr hollfyd i oedfa ein hadfyd'.

Hwyrach fod yr erthygl hon yn *Y Goleuad* ar yr olwg gyntaf yn cydymffurfio'n ddestlus â'r diffiniad o'r rhamantydd. Er iddo lunio'r gwaith yn ei henaint, yr oedd yn dal i gofio'r ymrwymiad teuluol a chartrefol a lywiai ei fachgendod. Nid oes yma ymdrech i ddadelfennu'r profiad i'w atgynhyrchu'n gyfanbeth mewnol trwy fyfyrdod fel y gwnâi T. H. Parry-Williams yn ei ysgrifau a'i gerddi; yn hytrach mae'n hapus i groniclo'n syml arwyddocâd a'r argraff ddofn a wnaeth y cwlwm teuluol ar yr aelwyd arno.

Yno yr oedd iddo 'ddinas noddfa', caer amddiffynnol gadarn rhag gormes y stormydd ar ryw benrhyn pell. Yr oedd ganddo fel plentyn synhwyrau mor deimladwy, a meddai ar ofn cyntefig wyneb yn wyneb â phwerau tywyllwch y cread. Dyna pryd y gallai yntau ddweud fel R. Williams Parry yn ei soned 'Dinas Noddfa' pan yw'n disgrifio effaith y sêr a'r nos arno ef ei hun:

Pan yrr y Sêr eu cryndod drwy dy waed
   Gan siglo dy gredoau megis dail.[17]

Nid oedd i John Roderick Rees gysur ychwaith yn y byd allanol. Dewisodd aros yng nghwmni Jane a'i dad a chilio oddi wrth y byd drygionus y tu allan i'r aelwyd warcheidiol. Nid oedd yno ofn ac ansicrwydd, ac am hynny amgenach ganddo oedd cilio i'w gragen ei hun am loches a cheisio'r 'golau nad yw byth ar goll'.[18]

Fel y dengys y bardd rhamantaidd Saesneg John Keats, yn ei gerdd enwog, 'Ode to a Nightingale', gall emosiynau gwrthgyferbyniol gydfodoli ac nid yw gwahanu pendant a thaclus yn bosibl ar elfennau'r profiad dynol. Nid oes modd bob amser ychwaith wahaniaethu rhwng pleser a phoen, gwirionedd ac anwir, gorfoledd a gwae, gan mai dwy ochr o'r un geiniog ydynt. Yma ceir llawenydd y Nadolig yn amodi'r ofn a'r ansicrwydd a berthyn i'r nos anferthol a'r tywyllwch. Y syniad fod dyfnder pell y nos yn llawn peryglon ac arswyd yn peri ofn ar y plentyn. Yr unig ffordd i ymwrthod â phwerau a dirgelwch natur yw cilio oddi wrthi i ddiogelwch aelwyd gynnes a theulu. Dyma blentyn swil, creadigol a myfyrgar a oedd wedi casglu fod y byd y tu allan i ffiniau'r aelwyd yn lle gelynol ac yn llawn peryglon. I blentyn fel hwn, anodd fyddai ennill yr hyder i arwain crwsâd neu i ymgolli fel rhan o fudiad neu'n lladmerydd

---

[17] 'Dinas Noddfa', *Yr Haf a Cherddi Eraill* (Dinbych, 1970), t. 48.
[18] 'T. H. Parry-Williams, 'Gwahaniaeth', *Casgliad o Gerddi T. H. Parry-Williams* (Llandysul, 1987), t. 28.

cymdeithas. Lle anghyfeillgar yw'r byd a haws closio at y teulu lle y caiff sicrwydd a diogelwch enaid. Hyn a'i gwnaeth yn anodd i John Roderick Rees am weddill ei oes i ymuniaethu â phobl ddiethr ac ymgolli'n llwyr yn ei gymdeithas oherwydd ei duedd i ymochel yn niogelwch cragen yr aelwyd. 'Ni rodia lwybr y dyrfa', ebe R. Williams Parry yn 'A. E. Housman'[19] a gwir hynny am John Roderick Rees o'i fachendod. 'Yr enaid ar wahân' fel Bendigeidfran yn 'Drudwy Branwen', cerdd eto gan R. Williams Parry.[20] Hawdd casglu mai plentyn unig ydoedd John ac nad rhyfedd felly y gallai gydymdeimlo â gwŷr ar wahân ac unig fel yntau mewn cymdeithas.

Gyrfa ysgol

Anodd fu gan John Roderick Rees adael Bear's Hill a'i anifeiliaid i fynd i'r ysgol am y tro cyntaf yn Ebrill 1926 pan oedd yn bum mlwydd a phedwar mis oed. Ddydd Llun yr oedd i fod i gychwyn, ond yr oedd ei dad yn naddu blaenau polion yn y tŷ gwair y diwrnod hwnnw a chaniatawyd i John aros gartref yn gwmni iddo.[21] Trannoeth bu'n rhaid wynebu'r dynged anochel ac ymlwybro'n anfoddog yng nghwmni Jane i'r ysgol.[22] Brith gof oedd ganddo o'i ddyddiau yn yr ysgol; uchelfannau yn unig a arhosai gydag ef, aethai'r gweddill yn rhan o gyffredinedd beunyddiol yr

---

[19] Ar gefndir y gerdd, gw. Alan Llwyd, *Bob: Cofiant R Williams Parry, 1884–1956* (Llandysul, 2013), tt. 320–2.

[20] *Cerddi R. Williams Parry: Y Casgliad Cyflawn* (Dinbych, 1998), tt. 93–6.

[21] 'Atgofion ysgol y Golygydd', *Rhwng Gwenffrwd ac Arth: Canmlwyddiant Ysgol Penuwch*, gol. John Roderick Rees (Llandysul, 1979), t. 46.

[22] Dywed W. J. Gruffydd yntau am yr ysgol: 'Fel diwedd ar ddyddiau heulog yr ymddengys yr ysgol i mi, wrth edrych arni mewn atgof'. Dyfynnir gan T. Robin Chapman yn *Meibion Afradlon a Chymeriadau Eraill: Golwg ar y Dymer Delynegol, 1891–1940* (Caerdydd, 2004), t. 96. Gw. hefyd W. J. Gruffydd, *Hen Atgofion* (Llandysul, 1936), t. 115. Gwir i awduron eraill brofi'r un atgasedd ar gychwyn dyddiau ysgol, yn cynnwys Tegla Davies, O. M. Edwards, J. Ellis Williams ac Islwyn Ffowc Elis.

ystafell ddosbarth. Yr oedd yn nyddiau John Roderick Rees rhwng 80 a 100 o blant yn Ysgol Gynradd Pen-uwch. Cofiai am lun y fuwch anghyffredin honno yn neidio dros y lleuad ar fur dosbarth Rachel Davies, Bryn-gwyn, a oedd yn athrawes ar y plant lleiaf. Y prifathro ar y pryd oedd Tom Llewelyn Stephens o Lanllwni a ddaeth i'r ysgol yn 24 oed yn syth o Goleg Prifysgol Aberystwyth. Disgyblwr llym ydoedd, ond yn llawn o syniadau newydd. Cymraeg oedd iaith y dysgu a'r chwarae ac anogid y plant i ddarllen *Cymru'r Plant*[23] ac i ymuno ag Urdd Gobaith Cymru Fach, fel y'i hadwaenid ar y pryd. Sefydlasid yr Urdd yn 1922 gan Ifan ab Owen Edwards i wasanaethu ieuenctid Cymru a hynny fel adwaith yn erbyn militariaeth ymddangosiadol mudiadau Seisnig megis y Sgowtiaid a'r Geidiaid. Roedd Tom Rees, cefnder i John, yn ddisgybl yn yr ysgol ers blwyddyn neu ragor, ac ar ei bwys ef yr eisteddai John i drin clai ac adeiladu blociau pren, plethu stripiau papur a gwnïo amlinell cwningod a blodau ar gardiau. Yr hyn a gofiai'n bennaf o'i ddyddiau cynnar yn Ysgol Pen-uwch oedd Rachel Davies yn darllen storïau 'o ryw gylchgrawn hir-ddalen a dderbyniai'n rheolaidd'.[24] Da y cofiai weld hefyd lun o'r Brenin Arthur ar glawr un rhifyn o *Cymru'r Plant* ac oddi tano'r geiriau:

> Mae Cymru'n bod
> A'r iaith yn fyw
> Ac Arthur yn cyfodi.

O'r cyfnod pan oedd tua saith neu wyth oed byddai'n derbyn y cylchgrawn ac yn darllen y cynnwys ei hun ar yr aelwyd gartref. Bu dylanwad Rachel Davies yn fawr ar John fel ar amryw o blant yr ardal yn y cyfnod hwnnw. Bu'n athrawes

---

[23] Sefydlwyd gan O. M. Edwards yn 1892 ac fe'i hymgorfforwyd yn *Cip*, cylchgrawn Urdd Gobaith Cymru, yn 1987.

[24] *Rhwng Gwenffrwd ac Arth*, t. 46.

yn Ysgol Pen-uwch am 41 mlynedd ac yr oedd yn ddisgybl yno cyn hynny.

Bu i John Roderick Rees dri phrifathro yn ystod ei gyfnod yn Ysgol Pen-uwch: Tom Llewelyn Stephens (1921–1928), David Richard Williams o Langybi (1928–1931) ac Arthur Tegwyn Prichard o Ben-y-garn, Bow Street (1931–1946). Ni chafodd gan Tom Llewelyn Stephens ond ychydig wersi cyn iddo adael i fynd yn brifathro yn Nhalgarreg, ond fe'i disgrifiwyd gan John Roderick Rees fel 'un goddrychol ac emosiynol ei natur'.[25] Cyferbyniol hollol oedd ei olynydd, David Richard Williams, a oedd yn 'wrthrychol a gwastad', ond ganddo ef y cawsai 'unig gansen' ei ddyddiau ysgol, a hynny ar gam. Canlyniad y gosb anhaeddiannol hon fu i'w dad, ar ôl clywed yr hanes gan John, fynd yn syth i'r ysgol a chydio yng ngholer y prifathro, a dweud wrtho: 'Sai erioed wedi cyffwrdd â'r crwt, a does gan neb arall yr hawl chwaith i dwtsh ag e'. Er mwyn selio ei eiriau, cadwyd John gartref o'r ysgol am wythnos gyfan hyd nes iddo dderbyn ymddiheuriad gan y pennaeth iddo wneud camgymeriad pan gosbodd ei fab.

Athro ydoedd Mr Williams a roddai bwyslais ar sail ieithyddol dda mewn Saesneg yn ogystal â'r Gymraeg. Pwysleisid y dysgu traddodiadol trwyadl hwn gan John Roderick Rees yn gyson. D. R. Williams a'i cyflwynodd gyntaf i gerddi Saesneg a gallai gofio 'Nod' (Walter de la Mare), 'The Snare' (James Stephens) a 'The Village Blacksmith' (Longfellow). Cyn diwedd ei yrfa fel disgybl yn Ysgol Pen-uwch, daeth Arthur Tegwyn Prichard yn brifathro. Ei brif ddiddordebau ef oedd cerddoriaeth a Chymraeg. Cyflwynid y disgyblion i ddarnau cynganeddol clasurol fel rhannau o 'Gywydd Hiraeth am Fôn', Goronwy Owen, ac er nad ymhoffai John Roderick Rees gymaint yn y canu caeth ag yn y canu rhydd, dichon mai'r prifathro

---

[25] *Rhwng Gwenffrwd ac Arth*, t. 47.

hwn a'i dysgodd gyntaf i werthfawrogi rhin a sŵn geiriau heb hwyrach lawn synhwyro a sylweddoli eu hystyr. Dyma'r prifathro a ddarllenai ar goedd i'r dosbarth fesul pennod lyfrau fel *Rhwng Rhyfeloedd* (1924), E. Morgan Humphreys, ac a gadwai ar fur yr ystafell lun o Owen M. Edwards y cyfeiriodd ato yn y bryddest 'Llygaid': 'O. M. / Yn dal i deyrnasu ar y mur.'[26]

O dan deyrnasiad y prifathro hwn hefyd y'i cyflwynwyd i *Old Saint Paul's* o waith W. Harrison Ainsworth a gyhoeddwyd yn wreiddiol yn 1841.[27] Nofel oedd hon am y pla a'r tân yn Llundain yn 1665 ac 1666, a chafwyd sawl argraffiad ohoni yn ail hanner y bedwaredd ganrif ar bymtheg a dechrau'r ugeinfed ganrif. Yr oedd nofelau Moelona (Elizabeth Mary Jones, 1877–1953) yn boblogaidd iawn hefyd yn ysgolion Ceredigion yn ystod y cyfnod hwn, yn arbennig *Cwrs y Lli* (1927) a *Teulu Bach Nantoer* (1913). Gan fod yr awdures yn byw ac yn gweithio yn ne'r sir, diau fod ganddi gysylltiad uniongyrchol â llawer o athrawon y gwahanol ysgolion.[28] Cafodd y llyfrau hyn ddylanwad mawr ar blentyn fel John Roderick Rees a oedd mor awyddus i ddianc i fyd rhamant ac antur y dychymyg.

Ymhlith ei atgofion melys am ddyddiau ysgol roedd yr adegau hynny pan fwytâi'r plant eu cinio ym Mhenllether ger yr ysgol. Âi John adre i ginio fel rheol, ond pan fyddai'r tywydd yn arw, deuai Jane â'i ginio iddo i Benllether i'w fwyta yno. Gallai weld hyd y diwedd ddarlun yn ei feddwl o

---

[26] 'Llygaid', *Cerddi Newydd 1983–1991*, t. 17.

[27] Yr oedd William Harrison Ainsworth (1805–1882) yn awdur poblogaidd iawn ymhlith pobl ifainc yn y bedwaredd ganrif ar bymtheg, a chyfieithwyd o leiaf un o'i lyfrau i'r Gymraeg, *Tŵr Llundain: rhamant hanesyddol yn nyddiau Mari Waedlyd* (Caernarfon, 1908).

[28] Cyfoed â hi yn yr ysgol oedd Caradoc Evans a hi yn hytrach nag ef a benodwyd yn ddisgybl-athrawes pan gynigiodd y ddau ohonynt am yr un swydd. Ysgrifennodd dros 30 o lyfrau i blant ac oedolion, a'r enwocaf yw *Teulu Bach Nantoer* a werthodd filoedd o gopïau. Dengys ei nofelau *Cwrs y Lli a Ffynnonloyw* (1939) ei hymwybyddiaeth o hawliau menywod a'i chefnogaeth iddynt.

berchennog y tŷ, John Williams, yn y cornel wrth y tân, yn tynnu llaw drwy ei farf gochliw ac yn tynnu coes John, tra byddai Marged, ei wraig, yn cerdded o gwmpas yn arolygu'r trefniadau bwyta.[29] Bu mab John Williams, sef Evan Williams, Penllether, yn gyfaill oes i John Roderick Rees gan ei fod yn rhannu'r un diddordebau yn 'y Pethe'.

Gallai John Roderick Rees gofio hefyd ymhlith darnau jig-so ei atgofion am y ddwy funud hir o ddistawrwydd yn y dosbarth i gofio'r Cadoediad. Yn ddieithriad bron, roedd dolefain y gwynt yn y nenfwd uchel ar achlysuron o'r fath yn cynhyrfu dychymyg plentyn. Mewn ardal fel Pen-uwch a Bethania mae'r gwynt yn ormes oesol. Sonia amdano ei hun yn ceisio cerdded adref o'r ysgol unwaith adeg Calan Gaeaf:

Dros 'dop' Fronheulog (1052 ft. *above sea-level* meddai plac y Bwrdd Dŵr), roedd y gwynt bron â'm codi, ac rwy'n meddwl y buaswn wedi mogi onibai i mi dynnu fy nghap a'i roi am fy nhrwyn i bocedu rhyw ychydig o anadl: roedd hi'n argyfwng mawr cyn fy mod yn dal i gofio. Ar yr un copa uchel, wrth fynd i'r ysgol y bore (cerdded oedd pawb, y pryd hynny, wrth gwrs) y dôi arogl mwg tân glo yr ysgol i'm ffroenau. Wn i ddim a oedd glo arbennig i ysgol fel i efail y gof gynt. Beth bynnag, roedd arogl y mwg hwn yn codi rhyw wrthwyneb arnaf, am fy mod, efallai, yn anymwybodol yn ei gysylltu â chysgod y 'carchar' oedd yn cau (chwedl Wordsworth) am grwt ar ei dyfiant.[30]

Y tu allan i oriau ysgol byddai'n mynd yn gyson yng nghwmni ei dad i wrando ar ymgeiswyr etholiad yn Ysgol Pen-uwch, yntau ar y pryd rhwng wyth ac un ar ddeg oed. Gallai gofio tri ymgeisydd yn dda: Rhys Hopkin Morris

---

29 *Rhwng Gwenffrwd ac Arth*, t. 50.
30 *Rhwng Gwenffrwd ac Arth*, t. 50.

(1888–1956), bargyfreithiwr a gweinyddwr o Dir Iarll, Morgannwg, a gynrychiolodd Geredigion yn y Senedd fel Rhyddfrydwr o Ragfyr 1923 hyd 1932 pan adawodd Dŷ'r Cyffredin i ymgymryd â swydd ynad cyflogedig yn Llundain. Yna, yn 1936, dechreuodd ar ei waith fel cyfarwyddwr cyntaf rhanbarth newydd Cymru'r BBC. Dychwelodd i fyd gwleidyddiaeth yn 1945 fel aelod Rhyddfrydol dros etholaeth Gorllewin Caerfyrddin. Cadwodd y sedd hyd ddiwedd ei oes. Ymgeisydd arall a gofiai oedd y Cyrnol E. C. L. Fitzwilliams, ymgeisydd y Torïaid o'r Cilgwyn yn ne Ceredigion, yn isetholiad 1932. Cofiai John i'r Tori ymddangos mewn siwt o frethyn cartref a throwsus pen-glin ac iddo sôn am ei ffatri wlân yn Adpar, ger Castellnewydd Emlyn. John Lloyd Jones oedd yn cynrychioli'r Blaid Lafur ac fe ddaeth yntau hefyd i Ben-uwch cyn etholiad 1931. Athro o Lynebwy ydoedd ef, a chyn-ymgeisydd yn Exeter yn etholiad 1929. Ei brif gysylltiad â'r sir oedd iddo dreulio cyfnod (1906–1911) yn brifathro Ysgol Gynradd Cwmystwyth cyn dychwelyd i Lynebwy, lle y bu'n gynghorydd sir am flynyddoedd lawer. Ef oedd yr ymgeisydd Llafur cyntaf yng Ngheredigion.[31] Dichon mai dyma'r adeg y gafaelodd y dwymyn wleidyddol yn John Roderick Rees ac nis gadawodd am weddill ei oes.

Ddydd Sadwrn yn rheolaidd âi John i weld ei dad-cu yn Rhyd-las, Pen-uwch, tad ei fam, a oedd bryd hynny dros ei 80 oed ac yn byw ar ei ben ei hun. Rhyngddynt yr oedd cariad a chynhesrwydd o'r ddau du. Âi i ymofyn chweugain pensiwn o bost Pen-uwch, a chariai ddŵr glân o'r ffynnon iddo mewn bwced enamel gwyn. Y pethau a gofiai John ynglŷn â chartref yr hen ŵr oedd y lluniau cŵn o bob math ar oelcloth y bwrdd, a llun llong, SS *Magnetic*, mewn ffrâm lliw arian ar y dreser. Ar y pared uwchlaw'r sgiw, yr oedd llun o'r Arglwydd Roberts mewn côt goch rhwng mân

---

[31] Gw. Howard C. Jones, 'The Labour Party in Cardiganshire, 1918–66', *Ceredigion*, Cyf. IX, Rhif 2 (1981), tt. 150–61.

ddarluniau o ryfel De'r Affrig (1899–1902). Diau fod hanes
y rhyfel hwn yn dal yn fyw ym meddwl llawer a anwyd yn
ail hanner y bedwaredd ganrif ar bymtheg. Cymerodd y tair
catrawd Gymreig o droedfilwyr ran yn y rhyfel yn erbyn y
Boeriaid a chreodd hyn ymraniadau ym Mhrydain. Yr oedd
gan David Lloyd George a'i ddilynwyr o garfan y
Rhyddfrydwyr Anghydffurfiol gydymdeimlad â'r Boeriaid a
oedd hefyd yn ffermwyr ac yn Brotestaniaid. Gwir, er
hynny, yn dilyn creu gwersylloedd crynhoi ar gyfer y
Boeriaid yng nghyfnod olaf y brwydro, i'r farn droi at
ddwyn y rhyfel i ben.[32]

Treuliai John oriau yn darllen y *News of the World* a'r
South Wales Weekly News i'w dad-cu; papurau oedd y
rhain a anfonid yn wythnosol at yr hen ŵr gan ei fab
Stephen, glöwr yng Nglyn-nedd. Yma hefyd y gwelodd
gyntaf ramaffon mewn bocs glas, a anfonwyd at ei dad-cu
o Lundain gan ei ferch, Ann. Cofiai weindio'r peiriant cyn
clywed un o gantorion mwyaf poblogaidd y dydd, Al
Jolson, yn crwnio caneuon fel 'There's a Rainbow 'Round
my Shoulder', a chanu Cymraeg y bariton o'r Pwll ger
Llanelli, David Brazell, a Leila Megane, y mezzo-soprano
enwog, yn canu 'Pistyll y Llan' o waith Mynyddog (Richard
Davies). Yr oedd hen ŵr Rhyd-las yn annwyl i John gan mai
ef yn anad neb arall oedd ei linyn cyswllt uniongyrchol â'i
fam. Ef oedd ei angor wrth yr hon a gollodd mor ifanc.
Buasai gwraig hen ŵr Rhyd-las farw yn 43 oed yn Ionawr
1896 gan adael 12 o blant ar ei hôl. Hi oedd ym meddwl
John Roderick Rees pan luniodd ei bryddest 'Unigedd' yn
1960:

---

32 Gw. John Davies, *Hanes Cymru* (Llundain, 1990), t. 460; Kenneth O.
    Morgan, *Wales in British Politics 1868–1922* (Cardiff, 1963),
    tt. 166, 178–80. Gwaith enwog yr artist John Singer Sargent
    (1856–1925) yw'r llun y cyfeirir ato o Frederick Sleight Roberts
    (1832–1914). Defnyddiwyd llun cyffelyb o'r Arglwydd Roberts o
    Kandahar ar bosteri recriwtio o'r Rhyfel Byd Cyntaf. Gw.
    Gwyddoniadur Cymru, goln. John Davies, Menna Baines, Nigel
    Jenkins a Peredur I. Lynch (Caerdydd, 2008), t. 817.

Caled oedd dyddiau y bwthyn melyn,
A nosau'r eirch bychain yn mynd dan geseiliau
O afael nychlyd brech wen a dicáu
I gwsg annhymig dan wegil y bannau.[33]

Cofiai John am ei dad yn torri gwalltiau cymdogion fel dyletswydd gymunedol.[34] Pawb wedyn yn eistedd wrth y tân ar nos o aeaf. Ei dad, Jane ac yntau a chymdogion fel Dan Tan-garn a adroddai straeon am ei ddyddiau pan werthai laeth yn Llundain ac am ei wasanaeth ar ffermydd y fro cyn troi'n alltud. Sonnid am droeon trwstan a digrif byw-bob-dydd, a chloriannu bocswyr llwyddiannus y dydd, yn eu plith Larry Gains, y bocsiwr pwysau trwm croenddu o Toronto, Canada, a symudodd i fyw i Loegr yn 1930. Byddai Larry yn nyddiau ei anterth yn denu cynifer â 70,000 i'w weld yn bocsio yn y White City yn Llundain ar ddechrau'r tridegau.[35] Byddai'n sôn hefyd am Len Harvey o Gernyw a enillodd deitl Pwysau Trwm y Byd yn 1939.[36] Dechreuodd focsio pan oedd yn 12 oed a bu wrthi am yn agos i chwarter canrif gan ymladd cynifer â 140 o ornestau a cholli dim ond 14 ohonynt. Jack Petersen wedyn, y Cymro o Gaerdydd, pencampwr Pwysau Trwm Prydain o Fehefin 1932 i Dachwedd 1933 ac o Fehefin 1934 hyd Awst 1936;[37] heb anghofio rhyw 'Charlie Brown the Bruiser' a oedd yn dychryn tafarnau Whitechapel ar ddechrau'r ganrif ddiwethaf.[38] Yr oedd gan focsio le amlwg yn

---

[33] *Cerddi John Roderick Rees*, t. 118.

[34] *Dylanwadau* (BBC Radio Cymru), darlledwyd 31 Gorffennaf 1989.

[35] Gw. ei hunangofiant, *The Impossible Dream* (London, 1976).

[36] Llwyddodd i gadw'r teitl hyd 20 Mehefin 1942, pan orchfygwyd ef gan Freddie Mills. Gw. *Wales and its Boxers: The Fighting Tradition*, eds. Peter Stead and Gareth Williams (Cardiff, 2008), tt. 83–4.

[37] Gw. Bob Lonkhurst, *Gentleman of the Ring: the life and career of Jack Petersen* (Potters Bar, 2001).

[38] Ar ddiddordeb mawr y Cardis mewn bocsio, gw. Hywel Teifi Edwards, '"Boxing Mad" in Cardi-land' yn *Wales and its Boxers: The Fighting Tradition*, eds. Peter Stead and Gareth Williams, tt. 101–15.

niwylliant cefn gwlad Ceredigion o ddechrau'r ugeinfed ganrif ymlaen, ac yn arbennig o'r dyddiau pan ddechreuodd cymoedd de Cymru gynhyrchu pencampwyr fel Jimmy Wilde a Freddie Welsh. Roedd bocsio yn y blynyddoedd hynny yn fwy canolog yn niwylliant Ceredigion na rygbi a phêl-droed. Yn y 1930au datblygodd arwyr fel Jack Petersen o Gaerdydd a Tommy Farr o Donypandy a ymladdodd 15 rownd â Joe Louis yn Efrog Newydd yn 1937 ac a ddaeth yn arwr yng Nghymru er iddo golli'r frwydr.

Roedd ei dad-cu a'i fam-gu, rhieni ei dad, yn byw yn Blaen-waun, rhyw ddau led cae o Bear's Hill, ac felly'n gwmni cyson iddo. Yn ei 80au, cofiai John Roderick Rees am ei dad-cu, Thomas Rees, ynghanol ei lyfrau a byth yn blino sôn am ei arwr, sef Elfed. Yr oedd y fam-gu wedi ei hanalluogi gan y cryd cymalau yn ifanc, ac o'r herwydd wrth y tân y bu raid iddi dreulio hanner ei hoes. Pan fu'r ddau farw, ni bu'n anodd iddo ddewis cwpled addas ar eu carreg fedd ym mynwent Llangeitho:

Tawel yng nghanol pob tywydd
Dewr hyd ddiwedd y daith.

Yr hyn a bwysleisia'r manylion uchod yw cymaint dylanwad a fu ei ddyddiau cynnar yn Ysgol Pen-uwch ar John Roderick Rees, ac fel y llwyddodd i adfer yn ddiweddarach lawer o'r profiadau a gafodd yn ystod ei gyfnod yno. Brwydrodd drwy'r blynyddoedd i gadw ei ddrysau ar agor ac ef oedd golygydd y gyfrol a gyhoeddwyd yn 1979 i ddathlu ei chanmlwyddiant. Yn ystod y cyfnod o'i hagor hyd at ei chau yn 2014, bu yno dros ugain o brifathrawon ar yr ysgol. Er i'r mewnfudo achub yr ysgol am rai blynyddoedd rhag cau, yr oedd ei thynged yn anorfod yn sgil y cwtogi ar addysg yng nghefn gwlad yn yr oes gyllidebol sydd ohoni heddiw. Yn Ionawr 1969, yr oedd

25 o blant yn yr ysgol a phob un ohonynt yn Gymry Cymraeg; ymhen deng mlynedd yr oedd 35 o blant yn yr ysgol, mwy nag a fu er 1950, ond chwech ohonynt yn unig a oedd yn Gymry Cymraeg. Erbyn diwedd yr 80au, yr oedd 45 o ddisgyblion a phump ohonynt yn dod o gartrefi lle'r oedd y Gymraeg yn iaith gyntaf.[39] Mor wahanol y sefyllfa yn 1952 pryd y gellid ymffrostio:

> Er yr holl ddylifiad estronol a'r gymysgedd o genhedloedd a geir ym Mhenuwch – Cymraeg yw iaith yr ysgol, Cymraeg yw iaith chwarae'r plant.[40]

Chwarter canrif yn ddiweddarach canodd John Roderick Rees glodydd yr ysgol mewn cerdd ysgafn a luniodd i'w chynnwys yng nghyfrol dathlu canmlwyddiant yr ysgol. Mae'n gorffen ei gerdd drwy gymharu dulliau addysgu ei gyfnod ef yn yr ysgol â'r rhai a ddefnyddid adeg y dathlu:

Aeth dulliau y dysgu trwyadl,
Ffon fesur y profi llym!
Bellach mwy llac yr afwynau
A'r gred fwy mewn gras na grym.

Mae'r lleisiau fu'n sianto'r tablau,
A'r pwyslais ar ffeithiau gynt,
Y plygu i ddigwestiwn ddisgyblaeth
Ers tro ar ddiddychwel hynt.

Yma mae dieithr acenion,
A phrin ydyw'r heniaith ar fin;
Tyddynnod a'u newydd deuluoedd,
Ddaeth yma o bellter y ffin.

---

[39] Cymharol gyson fu rhif y disgyblion a fynychai Ysgol Pen-uwch o 1940 ymlaen: 1904 – 96; 1920 – 66; 1940 – 50; 1950 – 45; 1969 – 25; 1979 – 35; 1996 – 50.

[40] *Y Cymro* (22 Awst 1952).

A heddiw ni byddai hebddynt
   Ganmlwyddiant, ond drysau ar glo;
Fe roesant i hen wraig y bryniau
   Estyniad i'w hoes yn ei bro.

Gobeithio na fydd llwyr edwino
   Ar wreiddiau fu yma erioed;
Y bydd yma fwrlwm dwyieithog
   Pan fyddo'r deucanmlwydd ar droed.[41]

'Bwrw'r aderyn bach o'i nyth': Ysgol Sir Tregaron

Wedi cwblhau ei gyfnod yn Ysgol Gynradd Pen-uwch yn 1933, parhaodd John Roderick Rees â'i yrfa academaidd yn Ysgol Sir Tregaron. Yr oedd bellach yn 12 oed ond yn amharod iawn i newid ysgol a gorfod gwneud cyfeillion newydd mewn awyrgylch ddieithr. Agorodd Ysgol Sir Tregaron ei drysau i blant y fro yn 1897 o ganlyniad i Ddeddf Addysg 1889; deddf oedd honno a gyflwynwyd i hybu addysg ganolradd yng Nghymru.[42] Saesneg oedd cyfrwng yr addysgu er y byddai'r athrawon yn barod i gydnabod diwylliant a hanes brodorol Cymru yn eu gwersi. Gall yr ysgol ymffrostio iddi gael o fewn ei phyrth dros y degawdau rai o brif ysgolheigion ac enwogion Cymru, yn eu plith: William Ambrose Bebb (1894–1955); Griffith John Williams (1892–1963); E. D. Jones (1903–87); y dramodydd James Kitchener Davies (1902–52); yr hanesydd John Davies (1938–2015); yr Archdderwydd W. J. Gruffydd (Elerydd) (1916–2011); a'r pregethwr a'r awdur David Martyn Lloyd-Jones (1899–1981).

---

[41] 'Penillion ar Ddathlu Canmlwyddiant Ysgol Penuwch 1979', *Rhwng Gwenffrwd ac Arth*, t. 114.

[42] Sefydlwyd yr ysgol uwchradd gyntaf yng Ngheredigion yn 1875, dair blynedd ar ôl gweld agor Coleg Prifysgol Cymru, Aberystwyth, yn 1872 gyda 26 o fyfyrwyr. Mae'n werth ychwanegu hefyd fod 76 o'r 149 myfyriwr (merched a bechgyn) a fu'n astudio yn y Coleg rhwng 1872 ac 1874 yn hanu o Geredigion.

Gan ei bod yn daith o wyth milltir i Ysgol Tregaron, bu'n ofynnol i John Roderick Rees letya am y tro cyntaf yn ei fywyd ac eithrio un cyfnod byr gyda theulu yn Llundain pan oedd yn fabi. Dyma ei ysgaru yn awr oddi wrth nodded a hafan ei deulu. Nid oedd yn y dyddiau hynny na bws na char a deithiai'n ddyddiol i Dregaron. Cofiai'i dad yn ei gario yn y gert bob bore Llun a Titch, y ferlen ffyddlon, yn eu tynnu ar eu taith i'r ysgol. Daeth bws wedyn i'w gyrchu ond âi ei dad i'w nôl bob prynhawn dydd Gwener. Nid rhyfedd fod y plentyn yn casáu pob bore Llun gan ei fod yn golygu gadael cartref am dŷ lojin ac awyrgylch a chwmni dieithr.

Ar y cychwyn, yn Ormond House y preswyliai yn ystod yr wythnos gyda Wil, ei gefnder, a Tommy Jones, ei ffrind, gan ddychwelyd adref i fwrw'r Sul. Talai bedwar swllt yr wythnos am ei lety. Disgwylid i bob plentyn yr adeg honno fod yn ei lety erbyn 6.30 bob nos er mwyn canolbwyntio ar y gwaith ysgol. Ni wnâi gorfodaeth a chyfyngiadau o'r fath fennu dim ar John Roderick Rees na fuasai fyth yn gadael ei ystafell yn ei dŷ lojin beth bynnag. Yn dilyn marwolaeth y perchennog, Mary Jane Evans, bu'n rhaid iddo symud i Gwalia House yn ystod ei flwyddyn olaf gan rannu lletty gyda George Noakes, Bwlch-llan (Archesgob Cymru 1987–91), Tommy Jones o Ben-uwch a D. Llywelyn Evans o Lanbedr Pont Steffan. Er iddo gydnabod flynyddoedd yn ddiweddarach nad hoff ganddo unrhyw newid, nid yw'n ymddangos iddo brofi pangau o hiraeth, fel y gwnaethai Parry-Williams gynt am ei gartref a thirwedd Eryri.[43]

Yr oedd yn Ysgol Tregaron ryw 200 o ddisgyblion pan oedd John Roderick Rees yno, a rhwng 8 a 10 o athrawon yn dysgu 13 o bynciau. G. T. Lewis oedd prifathro'r ysgol ar y pryd ac ef a ddysgai Fathemateg. Bu'r mathemategydd

---

43 Am fynegiant clir o'r ymdeimlad angerddol hwn, gw. yr ysgrif 'Dieithrwch', *Ysgrifau* (Llundain, 1928), tt. 64–7.

hwn yn y swydd am ddeugain mlynedd cyn ymddeol ym
Medi 1937. Y gosb gyffredin am droseddu oedd dysgu salm
a'i hadrodd o flaen yr holl ysgol yn y bore: salm fach am
drosedd fach ond salm fawr am bechodau mwy sylweddol!
Hoffai John yr athro Hanes, sef S. M. Powell, dramodydd ac
actor, a drwythai'r disgyblion mewn hanes lleol. Roedd yn
un o ddisgynyddion Henry Richard a'r Parch Ebenezer
Morris. Ganwyd yn Rhydlewis ac apwyntiwyd yn athro yn
Nhregaron yn 1903. Bu farw ar 26 Mawrth 1950 yn ei
gartref yn Llanfarian yn 72 mlwydd oed. Yr oedd yn un o'r
ychydig athrawon a ddefnyddiai Gymraeg yn y dosbarth. Ef
a'i cyflwynodd i weithiau'r hanesydd Seisnig o Lundain
Philip Guedalla (1889–1944) ac i arddull newyddiadurol
gynhyrfus J. A. Spender (1862–1922), a fu'n olygydd y
Westminster Gazette o 1896 hyd 1922. Yna troes yn awdur
a chofiannydd gan gyhoeddi dau gofiant nodedig, y naill i'r
Prif Weinidog Henry Campbell-Bannerman yn 1924 a'r
llall i'r Prif Weinidog H. H. Asquith yn 1932.

D. Lloyd Jenkins (neu Dai Lloyd) (1896–1966), ei athro
Saesneg – a'i brifathro yn ddiweddarach – oedd Prifardd
Eisteddfod Genedlaethol Llandybïe, 1944, gan ennill am
awdl ar y testun 'Ofn'.[44] Er mor llym ei ddisgyblaeth
ydoedd fel prifathro, profodd yn athro Saesneg a
Chymraeg bywiog, arloesol a dylanwadol, a chydnabu John
Roderick Rees ei ddyled iddo fel athro carismataidd ac fel
arweinydd pan ddychwelodd yntau i'r ysgol fel athro
Cymraeg yn 1957.

Nid oes amheuaeth na chafodd D. Lloyd Jenkins
ddylanwad arhosol ac oesol ar ei ddisgybl, ac fe'i disgrifir
ganddo fel: 'Llenor a bardd ... un a flasai rin gair ac
ymadrodd a chanddo'r ddawn ddewinol i feithrin y cyfryw
hoffter yn ei ddisgyblion.'[45] Llefarai farddoniaeth Saesneg a

---

[44] Gw. sylwadau Alan Llwyd ar yr awdl yn *Y Gaer Fechan Olaf: Hanes
Eisteddfod Genedlaethol Cymru 1937–1950* (Llandybie, 2006), tt. 185–6.
[45] *Barn*, (Mai 1967), t. 172.

dramâu Shakespeare â hwyl yr actor. Roedd cerddi *Poems of To-day* yn dal i ganu yn ei gof hyd y diwedd.

Diau i eneiniad yr adrodd a'r egluro gan yr athro yn Nhregaron, a thuedd naturiol y disgybl, gyfrannu at lwyddiant y gwersi Saesneg. Cofiai hefyd yr un athro yn cyflwyno i'r dosbarth un o ysgrifau Hilaire Belloc (1870–1953), 'The Day of the Dead'.[46] Yn wir, ni ddeuai Dygwyl y Meirw fyth heibio i John Roderick Rees heb iddo gael ei atgoffa o ysgrif Hilaire Belloc.[47] Ni allai ychwaith anghofio D. Lloyd Jenkins yn cyflwyno i'r dosbarth stori Tolstoy, 'How much land does a man need?' a'r ateb yn y llinell olaf: fe roed i ŵr addewid am gymaint o dir ag a fedrai ei gwmpasu ar droed mewn un diwrnod. Cerddodd a cherddodd y gŵr hwnnw yn chwedl Tolstoy nes syrthio'n farw fel Guto Nyth Brân ar ôl cyflawni ei gamp. A'r llinell glo oedd: chwe throedfedd o'i ben i'w draed yn unig yr oedd ei angen ar y gŵr hwn fel y gweddill ohonom ar derfyn dydd.[48]

Cafodd dramâu Shakespeare hefyd ddyfnder daear yn y dosbarth hwn:

---

[46] Ymddengys mai'r ysgrif y cyfeirir ati yw 'On the Return of the Dead' ac nid 'The Day of the Dead'. Gw. Hilaire Belloc, *On Nothing and Kindred Subjects* (London, 1917), tt. 89–99.

[47] Yn eironig ddigon, un o gyfeillion Hilaire Belloc a G. K. Chesterton yn Llundain ar y pryd oedd un arall o drigolion Pen-uwch a drigai yn y ddinas ac a oedd yn aelod o'r New Bohemian Dining Club, sef Thomas Huws Davies (1882–1940), ysgrifennydd comisiynwyr eiddo'r Eglwys yng Nghymru, llenor a chasglydd llyfrau. Fel John Roderick Rees, aeth Thomas Huws Davies i Ysgol Elfennol Pen-uwch ac yna i Ysgol Sir Tregaron gyda chymorth cymdogion caredig. Oddi yno, o dan ddylanwad G. T. Lewis, aeth i Goleg Prifysgol Aberystwyth, lle y bu'n astudio Cemeg a Mathemateg. Lluniwyd teyrnged iddo yn dilyn ei farw yn Llundain gan T. Gwynn Jones, 'Thomas Huws Davies, OBE', ac fe'i cyhoeddwyd yn *The Transactions of the Honourable Society of Cymmrodorion* (London, 1940), tt. 13–29. Gwelir llawer o'i waith yn y *Welsh Outlook* ac yn *Llawlyfr Cymdeithas Ceredigion Llundain* (1934–9).

[48] *Dylanwadau* (BBC Radio Cymru), darlledwyd 31 Gorffennaf 1989.

Cofiaf ef, hefyd, yn lleisio cigeiddiwch dioddefus Shylock yn y "Merchant of Venice". Swm a sylwedd y cyfan yw y cydnebydd pob un a fu'n ddisgybl iddo ei fod yn athro Saesneg dan gamp.[49]

Er mai athro Saesneg oedd D. Lloyd Jenkins, ef a gyflwynodd i John Roderick Rees waith T. Gwynn Jones, a chan mai gŵr a garai'r gynghanedd ydoedd yr athro, mae'n debyg i hynny ddylanwadu ar ei ddewis o feirdd. Yn llyfrgell Ysgol Uwchradd Tregaron y mae maen coffa i filwyr y fro a gollodd eu heinioes dros eu gwlad, ac arno linell o waith D. Lloyd Jenkins:

> Gwŷs eu heinioes, gwasanaeth.

Pan fu Jane Walters, ei fam faeth, farw, dyma'r llinell a ddefnyddiodd John ar ei charreg fedd. Methodd lunio llinell ragorach ei hun, ac fel teyrnged i'w hen athro, mabwysiadodd un o'i linellau ef. Yn dilyn ymddeoliad D. Lloyd Jenkins o'i swydd yn haf 1961, lluniodd John gyfres o englynion iddo sydd yn croniclo'i edmygedd ohono ac fel y gwnaeth ei ddylanwad ddwyn ffrwyth flynyddoedd lawer wedi iddo adael ei ddosbarth:

> O'i dasgau a bywyd ysgol – y daeth
>   Y dydd i ymddeol;
>   O'r rhwyg ar ben y rhigol
>   Edrych nawr i'r drych yn ôl.

> Rhoes faeth i genedlaethau, – a gweithio
>   I goethi meddyliau;
>   Gŵr a fu'n ddewin geiriau
>   A'i hud arnom ni'n parhau.

---

49 *Barn*, Rhif 55 (Mai 1967), t. 172.

Un oedd ym maes llenyddiaeth – a'i ddawn
    Fel ei ddysg yn helaeth;
    Ninnau gynt i'w swyn yn gaeth
    A deil yr ysbrydoliaeth.

Asiwr y gân, saer cynghanedd, – a'r glec
    Ar ei glyw'n berseinedd:
    Yn nefod hen dangnefedd
    Wyneb haul i hwn bu hedd.

Yn bennaeth bu'n ymboeni – yn gadarn
    I gadw ein hen deithi;
    Cymreictod heb faldodi
    A gŵyl naws ein hysgol ni.

Llawenydd fo i'r llenor – a'i orwel
    Yn euraid fo rhagor,
    Parch y wlad a rhad yr Iôr
    I'w gafell yn dygyfor.

Noswylio o Faesaleg – a'i gymar
    Fu'n gymwys gyd-weithreg;
    I'w rhan doed eto 'chwaneg
    O haul Duw ac awel deg.[50]

D. Lloyd Jenkins hefyd a ddyfarnodd i John Roderick Rees ei gadair gyntaf yn eisteddfod Ysgol Uwchradd Tregaron yn 1938, a hynny am soned ar y testun 'Distawrwydd'. Mae'n werth sylwi mai natur tir mynyddig ei gynefin oedd ei ddeunydd mor gynnar â hynny ac mae'r soned yn amlygu cryn feistrolaeth ar ran y bardd ifanc ar ei gyfrwng:

'Roedd miwsig mud yr hydref heddiw'n drech
Na byd yn nyfnder ei wallgofus nwyd.[51]

---

50 *Barn*, Rhif 55 (Mai 1967), tt. 172–3.
51 *Cerddi John Roderick Rees*, t. 15.

Mae'n amlwg o ddarllen adroddiadau Ysgol Uwchradd Tregaron arno fod John yn llwyddiant fel disgybl o'r cychwyn cyntaf yn 1933. Yn ei adroddiad olaf ar gyfer haf 1938, mae D. Lloyd Jenkins yn datgan: 'Excellent work. One of the finest stylists that have ever been in Form VI.' Dweud mawr gan athro mor brofiadol a galluog ag yntau. Ar sail ei arddull a'i ddawn academaidd y cynghorwyd ef gan yr athro hwn i ddilyn gyrfa fel newyddiadurwr.

Yn Nosbarth Pedwar yn yr Ysgol Sir, lluniodd ysgrif i D. Lloyd Jenkins ar y tri lle yr hoffai ymweld â hwy. Mae ei ddewisiadau'n arwyddocaol o gofio pa mor anfoddog y buasai i adael cartref yn ddiweddarach yn ystod ei oes. Y lle cyntaf yr hoffai ymweld ag ef yw Addis Ababa, prifddinas Ethiopia. Yr oedd anghydfod yn y wlad honno pan luniwyd yr ysgrif, a'i ofn yw y bydd y ddinas yn cael ei gweddnewid yn ddim ond pentwr o adfeilion – 'symbols of evil, sin, destruction and death'. Yr ail le y sonnir amdano yw mynwent eglwys y plwyf, St Giles, Stoke Poges, yn Swydd Buckingham lle y gwnaeth Thomas Gray (1716–1771) ddechrau ysgrifennu ei alargan enwog. I'r disgybl ifanc, yr oedd mynwent wledig yn cyfleu'r ymdeimlad o dawelwch a thangnefedd. Cyfeiriad sydd yma at y gerdd *Elegy Written in a Country Churchyard*[52] o waith Gray a luniwyd ar ffurf monologau dramatig.

Byddai John Roderick Rees hefyd yn hoffi ymweld â fforestydd tywyll Affrica lle na throediodd gwareiddiad a lle y teyrnasa Brenin y Goedwig. Y bwriad yma yw ceisio osgoi'r bywyd modern yn ei amrywiol weddau. Efallai mai darllen hanes Henry Morton Stanley a'i hysgogodd i ymddiddori yn niffeithwch Affrica. Stanley hefyd oedd awdur *Through the Dark Continent*[53] sydd yn croniclo'i ymgyrch i geisio dod o hyd i gwrs afon Congo i'r môr.

---

52 Gw. *The Elegy Written in a Country Churchyard* (Market Drayton, 1995).

53 *Through the Dark Continent* (London, 1899); (adargraffiad, New York: Dover, 1988).

Mae'n gorffen ei draethawd gyda chyfeiriad eironig at y Du a'r Gwyn drwy ddyfynnu cyfieithiad Saesneg Edward FitzGerald (1809–1883), *The Rubáiyát of Omar Khayyam* (Pennill LXIX):

> 'Tis all a Chequer-board of Nights and Days
> Where Destiny with Men for Pieces plays:
> Hither and thither moves, and mates, and slays,
> And one by one back in the Closet lays.[54]

Yn Nosbarth Pedwar hefyd y lluniodd draethawd Cymraeg ar y testun 'Penuwch: ei phobl a'i phethau', sy'n cofnodi ymateb gŵr ifanc i fro ei febyd:

> Delw'r mynydd sydd ar gymeriadau pobl Penuwch, delw'r Graig Fawr, Craig Blaenwaun a Banc Troedrhiw, – llwydion, fudion gewri'r oesau gynt a'u crechwen wawdlyd wedi herio canrifoedd hir.[55]

Ychwanegir mai annibyniaeth a chryfder y mynydd sy'n nodweddu'r ardalwyr, a gellir ychwanegu yma hefyd fod hyn yn wir am awdur yr ysgrif yn ogystal, a hynny o'r cychwyn cyntaf. Cydnebydd nad oes yna na thafarn na sinema i ddiddori'r ardalwyr, ond meddai, gan ddyfynnu Llyfr y Brenhinoedd:

> Deil 'llef ddistaw, fain' y Cwrdd Gweddi yn glir o hyd ar Nos Lun: a gwelir aml batriarch â gaeaf bywyd wedi barugo'i wallt yn llwybro tua'r Festri ar noson seiat, â 'chrefydd y mynyddoedd' yn ei waed.[56]

---

54 *Edward FitzGerald's Rubáiyát of Omar Khayyám: A Famous Poem and its Influence*, eds. William H. Martin and Sandra Mason (London, 2011), t. 14.

55 Papurau John Roderick Rees – eiddo'r teulu, llsgr.

56 Papurau John Roderick Rees – eiddo'r teulu, llsgr.

Dengys y dyfyniad hwn mor hyddysg oedd yr ysgolhaig ifanc yng nghynnwys y Beibl ac ym marddoniaeth beirdd fel T.H. Parry-Williams ac Eifion Wyn. Sonnir fel yr erys caredigrwydd a lletygarwch yn nodweddion amlwg yng nghymeriad y bobl.

Nid rhyfedd fod rhyw bellter claear rhyngddo a'i gyd-ddisgyblion yn Nhregaron, yn arbennig ar y dechrau. Ei anallu hwyrach i deimlo'n gartrefol yn eu plith oedd y rheswm am hynny. Câi John ei atynnu at ei waith academaidd heb chwennych atyniadau amgenach fel chwaraeon neu gêm o snwcer yn y Neuadd Goffa yn Nhregaron. Yr oedd yr adeg honno yn yr ysgol dîm pêl-droed llwyddiannus, ond gwastraff ar amser iddo fyddai ymddiddori mewn chwaraeon a chyfeillachu cymdeithasol yn y Neuadd Goffa. Y drefn oedd i John ddychwelyd i'w lety a threulio gweddill y noson yn canolbwyntio ar ei waith ysgol. Âi eraill allan i ymlacio, er y byddai'n rhaid iddynt hwythau fod yn ôl yn eu hystafelloedd erbyn 6.30 o'r gloch. Mewn rhaglen radio am John Roderick Rees, soniodd un o'i gyd-breswylwyr fod rhai o'r disgyblion yn 'ddrygionus iawn' ac yn hoffi mynd allan i chwarae hoci neu bêl-droed, ond er bod gan John ddigon o 'hiwmor gair', ni ellid ei gyfrif yn un o'r criw direidus a fuasai'n mwynhau cymdeithasu cyn mynd at y gwaith cartref.[57]

'Cymryd pen tryma'r cambren': ffermio Berth-lwyd

Un o blant 'y myfyrdod mawr'[58] oedd John Roderick Rees ac roedd wrth ei fodd ymhlith ei lyfrau. Aeth ymlaen i astudio ar gyfer arholiadau 'Higher' (Lefel Uwch, erbyn hyn). Ei bynciau oedd Cymraeg, Saesneg a Hanes. Yr oedd y system arholiadau y dyddiau hynny yn apelio ato, dysgu

---

57 Tommy Jones, *Nabod* (BBC Radio Cymru), darlledwyd
   15 Gorffennaf 1988.
58 'Marwnad Dafydd Nanmor ac Eraill', *The Poetical Works of Dafydd Nanmor*, ed. Thomas Roberts (Cardiff, 1923).

ffeithiol a meithrin y cof i gofio ffeithiau gwrthrychol yn wyddonol, bron. Yr oedd pob gwers iddo'n sylfaen ar gyfer ateb cwestiwn mewn arholiad, a'r arholiad hwnnw yn y pen draw yn profi dealltwriaeth y disgybl o'r hyn a draethwyd wrtho. Er cymaint ei hoffter o'r athrawon a'r pynciau a astudiai, penderfynodd fynd yn groes i gyngor ei athrawon, a Jane ar yr aelwyd, gan adael yr ysgol yn 1938 a mynd adref i ffermio. Teimlai ar y pryd mai ei le oedd bod gartref ar y tyddyn yn hytrach na dibynnu ar ei dad a Jane am ei gynhaliaeth. Diau iddo hefyd, yn dilyn ymrwymiad llwyr ac astudio cydwybodol yn yr ysgol, deimlo ei fod am gefnu ar ei waith academaidd a dilyn gyrfa a roddai fwy o ryddid a boddhad iddo yn yr awyr agored.

Yn dilyn ei benderfyniad, aeth ei dad ati i brynu fferm fwy o faint na thyddyn Bear's Hill, i sicrhau y câi John gynhaliaeth resymol, ac yn bwysicach fyth na fuasai'n rhaid iddo fynd i'r rhyfel i ymladd dros ei wlad. Yn dilyn pasio Deddf Hyfforddiant Milwrol 1939, consgriptiwyd pob gŵr ifanc 20 ac 21 oed i gwblhau chwe mis o hyfforddiant milwrol. Pan dorrodd y rhyfel yn 1939, nodwyd o dan Ddeddf Gwasanaeth Cenedlaethol y Lluoedd Arfog y gallai unrhyw ddyn rhwng 18 a 41 oed dderbyn consgripsiwn i wasanaethu yn y lluoedd arfog. Yn 1938, fodd bynnag, tynnwyd rhestr o swyddi a gâi eu heithrio o'r rheol uchod, a olygai y buasai deiliaid y swyddi hynny'n cael eu hesgusodi rhag gwasanaethu yn y lluoedd arfog. O ganlyniad i hyn, rhyddhawyd pum miliwn o weithwyr, yn cynnwys glowyr, gweithwyr dociau a rheilffyrdd, adeiladwyr llongau, athrawon, meddygon, ffermwyr a gweision ffermydd rhag gorfod ymrestru i fynd i ryfel. Petai David Rees wedi aros yn Bear's Hill, tyddyn o 12 erw, mae'n sicr y buasai John ei fab wedi derbyn gwŷs i ymuno â lluoedd arfog Prydain yn fuan wedi dechrau'r Ail Ryfel Byd a welodd ladd 15,000 o Gymry.

Yr oedd Berth-lwyd yn fferm 70 erw o faint, tua thair milltir o Bear's Hill. Lleolir y fferm ar y ffordd rhwng Cross Inn a Thal-sarn, a dau led cae o'r ffordd fawr. Gan mai 500 llath ydoedd o sgwâr pentref Cross Inn, lle y cyferfydd pum ffordd bwysig, yr oedd yn lle cyfleus i ddal bws i drefydd a phentrefi Ceredigion. Ceid yno hefyd siop groser, swyddfa post, pwmp petrol a chiosg ffôn. Godro â dwylo a wneid, a lorri'n galw am y llaeth yn y siyrnau ar dop y lôn am saith o'r gloch bob bore. Ni ddefnyddid tractor a chan hynny â cheffyl a chart yr eid â'r llaeth i dop y lôn. Yn y gaeaf mynd yn y tywyllwch y byddid, gan ddibynnu ar oleuni lamp stabal. Flwyddyn ynghynt, yn Hydref 1937, gwelwyd agor ffatri laeth ym Mhont Llanio gan ddarparu cyflogaeth newydd yn ardal wledig Tregaron.[59] Datblygodd y diwydiant llaeth yn gyflym yn ystod y cyfnod hwn, ac erbyn 1939 yr oedd 20,000 o ffermydd Cymru'n cynhyrchu llaeth.

Byddid yn aredig yn Berth-lwyd tua 20 erw bob blwyddyn a hynny â phâr o geffylau, cobiau i gyd, llawer ohonynt yn fuddugol mewn sioeau ar draws Cymru. Adeg yr Ail Ryfel Byd hefyd, fe orfodid ffermwyr i osod dwy erw o datws, a olygai aredig, llyfnu, cario dom, sgyfflo a phriddo'r ddwy erw er mwyn sicrhau cnwd da yn yr hydref. Adeg y cynhaeaf gwair ac ŷd yr oedd y gwaith drymaf, ei dad i ffwrdd oddi cartref yn 'dilyn march' ac yntau a Jane yn gyfrifol am drefniadaeth y fferm. Er cymaint y rhamant a leisiwyd gan feirdd gwledig am y cynaeafu ac am loffa'r ysgubau ŷd i'w cael yn ddiddos i'r ydlan yng ngolau'r lloer, i John Roderick Rees, tymor o ofal a phryder oedd Gorffennaf, Awst a Medi. Roedd y tywydd yn fynych yn ddi-ddal ac yn ei gwneud yn anodd i ffermwr gywain gwair ac ŷd a oedd yn gras ac o ansawdd da. O gyrchu gwair

---

[59] Erbyn 1950 roedd ffatri Pont Llanio yn derbyn 30,000 galwyn o laeth y dydd ac yn cyflogi dros 120 o staff. Yn dilyn streic gan y gyrwyr lorri yn 1969, caewyd y ffatri a'r orsaf reilffordd hithau yn 1970. Bu'r orsaf reilffordd ar agor ym Mhont Llanio er 1896.

llaith, byddai'n llwydo yn y wisgon wair, felly'r ysgubau yn yr helm. Pan aeddfedai'r gwair a'r ŷd, byddai'r ffermwr yn dibynnu ar gyfnod o dywydd braf i sychu'r cynhaeaf yn barod i'w gywain; heb hynny, gallai'r gwaith barhau am wythnosau lawer a byddai'n rhaid bodloni ar gynhaeaf gwael ei ansawdd.

Dyma'r blynyddoedd y dyfnhaodd ei ddealltwriaeth o anifeiliaid; daeth i fwynhau eu cwmni ac i werthfawrogi eu hymateb gonest a greddfol. Sylweddolodd yn gynnar nad oedd ar eu cyfyl na thwyll na snobyddiaeth, annhegwch na dial. Yr oedd gan bob ceffyl a phob buwch eu personoliaeth eu hunain. Yr oeddynt oll yn rhan o gylchdro bywyd naturiol a gwâr. Yr oedd y teulu'n ddibynnol arnynt am eu cynhaliaeth, a'r anifeiliaid hwythau'n gwbl ddibynnol ar y teulu am bob gofal ac ymborth, yn arbennig yn ystod tymor y gaeaf. Yr anifeiliaid hyn ydoedd 'gwerinaidd lu'[60] y fferm a thristwch iddo fuasai gwerthu yr un ohonynt gan mor hoff ydoedd o'u cwmni. Cofiai â thristwch ymhen blynyddoedd wedyn orfod gwerthu Comet, hen geffyl ffyddlon, a gynhaliodd bob llwyth ar y fferm a thynnu pob cwys cyn y dydd y bu'n rhaid ei werthu.

Rhyfedd mor llawn oedd calendr gwaith y fferm. Wrth edrych drwy un dyddiadur o'r cyfnod hwnnw yn hanes John Roderick Rees, deuir ar draws yr amryfal orchwylion a oedd yn rhan mor bwysig o fywyd ffermwr: mynd i'r efail i unioni cwlltwr, neu i hoelio pedolau; hau *basic slag*; cywain erfin; dechrau aredig Caefelin; 19 o wartheg benyw yma heno (a chyfri'r lloi). Neilltuid y Suliau ar gyfer cyflawni'r rheidiau'n unig ar y fferm, ond eid yn rheolaidd i'r ysgol Sul; ef oedd yr ysgrifennydd yng nghapel Pontsaeson. Diddorol sylwi hefyd fel y darllenai'n gyson benodau o'r Beibl cyn noswylio sawl noson o'r wythnos. Darllenai Feibl ei dad-cu, tad ei fam, a drigai yn Rhyd-las.

---

60 Crwys [E. Crwys Williams], 'Y Border Bach', *Cerddi Crwys*, Cyf. 1 (Llandysul, 1953), t. 25.

Yn ystod yr wythnos wedyn byddid yn cyflawni nifer o fân orchwylion:

Cario mangolds, siaffio, cywain calch, cyrchu llwythi o erfin, carthu, llyfnu'r tir, cywain ysgubau, sgyfflo tatws, priddo'r tatws, rowlio cyn hau ceirch, ysgyfflio'r mangolds, transhio, plygu perthi, agor rhychau swêds ac erfin, torri polion, cwympo mangolds, lladd gwair, rhibynnu, gwasgar rhibynnau, moeli a mydylu, torri'r mydylau, crafu'r caeau'n lân, ystacano llafur, sopynno, dyrnu, tsiffio, ac yn y blaen.[61]

Jane a oedd yn gyfrifol am yr ardd ac am yr holl orchwylion yn y tŷ. Hi hefyd a fuasai'n bwydo'r moch, yr ieir a'r twrcïod. Byddai hefyd yn cynorthwyo adeg y cynhaeaf gyda mydylu'r gwair, cywain gwair, sopynno llafur (cymaint â 35 copyn), cywain siprys, a helemu'r ysgubau. Ei chyfrifoldeb hi yn ogystal oedd peintio adeiladau'r fferm a'r holl waith glanhau a pheintio yn y tŷ.

Unwaith neu ddwywaith y flwyddyn y byddid yn mynd am drip i Aberystwyth, a hynny tua chanol Gorffennaf fel arfer. Nodir yr achlysur yn y dyddiadur:

Mynd i Aberystwyth am ddiwrnod; ar y beic i Fethania a'r "bus" oddiyno. Diwrnod hindda, clos; mwynhau fy hun yn go dda, ond teimlo'n flinedig; prynu cot fawr ysgafn (raincoat) am 48/6, a phrynu llawer o bethau bach angenrheidiol eraill i'r tŷ. Y gweiriau a oedd ar lawr yn cael eu cywain gan fwyaf. Pwyso: 10st. 5½ lbs.[62]

Mae'n werth cofio yma fod y mwyafrif o drigolion Ceredigion yr adeg honno'n dibynnu ar y gwasanaeth bysiau a'r trên am drafnidiaeth i'r dref agosaf. Ni chofrestrwyd ond

---

61 Papurau John Roderick Rees – eiddo'r teulu, llsgr.
62 Papurau John Roderick Rees – eiddo'r teulu, llsgr.

2,528 o geir yn y sir yn 1935, ac ymhen pymtheng mlynedd arall, yn 1950, ni chofrestrwyd ond 4,000. Yn 1970 er hynny, yr oedd y nifer wedi cynyddu i 15,930. Erbyn 1976 ceid 310 o geir yng Ngheredigion ar gyfer pob 1,000 o'r boblogaeth. Y tebyg yw i adroddiad Beeching yn y 1960au ddylanwadu'n fawr ar y ffigurau uchod. Dyma'r adeg pan gyfyngwyd ar y gwasanaeth bysiau mewn ardaloedd gwledig fel Pen-uwch ac yr amddifadwyd llawer tref ac ardal o wasanaeth trenau. Yr oedd hon yn ergyd drom i economi a dyfodol llawer o siroedd gwledig Cymru.

Ymhen deuddydd wedyn, sef dydd Sadwrn, 8 Gorffennaf 1944, nodir yn y dyddiadur y daeth 'plant cadw (evacuees) o Lundain i'r ardal'.

Darllenid y *Western Mail* yn gyson, ac yr oedd yn y tŷ radio i gadw mewn cysylltiad â'r hyn a ddigwyddai yn y byd a hynny pan oedd yr Ail Ryfel Byd yn aflonyddu a therfysgu bywyd. Mae'n arwyddocaol mai deunydd darllen John Roderick Rees ar y pryd oedd rhyddiaith Saesneg, yn arbennig y clasuron fel *Silver Ley* gan Adrian Bell a *Tess of the D'Urbervilles*, Thomas Hardy. Byddai'n prynu yn ogystal rai llyfrau Cymraeg diweddar fel *Brithgofion* gan T. Gwynn Jones, *Yr Ysgol Sul* gan W. Ambrose Bebb ac *Yr Hyn a Gredwn*, sef cyfrol o ddatganiadau byr o'r ffydd Gristnogol a baratowyd gan Eglwys yr Alban ac a gyfaddaswyd ac a gyfieithwyd gan E. Tegla Davies.

Yr oedd bywyd yn llawn a phrysur a gorchwylion y fferm yn llenwi ei ddyddiau. Dyma gyfnod 'moldio'r pridd fel pobydd ei does ...' a phob 'glaswelltyn yn utgorn llafar'.[63] Mewn cerddi diweddarach, soniodd lawer am y profiad a gawsai yn Berth-lwyd, am 'flonega'r rhip'[64] a chywain yr ysgubau i 'sopyn llaw', am aberth yr arddwr 'rhwng deucorn dy arad fain'[65] ac yna ddyfodiad yr

---

[63] 'Y Winllan', *Cerddi'r Ymylon*, t. 36.
[64] 'Medelwr', *Cerddi'r Ymylon*, t. 65.
[65] 'Arddwr', *Cerddi'r Ymylon*, t. 63.

'atgyfodiad gwyrdd'[66] o bridd y wlad. Canu profiad a wna yn y telynegion hyn, ac er mor ystrydebol ac adleisiol yr ymddengys llawer ohonynt bellach, nid oes amheuaeth am ddilysrwydd y profiad a roes fod iddynt yn wreiddiol. Buddiol yw sylweddoli a cheisio dirnad y profiad a gafodd John Roderick Rees yn amaethu fferm Berth-lwyd rhwng 1939 ac 1954 a thrwy hynny gellir gwerthfawrogi'n llwyr ei agwedd at fywyd, at gymdeithas ac at anifeiliaid. Dyma flynyddoedd mwyaf ffurfiannol ei fywyd; dyma flynyddoedd derbyn cyfrifoldeb a sylweddoli elw gwaith corfforol caled.

Dechrau cystadlu

Yn ystod ei gyfnod yn amaethu'n llawn-amser yn Berth-lwyd ger Cross Inn, Llan-non, y dechreuodd John Roderick Rees gystadlu yn yr amryw eisteddfodau a gynhelid yng Ngheredigion ar y pryd. Ffrwyth y cystadlu hwn yw llawer o gynnwys ei gyfrol gyntaf, *Cerddi'r Ymylon*, a gyhoeddwyd yn 1959. Mae'n deg casglu, gan hynny, mai cyfnod mwyaf toreithiog y bardd o ran cerddi byr telynegol yw'r cyfnod rhwng 1937 pan oedd yn 17 mlwydd oed ac 1954 pan roes y gorau i amaethu am gynhaliaeth er mwyn bod yn athro ysgol. Gellir honni hefyd mai'r cystadlu eisteddfodol hwn a'i hysgogodd i ailafael yn ei addysg ffurfiol. Bu'n ddarllenydd brwd gydol ei oes, ar lyfrau ffeithiol yn fwy na nofelau. Yn y cyfnod rhwng ysgol a choleg, a hynny o flaen y tân yn ystod misoedd yr hydref a'r gaeaf, y daeth wyneb yn wyneb gyntaf â gweithiau W. J. Gruffydd, T. H. Parry-Williams, Hedd Wyn, Caradog Prichard, Crwys, I. D. Hooson a Wil Ifan yn Gymraeg. Yn Saesneg mwynhâi farddoniaeth Idris Davies, a gyhoeddodd dair cyfrol o farddoniaeth rhwng 1938 ac 1945, sef *Gwalia Deserta*

---

[66] 'Heuwr', *Cerddi'r Ymylon*, t. 64.

(1938), *The Angry Summer* (1943) a *Tonypandy and Other Poems* (1945). Hwyrach mai'r cerddi a ddengys rinweddau'r canu gwerin Cymraeg, fel 'The Bells of Rhymney',[67] a apeliai at John Roderick Rees, yn ogystal â'r cerddi sydd yn tystio i ddylanwad A. E. Housman. Prin y gellir credu bod safbwynt sosialaidd y bardd o Gwm Rhymni yn taro tant yn enaid gwladaidd y darllenydd o Geredigion.

Y sawl a wnaeth fwyaf i'w ysbrydoli i gystadlu oedd Ifan Jones (1903–1967), awdur *Cerddi y Pren Gwyn* (1968), ac ef a'i cymhellodd i gynnig am ei gadair gyntaf yn 1951 yn Eisteddfod Tre-groes, ger Llandysul. Enillodd y gadair fechan honno am dair telyneg, 'Arddwr', 'Heuwr' a 'Medelwr',[68] gydag Alun Cilie'n beirniadu, a dyma gychwyn ar ei yrfa eisteddfodol. Yn ystod y saith mlynedd nesaf, enillodd 23 o gadeiriau eisteddfodol ac un goron, a ddyfarnwyd iddo yn Eisteddfod Capel Carmel, Pontrhydfendigaid, yn 1957. Dichon y byddai John Roderick Rees yn galw heibio i siop Ifan Jones ar ei ymweliadau ysbeidiol ag Aberystwyth.[69] Oriadurwr ydoedd Ifan o ran galwedigaeth, a chadwai siop ar y Stryd Fawr yn y dref honno; ei brif ddiddordeb serch hynny oedd eisteddfota a llenydda. Siop Ifan oedd canolfan y beirdd a'r llenorion ar ôl marw Prosser Rhys yn 1945. Cafodd John 'enaid hoff, cytûn' yn Ifan Jones, gan y rhagorai'r ddau

---

67   *The Collected Poems of Idris Davies*, ed. Islwyn Jenkins (Llandysul, 2011), tt. 34–5. Yn y gerdd yma hefyd fe adlewyrchir ymchwil barhaus Idris Davies am symlrwydd arddull a mynegiant, a'i duedd i ailwampio rhai o'i gerddi er mwyn eu gwneud yn fwy dealladwy i'w ddarllenwyr. Fel John Roderick Rees, bardd telynegol oedd Idris Davies. Disgybl Shelley oedd Idris Davies, a disgybl W. J. Gruffydd ac R. Williams Parry oedd John Roderick Rees. Roedd y ddau ohonynt, serch hynny, yn ysgrifennu yn nhraddodiad y bardd gwlad. Gw. M. Wynn Thomas, *Corresponding Cultures* (Cardiff, 1999), t. 64.

68   *Cerddi'r Ymylon*, tt. 63–5.

69   Gw. ysgrif goffa i Ifan Jones o waith D. Jacob Davies yn *Yr Ymofynnydd*, Cyf. LXVIII, Rhif 3 (Mawrth 1967), tt. 35–8.

ohonynt fel telynegwyr ac yr oeddynt hefyd yn ddilynwyr brwd o 'Babell Awen' Dewi Emrys yn *Y Cymro*. Yn wahanol i John Roderick Rees, er hynny, yr oedd gan Ifan ddiddordeb mawr yn y gynghanedd a'r mesurau traddodiadol, fel y tystia ei gyfrol o gerddi. Eironig yw'r ffaith mai un o gerddi mwyaf poblogaidd a nodedig Ifan yw ei gerdd goffa i'r bardd gwlad sy'n cynnwys y llinell, 'Cenaist nes swyno cenedl'.

Gellir honni mai 'swyno' oedd nod telynegion cynnar John Roderick Rees hefyd a'u bod yn ffrwyth 'prydydd gwlad' digoleg. Cymwynas Ifan Jones oedd iddo roddi ynddo'r awydd i gystadlu am rai o brif wobrau llenyddol eisteddfodau y tu allan i'w filltir sgwâr ei hun. Yr oedd wedi gweld ei waith mewn blodeugerdd eisoes gan i Dewi Emrys gynnwys soned o'i eiddo mewn detholiad o farddoniaeth a welwyd yn 'Pabell Awen' *Y Cymro*. Enw'r flodeugerdd oedd *Beirdd y Babell* ac yno y cynhwyswyd y soned 'Dafad'.[70]

Mae'n amlwg fod ffrâm a strwythur pendant y soned yn apelio o'r cychwyn cyntaf, ac mae'n dangos dylanwad rhai o feirdd gorau'r dydd.

Gŵr arall a fu'n ddylanwad ffurfiannol ar John Roderick Rees yn y cyfnod hwn oedd J. T. Owen, Aberaeron, a chydnebydd ei ddyled iddo yn ei ragair i *Cerddi John Roderick Rees*. Fe'i disgrifia fel:

Beirniad eisteddfod digymar a'm hysbrydolodd, yn ei feirniadaethau ar fy ngwaith, i ddatblygu fy nawn ac a'm hanogodd wedi naw mlynedd o ffermio llawn-amser i fynd i Goleg Aberystwyth.

J. T. Owen a ddyfarnodd i John Roderick Rees ei gadair fawr gyntaf yn Eisteddfod Cwrtycadno. Brodor o'r Dderw, Ysbyty Ystwyth, oedd J. T. Owen (1901–1981); ffermdy

---

70 *Beirdd y Babell* (Wrecsam, 1939), t. 104. Ailargraffwyd hi yn *Cerddi John Roderick Rees*, t. 15.

mynyddig ac anghysbell ar gyrion y Drawsallt a rhyw ddwy filltir a hanner o bentref Ysbyty Ystwyth oedd y Dderw. 'Mab y Mynydd' a brogarwr oedd yntau fel John ac roedd yn rhannu'r un cefndir cymdeithasol a diwylliannol. Aeth y ddau hefyd i'r un ysgol sir yn Nhregaron. Er bod rhyw ugain mlynedd rhyngddynt, ymddengys i J. T. Owen deimlo y gallai John ymelwa o ddilyn cwrs gradd yn ei hen goleg yntau yn Aberystwyth. Apwyntiwyd J. T. Owen yn aelod o staff yr Adran Gymraeg yn Ysgol Sir Aberaeron yn 1924, ac yn 1944 fe'i dyrchafwyd yn brifathro'r ysgol honno. Pan ymddeolodd o'i swydd yn 1965, lluniodd John Roderick Rees gywydd iddo a hynny'n bennaf, mae'n debyg, oblegid hoffter J. T. Owen o'r mesurau traddodiadol ac o'r gynghanedd fel ffurf mynegiant. Yr oedd J. T. Owen yn un o gyn-fyfyrwyr T. Gwynn Jones yng Ngholeg Aberystwyth a dywedir i'r bardd hwnnw ddylanwadu'n drwm arno.[71]

Beirniadodd J. T. Owen draethodau, ysgrifau a barddoniaeth John Roderick Rees mewn nifer o eisteddfodau yn ystod y 1940au a gwelodd werth, addewid a safon ei gynnyrch. Cwrddodd y ddau gyntaf yn Eisteddfod Pennant nos Wener, 11 Chwefror 1944, a dyna pryd y cynghorwyd John Roderick Rees ganddo y dylai fynd i goleg i astudio am radd yn y Gymraeg. Yn yr eisteddfod y noson honno enillodd John Roderick Rees wobr yng nghystadleuaeth yr ysgrif ar y testun 'Dylanwad Amaethyddiaeth ar Fywyd Cymru', ac am delyneg, a deg yn cystadlu, ar y testun 'Disgwyl'.[72] Barn J. T. Owen oedd fod yr ysgrif o safon eisteddfodau is-genedlaethol ac yn deilwng o'i chyhoeddi.[73] Mae'n amlwg gan hynny i

---

[71] Gw. teyrnged i J. T. Owen, 'Former Head Dies', yn y *Cambrian News* (8 May 1981), t. 10.

[72] *Cerddi'r Ymylon*, t. 87. Mewn dyddiadur o'i eiddo ar gyfer 1944, cofnodir iddo lunio dwy delyneg wedi noswylio, yn cynnwys 'Disgwyl', nos Lun, 24 Ionawr 1944.

[73] Ymhen wythnos, enillasai wobr arall yn Eisteddfod Cross Inn am 'Hunangofiant Hen Geffyl'.

anogaeth hael J. T. Owen ddylanwadu ar John a gwneud iddo deimlo mai camgymeriad wedi'r cyfan oedd gadael Ysgol Sir Tregaron cyn sefyll arholiadau Lefel Uwch er mwyn dod adref i gynorthwyo ar y fferm. Fe'i blinwyd gan y cyfyng-gyngor hwn eto pan gychwynnodd ar ei gwrs gradd yn y coleg: pa hawl a oedd ganddo i fradychu cartref a throi ei gefn ar ei dad a Jane er mwyn ceisio gwireddu breuddwyd a phrofi iddo ei hun y gallai ymdopi â gofynion cwrs gradd?

Er iddo ystyried cyngor J. T. Owen o ddifrif a phenderfynu y byddai'n dymuno mentro ar gwrs gradd yng Ngholeg Prifysgol Aberystwyth, yr oedd yna broblem arall a'i blinai. Yr oedd yn y coleg yn 1947 rai a ddychwelasai o'r Lluoedd Arfog wedi diwedd yr Ail Ryfel Byd i orffen eu cwrs wedi treulio cyfnod yn gwasanaethu eu gwlad. Collodd un o'i ffrindiau a fu'n cydefrydu ag ef yn Ysgol Gynradd Pen-uwch ac yn ddiweddarach yn Ysgol Sir Tregaron. Enw'r milwr oedd Daniel John Evans o Graigwen, Pen-uwch, neu Danny Graig i'w gyfoeswyr. Yr oedd John a Daniel bron yr un oed, y naill wedi ei eni yn 1920, a'r llall yn 1921. Yr oeddynt yn gymdogion, yn gydddisgyblion yn yr ysgol, ac yn gyfeillion. Soniodd John Roderick Rees am eu cyfeillgarwch mewn ysgrif a gyhoeddwyd mewn papur bro yn 1986:

Erys llawer atgof, dibwys a dinod i eraill, am ein plentyndod yn y tridegau. Ryw Nadolig, yr oedd Danny wedi cael Mecano yn anrheg gan ei dylwyth o Gaerdydd. (Rwy'n meddwl mai Lego yw'r enw erbyn hyn). Cofiaf fel y rhyfeddwn at gymhlethdod llachar y defnyddiau hynny a'r hyn y gellir ei wneud ohonynt. Cofiaf am gyd-chwarae yn tŷ ni ac yntau yn rhwygo'i dalcen wrth ruthro'n wyllt o dan weiren bigog. Adeg wedyn pan oedd Mr Pritchard, yr ysgolfeistr yn rhoi gwersi Beiblaidd yn y festri a ninnau'n mynd yno yng ngolau'r lloer (heb gofio'r nosweithiau tywyll, am ryw reswm). Un gaeaf, wedi i mi fynd i Ysgol Tregaron, ein dau wedi pasio'r 'scholarship', daeth eira mawr. 'Roedd plant y dref yn medru mynd i'r ysgol ond ni fedrem ni ym mherfedd y wlad uchel. Rhag colli ysgol, cerddasom ein dau dros y lluwch i Dregaron, lle'r oeddem yn lletya o Ddydd Llun hyd Nos Wener.[74]

Yr oedd y ddau ohonynt, fe welir, yn ddisgyblion ymroddedig ac yn awyddus i lwyddo yn Ysgol Sir Tregaron. Yn anffodus, bu ffawd yn angharedig wrth Daniel yn ei flwyddyn olaf yn Nhregaron, gan i'w dad a'i fam farw o fewn blwyddyn i'w gilydd. Gweithiwr ar y ffordd oedd ei dad, John, a'i fam, Greta, yn wraig tŷ. Unig blentyn oedd Daniel, ac yn dilyn marwolaeth ei rieni, bu'n rhaid iddo symud o'r wlad at ei Ewythr Ned, brawd ei fam, a drigai yn 74 Colum Road, Cathays, Caerdydd. Cyfaddefodd yn ddiweddarach wrth ffrind, Ceiriog Evans, un arall a symudasai i fyw o Langeitho i Gaerdydd, iddo wylo ei hun i gysgu droeon wedi ei ddiwreiddio mor sydyn o dyddyn bach y Graig-wen i Gaerdydd: 'Gwisgai fasg allanol a roddai'r argraff ei fod yn hyderus ac wrth ei fodd.'[75]

Parhaodd Daniel â'i addysg yn Ysgol Uwchradd Cathays. Ei athro Cymraeg yno oedd W. C. Elvet Thomas, ac ymaelododd yng nghapel Heol Crwys, Caerdydd. Llwyddodd yn ei arholiadau Lefel Uwch yn yr ysgol ac aeth yn fyfyriwr i Goleg y Brifysgol, Caerdydd, yn Hydref 1939. Astudiai Saesneg a Chymraeg (Subsidiary) a Hanes ac Economeg (Intermediate), sef yr union bynciau a ddewiswyd gan John pan aeth yntau'n fyfyriwr i Goleg

---

74 'Cofio Cyfaill', *Y Barcud*, Rhif 106 (Tachwedd 1986), t. 8.
75 LlGC, papurau Bobi Jones, llsgr. 705. Llythyr dyddiedig 27 Tachwedd 1986 oddi wrth John Roderick Rees.

Prifysgol Aberystwyth ymhen rhyw wyth mlynedd arall. Yr oedd 24 o fyfyrwyr yn y dosbarth Cymraeg yng Ngholeg Prifysgol Caerdydd ac ystyrid Daniel ymhlith y gorau ohonynt. Ar ganol ei gwrs yn Awst 1941, ymunodd Daniel Evans â'r fyddin a chyn y Nadolig hwyliodd am y Dwyrain Pell. Yn fuan, fe'i cymerwyd yn garcharor gan y Japaneaid a'i garcharu yn Jara. Bu'n garcharor am dair blynedd. Yna symudwyd ef a charcharorion eraill mewn llongau o'r ynysoedd ond bomiwyd hwy gan awyrennau Americanaidd heb wybod fod ar eu bwrdd garcharorion rhyfel. Anafwyd Daniel, ond llwyddodd i nofio i'r lan, eithr bu farw drannoeth o'i glwyfau.[76] Lluniodd T. J. Morgan, a oedd ar y pryd yn ddarlithydd ifanc yng Nghaerdydd, ac a ddaeth yn ddiweddarach yn Bennaeth y Gymraeg yng Ngholeg Prifysgol Abertawe, gerdd i gofio am Daniel. Mae'n werth ei dyfynnu yn ei chrynswth gan yr ystyrid hi gan John Roderick Rees yn un 'o gerddi coffa milwyr gorau'r iaith Gymraeg':[77]

Hen Fyfyrwyr
(Er cof am Daniel J. Evans, aelod o
Adran Gymraeg Coleg Caerdydd)

Hen glwt o ynys chwyslyd,
   Rhyw froc ar li'r Môr Tawel,
Yn un o domen ddryslyd
   Mewn bedd di-law, diawel.
Ym mhydew'r clwyf a'r geri,
   A'r hun ddi-boen dragywydd
Mae drych o hynt Pryderi
   A thinc o hoen y cywydd.

---

76 *Y Barcud*, Rhif 249 (Tachwedd 2000), t. 1.
77 *Y Barcud*, Rhif 106 (Tachwedd 1986), t. 9.

Dan dywod cras yn cysgu
  Yng ngwlad yr hen gaethiwed
Ar hanner oed ei ddysgu
  Yn ienctid oes ddiniwed;
Heb gof am gas at elyn,
  Wrth fedd yr anial llydan,
Mae islais o Bantycelyn,
  Ac ysgubau Manawydan.

Ar dir y mawr ddoethineb
  A mynydd duwiau'r Awen,
Mae olion mawr wylltineb
  A beddau lu aflawen;
Dan orchudd y maith dawelwch
  Murmuron sydd eto'n aros,
Brith gof o'r "Wedi elwch"
  A rhin "anatiomaros".

Gwinllannau'r coeth sonedau
  Ac orielau'r llun a'r ddelw,
Heddiw dan graith bwledau
  Ar ôl y gamp ddi-elw;
Yno heb sôn am ennill
  Dan borfa diraen erddi,
Mae tannau coll hen bennill
  A phersawr y "Blodeugerddi".

Ar draethau gwlad y glanio
  A llain y cadau geirwon
Mae'n ddistaw twrf y tanio,
  Distawach torf y meirwon;
Yn gymydog â'i elynion,
  Y llanc a garai drafod
Teyrndlysau'r gell Englynion
  A thrysor cudd Cerdd Dafod.

Dan donnau Môr Iwerydd
  Mae cysgod eto ar grwydyr
O ysfa ddileferydd
  Ymdrechion arall frwydyr;
Gwlithyn sydd yn y dyfnder,
  Hanfod yr hen egnio,
A llewych ar fron y llyfnder
  O gip ar degwch Llio.

Gwelir cofnod o'i farw hefyd ar gofeb yn llyfrgell Ysgol Uwchradd Tregaron, er i rywun gamgofnodi ei enw yno yn John Daniel Evans.[78] Ar fur capel y Presbyteriaid ym Mhen-uwch, mae englyn coffa John Rowland, Brynamlwg, bardd gwlad o'r ardal, i Daniel ac i un arall o gyfoedion John, William John Evans, Pant-teg, Plasnewydd, a fu farw yn Ffrainc:[79]

William John dinam a Daniel – pwy nawr
  Ond Penuwch gâi'u harddel;
  A'u rhifo'n meddau rhyfel,
  Dônt eto'n rhydd, ddydd a ddêl.

---

78 Gw. llun o'r gofeb yn *Can Mlynedd o Addysg Uwchradd yn Nhregaron*, gol. Glyn Ifans (Aberystwyth, 1997), t. 128.

79 Mae'n debyg fod John Rowland, ffermwr diwylliedig, yn hen ŵr pan luniodd yr englyn hwn, gan iddo greu 27 mlynedd ynghynt englyn arall sydd ar yr un mur yn y capel, i goffáu tri o'r ardal a gollodd eu bywydau yn Rhyfel Mawr 1914–18, sef John E. Davies, Glan-gors, Willie I. Griffiths, Lluest-y-gors, a Daniel Hughes, Ochr Esger. Ganwyd John Rowland yn Nolebolion, Llangeitho, yn 1862 a threuliodd gyfnod yn y fasnach laeth yn Pentonville yng ngogledd Llundain. Pan oedd T. Hughes Jones (1895–1966), awdur cyfrolau fel *Sgweier Hafila a storïau eraill* (1941), ac *Amser i Ryfel* (1944), yn byw ar fferm Blaenaeron, a ffiniai â Dolebolion, byddai'n mynd am wersi cynghanedd at John Rowland. Yn ôl *Y Bywgraffiadur Cymreig 1951–1970* (1997), gol. E. D. Jones a Brynley F. Roberts (Llundain, 1997), t. 112, John Rowland oedd tad tybiedig Thomas Huws Davies y soniwyd amdano'n gynharach. Bu John Rowland farw ym Mrynamlwg, Pen-uwch, ar 14 Chwefror 1951. Yr oedd yn ŵr diwylliedig, yn fardd gwlad ac yn gynganeddwr da.

Ganwyd William John Evans ar 16 Mehefin 1920, tua chwe mis o flaen John Roderick Rees. Lladdwyd ef yn Normandi ar 17 Gorffennaf 1944 a'i gladdu ym mynwent Ranville, Calvados, yn Ffrainc. Nos Lun, 21 Mehefin 1948, ar wal capel Pen-uwch dadorchuddiwyd cofeb i gofio am gysylltiad Daniel John Evans a William John Evans â'r fro. Hwynt-hwy, fel y tystia'r gofeb, oedd 'milwyr syrthiedig Penuwch'.[80]

Yn 1946, penderfynodd dau o gyd-ddisgyblion Daniel yn Ysgol Uwchradd y Bechgyn, Cathays, Caerdydd, gyhoeddi detholiad o'u cerddi er cof amdano, a defnyddio unrhyw elw a wneid o werthu'r gyfrol i brynu cyfrolau coffa i lyfrgell Gymraeg yr ysgol. Enw'r gyfrol oedd *Cerddi Cathays* ac y mae'n cynnwys dwy gerdd goffa i Daniel.[81]

Mae'r rhagair o waith ei athro Cymraeg, W. C. Elvet Thomas, yn esbonio bod Daniel hefyd yn fardd ond i'w gerddi fynd ar goll ac nad oeddynt bellach ar gael i'w cyhoeddi yn y gyfrol. Mae'n debyg fod hwn yn rheswm pellach paham y bu i John Roderick Rees a Daniel ddal i gyfathrebu â'i gilydd drwy lythyr hyd farw Daniel yn 1944. Mewn un llythyr a anfonodd at John ar 14 Tachwedd 1939 y mae'n sôn am y nifer fawr o wŷr a gwragedd ifainc o fro Tregaron oedd wedi ymsefydlu yng Nghaerdydd, gan ychwanegu:

> Yr wyf yn teimlo pe bait ti yma yn awr y byddai'r cylch yn gyfan. Yr wyf yn siŵr y byddai bywyd y Coleg yn dy siwtio i'r dim.[82]

---

80 Tystia'r gofeb mai 21 oed oedd Daniel Evans pan fu farw. Gwyddys, er hynny, iddo gael ei eni yn 1921 a'i fod felly yn 23 oed pan laddwyd ef.

81 *Cerddi Cathays* gan G. Maxwell Evans a Patrick Wainwright (Caerdydd, 1946).

82 Dyfynnir gan John Roderick Rees mewn ysgrif yn *Y Barcud*, Rhif 106 (Tachwedd 1986), t. 8.

Ar drothwy Nadolig 1937 y bu i John weld Daniel am y tro olaf. Erbyn Gorffennaf 1940 y mae Daniel yn rhag-weld y bydd yn rhaid iddo yntau ymrestru y flwyddyn ganlynol. Mae'n hysbysu John o'i dynged:

> Byddaf yn cael fy ngalw lan Mis Mawrth. Y mae llawer o'm cyfoedion wedi joino lan eisoes ac y mae arnaf innau chwant gwneud hynny yn aml.[83]

Mae'n gorffen ei ohebiaeth drwy ddweud:

> Cofia fi yn gynnes iawn at dy dad a Jane. Cofiaf yr hen amserau dedwydd pan droediem y milltiroedd a wahanai Penuwch a Thregaron. Ond ni cheir yr oriau hynny byth yn ôl, maent wedi mynd fel "colofnau eiddil ar y bythol lif", ond erys y cof amdanynt yn fyw o hyd.

Er i John Roderick Rees lunio llawer cerdd yn ystod yr Ail Ryfel Byd, ni chyfeiriodd unwaith at farwolaeth ei gyfaill yn 1944. Mae'n werth craffu ar y digwyddiad, serch hynny, gan iddo ddwyn John i gyswllt uniongyrchol â'r rhyfel a pheri iddo yntau fel trigolion y fro gyfan sylweddoli fod yna bris uchel i'w dalu am heddwch ar gyfandir Ewrop.

Ar 29 Chwefror 1944 hefyd, disgynnodd awyren fomio bedair injan, yr Handley-Page Halifax B111 LW366, wrth iddi hedfan ar draws gwlad o Efrog. Digwyddodd hyn ryw filltir o'r ffordd ar fferm Hafod Fawr, rhwng Cross Inn a Bethania. Yr oedd arni griw o saith o bobl a llwyddodd dau ohonynt i neidio allan cyn i'r awyren blymio i'r ddaear gan ladd pump o'r criw.[84] Yr oedd yr Halifax LW366 wedi

---

83 *Y Barcud* (Tachwedd 1986), t. 8.
84 Gw. Gwyn Davies, 'Ceredigion in the Second World War', *Ceredigion: Cylchgrawn Cymdeithas Hynafiaethwyr Ceredigion*, Cyf. XIII, Rhif 4 (2000), t. 86 (81–93).

cychwyn ar ei thaith hyfforddiant o'i gorsaf yn Tholthorpe ger Efrog am 13.40 o'r gloch gan hedfan i fyny at ryw 20,000 troedfedd o uchder ar draws gwlad. Un o'r criw a oroesodd oedd gweithredydd y weiarles a ddisgynnodd o'r awyren ryw filltir o'r chwalfa danllyd. Dim ond ef a pheiriannydd yr awyren a lwyddodd i ddianc yn ddianaf o'r ddamwain. Meddyliai'r ffermwr mai Almaenwyr oeddynt ac aeth at y ddau â phicwarch yn ei ddwylo. Cymro uniaith oedd y ffermwr ac fe gafodd y gwŷr dierth a throednoeth a oedd newydd ddisgyn o'r awyr hi'n anodd esbonio iddo pwy oeddynt a beth oedd wedi digwydd. Yn y diwedd ymddengys i'r milwyr adael eu parasiwtau a rhedeg nerth eu traed i gyfeiriad gweddillion yr awyren rhag ofn fod yno rywrai y gallent eu hachub o'r tân. Yng ngeiriau Don James, gweithredydd y weiarles a soniodd am y profiad flynyddoedd yn ddiweddarach:

> ... on reaching the scene, the only thing I could recognise was the rubber dinghy. It had come out of the port wing and was burning furiously. The engines seemed to have dug a long pit that was filled with gasoline and burning in a wall of flame at the time.[85]

Disgynasai rhan o'r awyren yn ysgubor wair y ffderm gyfagos gan achosi tân na welwyd ei gyffelyb yn ardal Bethania. Cludwyd y ddau filwr i orsaf Aber-porth cyn iddynt ddychwelyd drannoeth ar y trên o Aberystwyth i'w canolfan hyfforddi yn Efrog. Claddwyd y pump uchod a laddwyd yn y ddamwain ymhlith beddau milwyr y Gymanwlad ym mynwent Blacon, Caer. Yn ddiweddarach, canfuwyd penglog un o'r lladdedigion yng nghornel cae Hafod Fawr. A thu allan i glwyd y fferm daethpwyd o hyd i

---

[85] Dyfynnir gan Terence R. Hill yn *Down in Wales 2: Visits to more wartime crash sites* (Llanrwst, 1996), t. 17.

fraich yn llawes yr awyrlu â modrwy aur ar fys y llaw.[86] Yr oedd hwn yn ddigwyddiad gweledol arall a ddaethai ag erchylltra'r rhyfel yn fyw iawn ym meddyliau pobl Penuwch a Bethania. Mewn cofnod yn ei ddyddiadur ar gyfer dydd Mawrth, 29 Chwefror 1944, dywed John Roderick Rees:

> Diwrnod ofnadwy, eroplên allan o gontrol yn disgyn i gae'r Hafod Fawr yn wenfflam; 2 yn fyw o'r criw o 7. Gweld gweddillion rhai ohonynt wedi eu chwalu ymhlith darnau o'r eroplên. Tŷ gwair yr Hafod ar dân; llosgi'n ulw. Golygfa drychinebus.

Er i brisiau cynnyrch y ffermydd godi ryw 67% o ganlyniad i bolisi'r llywodraeth o wneud y wlad yn hunangynhaliol, ac i'r pwyllgorau amaethyddol sirol (neu'r *Warags*[87] fel y'u gelwid) fynnu gan ddeiliaid ffermydd Ceredigion eu bod yn aredig o leiaf 15,000 o aceri i'w hau neu i ddwyn cnwd o datws, eto, yr oedd rhai â'u plant neu eu perthnasau allan yn y lluoedd arfog.[88] Drwy gyfrwng y radio, neu'r di-wifr yr adeg honno, a oedd ym meddiant 75% o aelwydydd Cymru,[89] a'r papurau lleol a chenedlaethol, yr oedd trigolion Ceredigion nad aethent i'r rhyfel yn ymwybodol o'r colledion erchyll a gafwyd yn ystod y brwydro ffyrnig rhwng lluoedd Churchill a byddinoedd Hitler. Yn wgus braidd gan hynny yr edrychid ar y rhai nad aethent i ryfel ar sail cydwybod. Gwarchodid pentrefi a threfydd y sir gan

---

86 Terence R. Hill, *Down in Wales: Visits to some wartime air crash sites* (Llanrwst, 1994), t. 84.

87 Talfyriad am y 'County War Agriculture Executive Committee'. Ceir rhagor o wybodaeth am y 'Warags' yn R. J. Moore-Colyer, 'The County War Agricultural Executive Committees: the Welsh Experience', *Welsh History Review*, Vol. 22, No. 3 (2005), tt. 558–97.

88 Richard Moore-Colyer, 'Keeping the Home Fires Burning: Aspects of Rural Life in Wartime Ceredigion, 1939–1945'. *Ceredigion*, Cyf. XV, Rhif 4 (2008), t. 146 (121–56).

89 Russell Davies, *People, Places and Passions: 'Pain and Pleasure': A Social History of Wales and the Welsh 1870–1945* (Cardiff, 2015), t. 81.

1,200 o ddynion a ymaelododd â'r Gwarchodlu Cartref. Lluniodd John Roderick Rees gerdd yn 1944 i ferch y Fyddin Dir a fu'n cynorthwyo ar ffermydd Ceredigion adeg yr Ail Ryfel Byd. Enillodd y delyneg wobr iddo yn Eisteddfod Aberaeron ar 27 Mawrth 1944 ac mae'n darlunio llafur diwyd merched y fyddin a'u dygnu diarbed adeg tymor y cynhaeaf, ar ydfaes a rhych, cyn dyfod diwrnod eu dychwelyd i'r ddinas ac i'r cutiau ymochel o ryferthwy'r rhyfel:

> A phan ddelo'r awr i adrefu
>   I ffyrdd ei chynefin fyw,
> Bydd sôn am wyrth ei gweddnewid –
>   Gwroldeb ei chorffyn gwyw,
> A'i gruddiau gan baent yr awelon
>   Yn ddarnau o gynfas Duw.[90]

Rhwng presenoldeb Merched y Fyddin Dir, y Gwarchodlu Cartref a'r cannoedd o faciwîs a alltudiwyd i dangnefedd Ceredigion o ddinasoedd Lloegr, yr oedd trigolion cefn gwlad Ceredigion mewn sefyllfa i sylweddoli mor fregus oedd bywyd bellach a bod yr holl drigolion yn rhan o'r frwydr yn erbyn bygythiad yr Almaenwyr. Daeth cynifer â 160 o blant a 171 o rieni o Essex a Dwyrain Llundain i Dregaron. Yr oedd 400 arall o Lerpwl wedi cyrraedd yno yn gynharach yn 1941, a hynny'n dilyn y 'May Blitz' yn y ddinas honno. Daeth 29 o blant y *blitz* i Lan-non yn 1941, a 30 arall o Lundain yng Ngorffennaf 1944. Nid rhyfedd gan hynny i oddeutu 200,000 o bobl symud o Loegr i Gymru rhwng 1939 ac 1941, rhai ohonynt yn Gymry'n dychwelyd i'w gwlad enedigol ond y mwyafrif yn faciwîs, yn cynnwys 110,000 o blant o drefydd a dinasoedd Lloegr.[91] Y

---

90 *Cerddi'r Ymylon*, t. 69. Ymddangosodd y gerdd yn wreiddiol yn *Y Ddraig*, Cyf. LXX (Tymor yr Haf, 1948), t. 11.

91 Richard Moore-Colyer, 'Keeping the Home Fires Burning: Aspects of Rural Life in Wartime Ceredigion, 1939–1945' *Ceredigion* t. 122.

mae'n amlwg gan hynny fod y rhyfel yn bresenoldeb byw ymhlith trigolion Ceredigion o 1939 hyd 1945. Cyfeiriodd John Roderick Rees at yr Ail Ryfel Byd a'i effaith ar gefn gwlad Ceredigion yn amryw o'i delynegion am o leiaf ddeng mlynedd ar ôl iddo ddod i ben.[92] Erbyn 1946, yr oedd y rhyfel drosodd a bywyd yn dychwelyd yn araf i ryw fath o normalrwydd yn y wlad. Daliai John i ystyried y posibilrwydd o fynd i Goleg Prifysgol Cymru, Aberystwyth, i astudio am radd, ond gwyddai o'r gorau y byddai hynny'n gadael holl waith a chyfrifoldeb y fferm ar ysgwyddau ei dad a Jane. Yr hyn a oedd o'i blaid oedd y ffaith fod y coleg yn Aberystwyth yn ddigon agos a thrwy hynny yn ei alluogi i dreulio pob penwythnos gartref yn gweithio ar y tir gan ddychwelyd i'w lety yn Aberystwyth fore Llun.

Cafodd bob cefnogaeth gan ei dad a Jane i ddewis ei rawd ei hun gyda'r sicrwydd y buasent hwy yn gofalu am Berth-lwyd tra buasai'n astudio yn y coleg. Erbyn dechrau 1947, yr oedd wedi penderfynu y gwnâi gais am fynediad er nad oedd ganddo'r cymwysterau angenrheidiol i ddechrau ar ei gwrs gradd yn syth. Cofir iddo adael Ysgol Sir Tregaron ar ôl astudio blwyddyn yn unig o'r cwrs Lefel Uwch. Nid oedd wedi colli cysylltiad er hynny â llenyddiaeth Saesneg a Chymraeg yn ystod y deng mlynedd y bu gartref yn amaethu, gan iddo barhau i ddarllen nofelau awduron mor amrywiol â Thomas Hardy ac Adrian Bell,[93] ac yn y Gymraeg yr oedd wedi ymgyfarwyddo â gwaith telynegwyr poblogaidd y dydd, yn arbennig waith beirdd fel

---

92 Gw. 'Llwybr y Bryn', *Cerddi'r Ymylon*, t. 31, 'Llwybr y Mynydd', t. 13, 'Llwybr y Coed', t. 32, 'Y Llwybrau Gynt', tt. 56–9. Lluniwyd y cyfan yn y blynyddoedd rhwng 1954 ac 1956.

93 Diau fod gwaith Adrian Bell yn apelio gan fod ei nofelau, *Corduroy* (1930), *Silver Ley* (1931) a *The Cherry Tree* (1940), trioleg a ddaeth â'r awdur i amlygrwydd, yn portreadu cefn gwlad Lloegr, yn arbennig Suffolk yn ystod y 1920au lle'r oedd y dull o amaethu wedi parhau'n ddigyfnewid am dros ddau gan mlynedd. Yna, daeth yr argyfwng economaidd gan weddnewid ffordd draddodiadol o fyw ac o feddwl.

Ceiriog, Crwys, Eifion Wyn, W. J. Gruffydd, Wil Ifan ac I. D. Hooson.

Un min nos yng ngwanwyn 1947, aeth ar ei feic i Aberaeron i holi am lythyr o gefnogaeth gan J. T. Owen i'w alluogi i geisio am le yn y coleg. Gan mai J. T. Owen a'i hanogodd yn bennaf i fynd i goleg wedi rhai blynyddoedd yn ffermio gartref, yr oedd wrth ei fodd yn cael ar ddeall i'w gyngor ddwyn ffrwyth. Yr oedd prifathro Ysgol Aberaeron yn ffyddiog y gwnâi John Roderick Rees fyfyriwr ymroddedig a llwyddiannus ac y byddai'n elwa o'r diwedd o ddilyn cwrs gradd.

Ei ardal a'i deulu

Graddio yn y Coleg Ger y Lli

Pennod 2

Coleg a chipio coronau

Bellach, yr oedd John Roderick Rees yn 26 mlwydd oed ac yn ailafael yn ei yrfa addysgol wedi bwlch o naw mlynedd a mwy. Nid o lwyrfryd calon yn sicr y cychwynnodd ar ei gwrs yn Aberystwyth, eithr yr oedd ganddo gyfaill ysgol a oedd ar fin cychwyn yno hefyd fel myfyriwr, sef Tommy Griffiths Jones o Ben-uwch, a oedd hefyd yn gyd-efrydydd ag ef yn yr ysgol gynradd ym Mhen-uwch ac yn yr ysgol sir yn Nhregaron. Yr oedd ef newydd adael y Llu Awyr ar ôl treulio dwy flynedd a hanner yn yr India a Ceylon. Wedi dychwelyd adref penderfynodd ddilyn cwrs gradd yn y brifysgol yn Aberystwyth. Bu ef a John Roderick Rees yn cydletya ar aelwyd ewythr a modryb i Tommy ym Maesgwyn, Heol y Drindod, yn y dref yn ystod y blynyddoedd y buont yn fyfyrwyr yn y coleg. Mewn ysgrif deyrnged i'w gyfaill yn dilyn ei farwolaeth, mae Tommy Griffiths Jones yn dwyn y cyfnod cynnar hwnnw i gof:

> Dau gyfaill go wahanol i'n gilydd oeddem – ef yn astudiwr cyson a diwyd; minnau, wedi dod adre o'r India, am wneud yn fawr o'm rhyddid gan gyfnewid aelwyd gynnes am dreulio gormod o amser yn yr Aelwyd, yn cyfeillachu yno a chwarae tennis bwrdd.[1]

---

[1]   *Y Barcud*, Rhif 339 (Tachwedd 2009), t. 16.

Cydnabu John Roderick Rees fwy nag unwaith i'r newid byd o'r fferm i'r coleg beri cryn loes a dadrith meddyliol iddo o'r cychwyn. Sylweddolodd am y tro cyntaf mor real a gwaelodol yw'r ddaear las o dan draed ac mor ddylanwadol yw grymusterau'r tymhorau ar ddyn ac anifail. O'i ôl yr oedd barrug a haul, glaw a niwl y wlad; bellach fe'i hamgylchynid gan draffig, palmantau concrit, muriau moel ystafelloedd darlithio, llyfrgell yr Hen Goleg, tonnau'r môr ac ystafell unig mewn llety. Fe'i blinid gan ddeuoliaeth teimlad: ei fod yn bradychu cartref a gwaith go iawn am fywyd artiffisial, arwynebol a gwag y coleg yn Aberystwyth. Teimlai byliau o euogrwydd cyson pan oedd yn gadael ei dad a Jane i gario beichiau'r fferm a chartref ac yntau yn y coleg yn gwastraffu amser 'uwchben tipyn o bapur'.[2] Ni allai adael, serch hynny, gan y byddai hynny'n awgrym o fethiant. Rai blynyddoedd yn ddiweddarach, lluniodd gerdd i Albert Schweitzer sy'n crybwyll y tyndra rhwng y byd academaidd artiffisial a'r bywyd real y tu allan i furiau'r coleg.

Cyhuddwyd Schweitzer o ddianc i anialwch Affrica o'i fywyd academaidd, a theimlai John Roderick Rees, ar y llaw arall, ei fod yn dianc o'i gartref i guddio mewn rhyw dŵr ifori, gan aberthu ei dreftadaeth lle y bu ei ragflaenwyr yn llafurio. Aeth Schweitzer 'from inkwell to test-tube', o waith coleg i'w hyfforddi i fod yn feddyg yn Affrica.[3]

Mae'n debyg i John Roderick Rees ddechrau ymddiddori yn y cenhadwr meddygol yn 1935, pan ymwelodd Schweitzer ag Aberystwyth ar yr 8fed o Ragfyr. Traddododd ddarlith yn y prynhawn mewn cyfarfod o athrawon a myfyrwyr y brifysgol ac yna yn yr hwyr rhoes anerchiad cyhoeddus yn Neuadd y Dref. Honnir mewn adroddiad yn *Yr Efrydydd* iddo ddenu cannoedd o drigolion y dref i wrando arno, er iddo 'annerch y cyfarfodydd yn yr iaith Ffrangeg' gyda rhyw wraig o'r enw Mrs Russell yn darparu cyfieithiad o'i areithiau.

---

2   *Portreadau* (BBC Radio Cymru), darlledwyd 1 Mai 1996.
3   Magnus C. Ratter, *Albert Schweitzer* (London, 1935), t. 43.

Mae'n debyg i'r adroddiadau am ymweliad Albert Schweitzer greu cryn ddiddordeb yn lleol yn ei hanes a'i waith.

Aethai John Roderick Rees 'o foel y fawnog' i droedio'r 'crwstyn macadam'.[4] Mynegiant pellach o undonedd a bywyd gwneuthuredig myfyriwr yw'r gerdd 'Yn yr Ystafell Ddarllen' a luniwyd ganddo yn 1951.

Ar nos Sadyrnau ym mis Mai 1954, gwelodd y bobl ifainc yn 'ciwio' wrth 'borth y Pîr' am le yn seddau'r sinema:

> Yn ciwio am awr am y seddau rhad
> Fel gwylain am friwsion y promenâd.

Darlun arwynebol o genhedlaeth wedi'i dal gan 'bregethwyr y sgrin' a gawn ganddo, sy'n 'ymsuddo yn ddeuoedd i'r seddau coeth / I lygadu eu duwiesau hanner-noeth'.[5]

Darlun tywyll o fywyd gwag a diddigwyddiad a gawn gan John Roderick Rees yn ystod ei gyfnod fel myfyriwr yng Ngholeg Aberystwyth, ac mae'n wir dweud, yn ôl ei gyd-efrydydd Tommy Griffiths Jones, mai wrth y tân ar aelwyd ei lety gyda'i lyfrau y mynnai fod yn hytrach nag allan yn cymdeithasu a chael hwyl gyda'r myfyrwyr eraill.[6] Dyma fu ei hanes, fe gofir, pan letyai yn y dref adeg ei gyfnod yn Ysgol Sir Tregaron, oherwydd ei amharodrwydd neu ynteu ei anallu i gymdeithasu ag eraill, ac yntau o ganlyniad yn teimlo hiraeth am gartref.

Ffrwyth darllen oedd llawer o gerddi'r cyfnod; cronni gwybodaeth at bwrpas llunio telynegion a sonedau ar wahanol destunau eisteddfodol. Nid cerddi mohonynt a ddeilliodd yn naturiol o ymwneud uniongyrchol ag eraill

---

4 'Ffynhonnau', *Cerddi John Roderick Rees*, t. 103.
5 *Cerddi'r Ymylon*, t. 15. Adeiladwyd y Pier ar y prom yn Aberystwyth yn 1896 gyda lle i 2,000 o bobl eistedd ynddo.
6 *Nabod* (BBC Radio Cymru), darlledwyd 15 Gorffennaf 1988.

yn gymdeithasol naill ai yn y gymuned neu yn y coleg. Meddwl mewnblyg a feddai, a pherson ydoedd y gellir ei alw'n swil, creadigol a myfyrgar. Ni wnâi ymdrech i wthio ymlaen ac ymgolli'n un o dyrfa neu o ddosbarth arbennig.

Nid oedd y cyrsiau yn ei foddhau yn gyfan gwbl ychwaith, ac ar un adeg penderfynodd adael y cyfan a chychwyn ar gwrs gradd mewn Amaethyddiaeth. Aeth i weld Richard Phillips, aelod o staff yr adran, yn ei gartref yn Heol Caradog yn Aberystwyth. Y cyngor a gafodd yno oedd y dylai orffen ei radd yn y Gymraeg cyn cofrestru ar gwrs cyffelyb mewn Amaethyddiaeth. Nid oedd dim amdani, gan hynny, ond bwrw ymlaen â'r gwaith a gorffen y cwrs ac ennill gradd yn y Gymraeg.

Nid oedd yng Ngholeg Aberystwyth yn y dyddiau hynny ond rhyw 800 o fyfyrwyr.[7] Ar ddechrau'r 1950au tyfodd y nifer i 1,200: 900 o fechgyn, 300 o ferched mewn tref o tua 4,000 o drigolion. Nid oedd ond 1,258 yno yn 1959, a 2,629 yn 1971, sydd yn awgrymu'r cynnydd a welwyd yn ystod y blynyddoedd wedi hynny.[8] Telid ffi o £10 y tymor gan fyfyrwyr y celfyddydau a £12 gan fyfyrwyr y gwyddorau.[9] Prifathro coleg Aberystwyth yr adeg y bu John Roderick Rees yn fyfyriwr yno oedd Ifor L. Evans (1897–1952), brodor o Aberdâr a ddaeth yn bennaeth yno yn 1934 wedi cyfnod yn ddarlithydd a Chymrawd yng Ngholeg Sant Ioan, Caergrawnt.[10]

---

7   E. L. Ellis, *The University College of Wales, Aberystwyth 1872–1972* (Cardiff, 1972), t. 261.
8   Prin oedd y rheini a gâi fynd i'r brifysgol ar ôl yr Ail Ryfel Byd. Cyfanswm myfyrwyr Prifysgol Cymru yn 1946–7 oedd 4,105. Erbyn 1997 yr oedd 54,000 o fyfyrwyr yn y gwahanol brifysgolion yng Nghymru (Ffigurau HEFCW 1998).
9   Wynne Davies, *From the Horse's Mouth* (Llandysul, 2015), t. 41.
10 A.D.R., 'Ifor Leslie Evans (1897–1952)', *Welsh Anvil*, Vol. 4 (1952), tt. 9–12.

Un o'r rhai a ddychwelasai o'r Llynges i Goleg Prifysgol Aberystwyth oedd Emlyn Hooson (1925–2012) a chlywodd John Roderick Rees ef yn areithio fwy nag unwaith yng nghlwb y Rhyddfrydwyr. Yr oedd Emlyn Hooson wedi cofrestru'n fyfyriwr yn Adran y Gyfraith yn y Coleg yn 1942, ond gorfu iddo ymuno â'r Llynges yn 1943, ac ni lwyddodd i raddio hyd 1948.[11]

Teimlai John Roderick Rees mai dof ac anarbennig oedd trafodaethau'r Gymdeithas Geltaidd Gymraeg yn ystod ei gyfnod ef yn ymyl cymdeithas ddadlau Saesneg y Coleg. Yr oedd yno ddarpar aelodau seneddol o Gymry yn torri eu dannedd yn yr iaith fain.[12] Emlyn Hooson oedd y grymusaf ohonynt a chofiai ddadl arbennig rhwng y ddau Ryddfrydwr, Emlyn Hooson a Roderic Bowen ar y naill ochr, a George Thomas (Arglwydd Tonypandy wedyn) a Sydney Herbert, a oedd yn ddarlithydd sosialaidd ar y pryd yn yr Adran Hanes, ar y llall. Er i Gwilym Prys Davies, cyfoeswr arall, ac aelod o'r Blaid Genedlaethol ar y pryd, geisio denu John Roderick Rees i ymuno â'r Blaid, gwrthod a wnaeth ac ni bu'n aelod o unrhyw blaid erioed.

Astudiodd John Roderick Rees, yn ôl yr arfer yr adeg honno, bedwar pwnc yn ei flwyddyn gyntaf: Hanes, Cymraeg, Saesneg ac Economeg. Yn ei ail flwyddyn, Cymraeg, Saesneg a Hanes Cymru oedd ei bynciau, ac yn ei flwyddyn olaf, Cymraeg a Saesneg. Er y gallasai fod wedi ennill gradd Anrhydedd yn y ddau bwnc, Cymraeg a ddewisodd gan ennill gradd Dosbarth Cyntaf yn 1951. Enillwyd gradd Dosbarth Cyntaf gan dri o'r myfyrwyr, sef John Roderick Rees, Brynley Roberts a Dennis Jones, ac aeth y ddau olaf o'r tri ymlaen i wneud gwaith ymchwil yn

---

[11] Gw. *Emlyn Hooson: Essays and Reminiscences,* ed. Derec Llwyd Morgan (Llandysul, 2014), tt. 21–3.
[12] Nid oes ond rhaid enwi aelodau fel John Morris a Cledwyn Hughes, dau Ryddfrydwr ar y pryd.

yr adran. Daeth Brynley F. Roberts yn aelod o staff Adran y Gymraeg yn Aberystwyth yn 1957. Y rheswm a roes John Roderick Rees dros beidio â mynd ymlaen i wneud gwaith ymchwil oedd nad oedd am adael cartref a chefnu ar ei filltir sgwâr. Yn hytrach aeth ymlaen i wneud ymarfer dysgu.

Cydnabu John Roderick Rees i lawer o ddarlithwyr y gwahanol adrannau y bu'n astudio ynddynt greu argraff ddofn arno am wahanol resymau. Yr oedd yn yr Adran Gymraeg bedwar darlithydd. T. H. Parry-Williams oedd yr Athro a phennaeth yr Adran, a châi John bleser a budd mawr yn ei ddarlithoedd ef. Edmygai fawredd diymhongar Parry-Williams, yn ogystal â'i gwrteisi boneddigaidd at ei fyfyrwyr. Yno hefyd yr oedd Gwenallt, a ganmolwyd ganddo'n ddiweddarach ar sail ei 'ddweud cofiadwy a'i fynegiant cwbl afaelgar'.[13] Ni theimlai'r un agosatrwydd at Gwenallt ac nid rhyfedd hynny, o gofio cefndir y ddau: y naill o gefn gwlad tyddynnol Ceredigion, a'r llall o amgylchedd diwydiannol Morgannwg. Er cymaint yr edmygai John farddoniaeth a rhyddiaith Gwenallt, yr oedd gwleidyddiaeth a meddylfryd y ddau yn gwbl wahanol i'w gilydd. Lluniodd John Roderick Rees gerdd iddo yntau ar gyfer cyfarfod teyrnged a gynhaliwyd yn Aberystwyth sy'n cynnwys y deyrnged hon i awen ddiflewyn-ar-dafod Gwenallt:

Ni bu llymach llinell nac angerdd mor gyllellog
Er dyddiau Siôn Cent, er Aneirin a'r coludd ar ddrain.

Hoffai 'drylwyredd ysgolheigaidd a gweithgarwch diarbed' Thomas Jones, ond addfwynder a gwybodusrwydd Garfield H. Hughes a edmygai, yn ogystal â'i fanylder a'i foneddigeiddrwydd. Cadwodd mewn cysylltiad â Parry-

---

13 *Dylanwadau* (BBC Radio Cymru), darlledwyd 15 Mai 1991.

Williams hyd ei farw yn 1975.[14] Lluniodd John gerdd i'w hen Athro a'i darllen mewn cyfarfod teyrnged a drefnwyd i Parry-Williams yn Aberystwyth yn dilyn ei ymddeoliad, gan roi'r darlun hwn inni:

Dylifodd sofrenni'r iaith o'i fathdy breiniol
Yn Nhir na n-Og y gelfyddyd nad â yn hen,

Yn ôl Hywel D. Roberts mewn portread o John Roderick Rees, yr oedd gan Parry-Williams yntau feddwl mawr o 'allu a disgleirdeb John Roderick Rees'.[15] Yr oedd y ddau ohonynt ar yr un donfedd.

Mewn rhaglen radio cydnabu John ei ddyled i Parry-Williams a'i edmygedd ohono:

Er fy mod yn parchu a gwerthfawrogi fy athrawon oll, yr oedd T. H. Parry-Williams yn rhywun arbennig iawn i mi. Yr oedd mor ddiymhongar ac eto ystyriaf mai ef oedd yr athrylith fwyaf, y cawr ymenyddol mwyaf, ac nid mewn llenyddiaeth yn unig, y cefais y fraint o

---

[14] Dim ond un llythyr o eiddo John Roderick Rees at T. H. Parry-Williams sydd wedi goroesi. Lluniwyd ef i longyfarch Parry-Williams ar gael ei ddyrchafu'n farchog yn Rhestr y Frenhines yn 1958:
Annwyl Syr,
Dymunaf eich llongyfarch ar eich anrhydeddu yn Rhestr y Frenhines. Fel un o'ch hen ddisgyblion ac edmygydd mawr ohonoch, yr oeddwn yn falch iawn o ddarllen amdanoch a gweld eich llun yn y papur heddiw. A diolch am y gwirioneddau a draethasoch yn y Ddarlith Radio beth amser yn ôl.
Cofiaf yn ddiolchgar am eich caredigrwydd i mi, lanc digon amrwd o'r wlad, pan ddeuthum i'r Coleg, ac am eich cefnogaeth gyson tra bûm yno. Clywais hefyd am eich cyflwyniad gwerthfawrogol, caredig pan wobrwywyd fi, yn fy absenoldeb, yn Llangefni y llynedd. Diolch o galon i chi.
Yr eiddoch yn gywir iawn
John Roderick Rees
LlGC Papurau T. H. Parry-Williams ac Amy Parry-Williams, llsgr, M320. Llythyr dyddiedig 12 Mehefin 1958.

[15] 'Portread o John Roderick Rees', *Barddas*, Rhif 106 (Chwefror 1986), t. 9 (8–9).

ymwneud ag ef ... Pe cawsai ef weithredu ei farn, buaswn wedi ennill y Goron genedlaethol yn 1964, ugain mlynedd cyn i mi gynnig wedyn a llwyddo, a buasai 'Nhad a Jane yn fyw i gyd-fwynhau fy mhrofiad.[16]

Mae'n ychwanegu i Parry-Williams, lai na blwyddyn wedi marw ei dad yn 1969, ddod i'r clos ym Mhen-uwch ryw brynhawn i ymweld ag ef:

> Wedi dod adref o'r ysgol yn Nhregaron a chael te, 'roeddwn i'n carthu dan y march. 'Dyma ddyn yn gweithio ar ôl gweithio,' meddai'r athro mewn brawddeg nodweddiadol fachog. Yr oedd Lady Amy yn y car ar yr hewl. 'Roedd Jane yn fyw a chefais ei chyflwyno iddynt. 'Mi fuon ni ym mynwent Bethania ac wrth fedd eich tad a'ch mam,' meddai. Un felly oedd ef.[17]

Bu John Roderick Rees yn olygydd Cymraeg *Y Ddraig*[18] o 1950 i 1951 a chyfrannodd i bob rhifyn tra bu yn y coleg. Enillodd hefyd ar nifer o gystadlaethau, yn cynnwys cyfieithu o'r Gymraeg i'r Saesneg, soned, ac ysgrif yn yr eisteddfod ryng-golegol yn Chwefror 1949.[19] Ond er iddo elwa ar y cyrsiau a ddilynodd yn y coleg, prin y gellid honni iddo fwynhau bywyd ac awyrgylch y lle ac ni chadwodd mewn cysylltiad â'i gyd-fyfyrwyr wedi iddo adael.

Ar y cwrs ymarfer dysgu, i ennill profiad fel athro ac i fwrw ei brentisiaeth o flaen dosbarth, aeth i ysgolion Aberaeron a Llanelli. Gan mai gŵr swil a dihyder ydoedd,

---

16 *Dylanwadau* (BBC Radio Cymru), darlledwyd 31 Gorffennaf 1989.
17 *Dylanwadau* (BBC Radio Cymru), 31 Gorffennaf 1989.
18 Cylchgrawn Cymraeg Coleg y Brifysgol, Aberystwyth. Cyhoeddwyd fel rhan o'r *Dragon* hyd 1964.
19 Un o'r cerddi a fu'n fuddugol yn yr eisteddfod honno oedd y soned 'Y Cymun', *Cerddi'r Ymylon*, t. 76. Ymddangosodd y soned hon hefyd yng nghylchgrawn *Y Ffordd*, Cyf. IV, Rhif 2 (Ebrill 1954), t. 14.

cafodd yr awyrgylch yn ddieithr ac estronol braidd ymhlith plant o gefndir diwydiannol Llanelli. Hwyrach i hynny gadarnhau ei benderfyniad i beidio â gadael ei gynefin i chwilio am swydd. Ar ddiwedd ei flwyddyn hyfforddiant, nid rhyfedd iddo benderfynu nad oedd dim amdani ond dychwelyd eto i weithio yn Berth-lwyd gyda'i dad a Jane. Profasai iddo ei hun bellach y gallai gyflawni gwaith coleg a llwyddo, ac nid anodd fu iddo ddychwelyd at yr alwedigaeth a wyddai orau.

Ymhen rhyw flwyddyn ar ôl dychwelyd adref i amaethu'r tir, penderfynodd y tad a Jane adael y fferm, ymddeol a symud yn ôl i fyw i Bear's Hill. Yr oedd y naill a'r llall yn drigain oed erbyn hyn ac yn dymuno ysgafnhau llwyth gofalon eu gwaith beunyddiol. Cafodd John Roderick Rees ddewis gan ei dad, naill ai parhau i ffermio Berth-lwyd, neu ynteu ddilyn gyrfa fel athro a symud gyda hwy yn ôl i'r tyddyn i fyw. Gan y poenai am golli cysgod ei dad a Jane, penderfynodd roi'r gorau i'r fferm ac ymgeisio am swydd fel athro ar yr amod ei bod o fewn cylch teithio dyddiol i'w gartref. Dysgodd yrru car gan Tommy Griffiths Jones a soniodd ef yn ddiweddarach am yr hwyl a gawsai yn ceisio rhoi hyfforddiant i berson mor annhechnegol, anfecanyddol a di-glem ymhlith peiriannau â John Roderick Rees. Pan ddymunai i'r car stopio, byddai'n gweiddi 'Wê-ê-ê' fel petasai'n arwain dau geffyl gwedd ar ddiwrnod aredig. Gofalai hefyd roddi gair o anogaeth i'r Ostin pan fyddai'r ddau mewn cymod: 'Dere di, gwd boi ... ara bach nawr'.[20] Gwir mai gyrrwr anfoddog a fu am weddill ei fywyd, ac na yrrodd fawr pellach na thref Aberystwyth.

---

[20] *Nabod* (BBC Radio Cymru), darlledwyd 15 Gorffennaf 1988.

Ysgol Gymraeg Aberystwyth

Dychwelodd y teulu i Bear's Hill ac ymgeisiodd John Roderick Rees am swydd fel athro yn un o ysgolion cynradd yr ardal. Gwahoddwyd ef ymhen rhai wythnosau i gyfweliad am swydd cyflenwi yn ysgolion Ceredigion. Yr oedd tri ymgeisydd ar y rhestr fer am ddwy swydd: y naill yn Ysgol Gynradd Aberteifi a'r llall yn Ysgol Gymraeg Aberystwyth, a thrannoeth hysbyswyd iddo fod yn llwyddiannus. Dywedodd John y byddai'n dymuno mynd i Ysgol Gymraeg Aberystwyth petai'n cael y dewis, ac felly y bu. Cychwynnodd ar ei yrfa fel athro ym mis Medi 1954 o dan Hywel D. Roberts a oedd ar y pryd yn bennaeth yr Ysgol Gymraeg yn Aberystwyth. Ni ellir ond dyfalu a fyddai wedi derbyn petai wedi cael cynnig y swydd yn Aberteifi gan y byddai hynny'n golygu dros awr o waith teithio bob dydd. Dysgu plant rhwng naw a deg oed oedd ei waith yn yr Ysgol Gymraeg, a 36 ohonynt yn ei ddosbarth. Soniodd un o'r plant a fu o dan ei ofal yn ystod y cyfnod hwn am ei hynawsedd ac nas gwelodd erioed yn disgyblu nac yn bwrw un o'r plant. Ni welodd ef ychwaith yn cyffwrdd â'r brws paent nac yn cicio pêl ar iard yr ysgol. Pwysleisiai y 'pethau sylfaenol' a'i duedd fyddai rhoi darn o farddoniaeth iddynt ar brynhawn dydd Gwener i'w ddysgu ar gof dros y penwythnos.[21]

Bu'r prifathro, Hywel D. Roberts, gŵr o Ddyffryn Nantlle a fuasai yno er 1951, o gymorth mawr iddo gan ei osod ar ben y ffordd. Mewn ysgrif bortread iddo, mae Hywel D. Roberts yn dwyn i gof ei ymwneud gwreiddiol â John Roderick Rees:

---

[21] Atgofion Gareth Lewis yn *Nabod* (BBC Radio Cymru), darlledwyd 15 Gorffennaf 1988.

Dr John Henry Jones, fel Cyfarwyddwr Addysg, a roddodd y cyfle cyntaf i'r bardd ddod yn athro ysgol, a fi oedd yr un ffodus i'w gael ar fy staff – gŵr bonheddig swil ond cadarn, cwrtais gyda'r plant a'i gydathrawon, ac mor barod tua'r Nadolig pan oedd ambell garol o wlad arall wedi apelio ataf, i'w chyfieithu i'r Gymraeg ar gyfer ein gwasanaeth carolau yng Nghapel Seilo.[22]

Mewn rhaglen radio soniodd John Roderick Rees am ddylanwad y prifathro arno yntau a chymaint cymorth a fu pan oedd yn bwrw ei brentisiaeth fel athro. Edmygai ddawn ddihafal Hywel D. Roberts fel arweinydd ac athro, a hefyd ei radlonrwydd wrth ymdrin â'i staff ac ehangder ei ddoniau. Ymhen dwy flynedd, er hynny, derbyniodd Hywel D. Roberts swydd darlithydd yng Ngholeg Addysg Caerdydd. Lluniodd John Roderick Rees gywydd teyrnged yng Ngorffennaf 1956 i nodi'r achlysur. Mae'r cwpled hwn yn fynegiant clir o werthfawrogiad ac edmygedd yr athro newydd o'i wrthrych, a'r pwyslais ar garedigrwydd a dyneiddiaeth fawr Hywel D. Roberts:

> Ef oedd pensaer taer ein tŷ,
> Hwyl ydoedd adeiladu.

Wedi i Hywel D. Roberts ymsefydlu yn ei swydd yng Ngholeg Addysg Caerdydd, rhoes wahoddiad i John Roderick Rees ymuno ag ef i ddysgu Cymraeg yn yr adran. Gwrthod a wnaeth, fel y gellid disgwyl, gan nad oedd am gael ei dynnu am bris yn y byd i fywyd dinas o'i amgylchedd cartrefol a thawel gyda'i dad a Jane ym Mhen-uwch.

---

[22] 'Portread o John Roderick Rees', *Barddas*, Rhif 106 (Chwefror 1986), t. 9 (8–9).

Dychwelyd i Dregaron

Ar gais Cyfarwyddwr Addysg y sir y cyflwynodd John gais am swydd pennaeth y Gymraeg yn ei hen ysgol yn Nhregaron, ond Elwyn Gunstone Jones a apwyntiwyd yr adeg honno. Ymhen byr amser er hynny, yn dilyn ymadawiad deiliad y swydd yn 1957, ymgeisiodd John Roderick Rees yr eilwaith amdani. Cefnogwyd ei gais y tro hwn gan T. H. Parry-Williams, yr Athro Gwyn Jones a Hywel D. Roberts. O dderbyn cefnogaeth fel hon, nid rhyfedd iddo gael cynnig y swydd a'i derbyn o blith 26 o ymgeiswyr. Dyma gychwyn cyfnod newydd eto yn ei fywyd, y tro hwn o dan D. Lloyd Jenkins, ei athro Saesneg gynt pan oedd yn ddisgybl yno rhwng 1933 ac 1937. Dyrchafwyd D. Lloyd Jenkins yn brifathro Ysgol Uwchradd Tregaron yn 1945 yn dilyn ymddeoliad S. M. Powell. Yn ogystal â dysgu Cymraeg, gofynnwyd i John hefyd ddysgu materion cyfoes i blant hŷn yr ysgol, ac yr oedd y pwnc hwn wrth fodd ei galon. Teimlai John yn sgil ei brofiad yn ymarfer dysgu yn Llanelli y dylai athro a phlant yr ysgol hanu o'r un priddyn, a chyfranogi o'r un cefndir a gwerthoedd diwylliannol â'i gilydd. Mae'n wir dweud fod yn nyddiau John Roderick Rees yn yr ysgol o leiaf naw athro arall ar y staff yn hanu o Geredigion a'r gweddill naill ai o dde neu ogledd Cymru. Yr oedd dros bedwar cant o ddisgyblion yn yr ysgol yn 1957, er i'r ffigur hwnnw ddisgyn i tua 330 yn 1970.[23] Ceir portread o gefndir daearyddol a chymdeithasol y disgyblion yn yr ysgol gan John Roderick Rees mewn cân hwyliog a gyhoeddodd mewn cyfrol yn dathlu canmlwyddiant yr ysgol yn 1997:

---

23 Nifer y disgyblion yn Ysgol Uwchradd Tregaron 1960–1970:
1960 – 403, 1961 – 417, 1962 – 407, 1963 – 388, 1964 – 350, 1965 – 337, 1966 – 317, 1967 – 314, 1968 – 296, 1969 – 310, 1970 – 330.

Cân Ysgol Uwchradd Tregaron

O Lanilar i Gwm Berwyn,
O Gwmystwyth i Dalsarn,
Down ynghyd dros lwybrau gwledig
I'r hen ysgol fach garedig
Sydd o hyd i'n traed yn sarn.

Bu Cymreictod diymhongar,
Tyddyn clyd a bwthyn gwyn
Yn dylifo dros wefusau
Y gwerinol genedlaethau
Oddi mewn i'r muriau hyn.

Rhoi i Gymru ein llenorion,
Rhoi i'r byd ein doniau lu,
Cornel fach o Geredigion
Lle bu llwybrau'r oen a'r eidion
Ydyw ein treftadaeth gu.

Gwreiddiau yn y pridd dihenydd –
Hwn a roes i'n henaid faeth,
Gwlad da stôr, y cob a'r poni,
Defaid, gwartheg glannau Teifi,
A thinc caniau ffatri laeth.

Rhag oer grafanc diboblogi
Gwared ni, ddoethineb dyn,
Troedio'n ffyddiog i'r dyfodol
Ar hen seiliau ein gorffennol,
Hynny a fynnwn ni bob un.

Clod Apostol, gwyrth Diwygiwr,
A fydd beunydd ar ein clyw,
Ond pwysicach yw'n cyndeidiau
A arhosodd ar y bryniau,
Llif eu gwaed a'n ceidw'n fyw.[24]

---

[24] *Can Mlynedd o Addysg Uwchradd yn Nhregaron 1897–1997*,
gol. Glyn Ifans (Aberystwyth, 1997), tt. 225–6.

Diau y buasai rhai'n mynnu bod y gerdd yn dweud mwy am gefndir y bardd a gorffennol y gymuned nag am hanfod disgyblion yr ysgol ar ddiwedd yr ugeinfed ganrif. Ai perthnasol bellach yn sgil y mewnlifiad a'r ysgolion bro yw pwysleisio 'Cymreictod diymhongar' y 'bwthyn gwyn' a'r 'hen ysgol fach garedig'? Nodweddiadol o'r awdur yw clo'r gerdd sy'n cydnabod ymlyniad y cyndeidiau wrth fryniau eu 'treftadaeth gu'.

Ychydig wythnosau cyn dechrau ar ei swydd yn Nhregaron, dyfarnwyd iddo yn Eisteddfod Genedlaethol Sir Fôn wobr goffa Pedr Hir am gyfrol o gerddi gwreiddiol heb eu cyhoeddi o'r blaen. Cyhoeddwyd y gyfrol gyda rhai cerddi ychwanegol yn 1959 o dan y teitl *Cerddi'r Ymylon*. Yn y broliant ar y clawr sonnir am y gyfrol gyntaf hon fel un y gellir gweld ynddi holl ddiddordebau'r bardd yn 'cyd-dynnu er creu gogoniant a harddwch mewn geiriau'.

Rai wythnosau cyn ymgymryd â'i swydd newydd, derbyniodd lythyr chwe thudalen gan yr Athro Thomas Jones, ei gyn-ddarlithydd yn Adran y Gymraeg yng Ngholeg Prifysgol Aberystwyth, yn cynnwys cyfarwyddiadau ac awgrymiadau manwl ynghylch sut i baratoi ar gyfer gwaith cwrs y chweched dosbarth. Ei brif broblem serch hynny oedd goresgyn ei ddiffyg hyder i ymdopi o flaen dosbarthiadau mwy anystywallt a heriol na'i gilydd. Ni chredai mewn ceryddu chwyrn a chosbi. Gwrthun iddo hefyd oedd cosb gorfforol ac ni fu ganddo erioed gansen i fygwth a chorlannu'r plant mwyaf drygionus. Yr oedd iddo natur dyner ac addfwyn, a'i athroniaeth oedd trin plant fel bodau cyfrifol yn hytrach na'u bygwth. Pe digwyddai i unigolyn fynd dros ben llestri, ni ddioddefai ddim gwaeth na chael ei anfon allan o'r dosbarth a sefyll y tu allan i ddrws ystafell pump, lle y dysgai John, hyd ddiwedd y wers. Am ei foneddigeiddrwydd a'i raslonrwydd fe'i perchid gan y disgyblion, nid yn gymaint hwyrach gan rai o'i gyd-athrawon a gredai mewn disgyblaeth a chosb. Prin oedd y rheini nad oedd ganddynt barch a geirda i athro Cymraeg Ysgol Tregaron. Ar sail yr hynawsedd hwn, profodd yn athro poblogaidd o'r cychwyn. Ato ef yr âi degau o'r disgyblion i ofyn am gymorth a chyngor wrth ymgeisio am swydd, a lluniodd eirda i genedlaethau lawer. Ni pheidiodd ei gysylltiad ag amryw o'i ddisgyblion wedi iddynt adael yr ysgol; yn hytrach, parhaodd rhwymyn anweledig rhyngddo ef a'i efrydwyr dros y blynyddoedd ac ymhell wedi iddo adael ei swydd yn 1973.

Yr oedd Ysgol Tregaron yn ysgol draddodiadol Gymraeg a gâi ei bwydo gan ardaloedd lle'r oedd y Gymraeg yn iaith gyntaf i'r rhan fwyaf o'r boblogaeth. Yn Saesneg, er hynny, y dysgid pob pwnc ac eithrio Cymraeg ac Ysgrythur, a hynny ar waethaf y ffaith i drwch y disgyblion dderbyn eu haddysg gynradd trwy gyfrwng y Gymraeg. Pan drosglwyddid y plant i'r ysgol uwchradd, disgwylid iddynt fod yn rhugl yn y Saesneg hefyd a phrofodd hyn yn faen tramgwydd i amryw ohonynt. Un o ddisgyblion yr ysgol ar ddechrau'r pumdegau oedd John Albert Evans, a dystiodd i'r duedd i esgeuluso'r Gymraeg fel cyfrwng addysgu yn yr ysgol:

Ro'dd symud o ysgol fach bentrefol Bwlch-llan i ysgol fawr drefol Tregaron yn gryn dipyn o ysgytwad. Yn un peth, ro'dd llawer mwy o athrawon – Cymraeg eu hiaith, ond yn benderfynol na fyddai'r plant gwerinaidd yma yn cael eu gwenwyno'n addysgiadol trwy siarad Cymraeg yn y gwersi. Y cof sy gen i yw taw dim ond Cymraeg, Ysgrythur, a Hanes a ddysgid trwy gyfrwng y Gymraeg.[25]

---

[25] John Albert Evans, *Llanw Bwlch* (Llandysul, 2010), t. 18.

Cymraeg a Chymreig oedd awyrgylch gymdeithasol y lle a bu gan John Roderick Rees ran amlwg dros y blynyddoedd ym mhob agwedd ar ddiwylliant yr ysgol. Ysbrydolai a hybai blant i gystadlu yn eisteddfod yr ysgol ac yn eisteddfodau'r cylch, a bu'n ddylanwad allweddol yn natblygiad cynnar amryw fel beirdd a llenorion ifainc. Nid yn yr unigolion hyderus ac ymwthgar yr ymhoffai John Roderick Rees, ond yn hytrach yn y rhai gwylaidd a dihyder na fyddent yn cynnig eu henwau fel arweinwyr timau a chymdeithasau'r ysgol. Cymerai o ddifrif ei gyfrifoldebau bugeiliol ynghyd â'r dyletswyddau a ddyrannwyd iddo fel pennaeth un o adrannau pwysicaf yr ysgol.

Mae un o ddisgyblion cynnar John Roderick Rees yn Ysgol Sir Tregaron yn ei gofio'n dod yn athro i'r ysgol:

> Yn fy nwy flynedd a hanner olaf yn yr Ysgol Sir daeth John Roderick Rees, tyddynnwr, bridiwr cobiau Cymreig a bardd, yn bennaeth yr adran Gymraeg. Bardd yr ymylon oedd John, annibynnol o bob clic a chymdeithas farddol, yn ymfalchïo yn ei arwahanrwydd. Eto, un ohonon ni oedd e, o'r un cefndir â llawer o'i ddisgyblion, a chan fod ei dad yn 'dilyn march' roedd yn adnabod llawer o'n rhieni ac yn gwybod ein hanes. Y mwynaf o ddynion, mwynder nad oedd bob amser o help i gadw trefn ar blant mwy anystywallt y dosbarthiadau iau. Erbyn cyrraedd Dosbarth 4 roedd y plant yn ei werthfawrogi ac o hynny ymlaen roedd yn ysbrydoliaeth. Cofiaf tra byddaf nodyn o'i eiddo ar ddiwedd traethawd a sgrifennais pan oeddwn yn y chweched dosbarth. 'Sylwaf eich bod yn benthyg llawer o lyfrau Cymraeg o'r llyfrgell; mae ôl hynny ar eich arddull'. Tueddai i organmol, ond yr hyn a gynhesai fy nghalon oedd ei fod yn trafferthu edrych ar gardiau

llyfrgell yr ysgol i weld beth roedden ni'n ei ddarllen. Oes yna athrawon sy'n gwneud hynny heddiw? Oes amser gan athrawon i wneud hynny heddiw? Am flynyddoedd wedi i mi adael yr ysgol, byddai'n taro ar fy nhad yn y mart yn Nhregaron a bob amser yn holi fy hanes.[26]

Cymaint o ddisgyblion Ysgol Tregaron o'r cyfnod 1957 hyd 1973 a allai dystio'n gyffelyb i gyfraniad yr athro Cymraeg i'w gwybodaeth o'r Gymraeg a'i diwylliant. Nid rhyfedd gan hynny i Lyn Ebenezer, un arall o ddisgyblion cynnar John Roderick Rees, ddefnyddio gradd eithaf yr ansoddair wrth honni mai John Roderick Rees oedd 'yr athro Cymraeg gorau a anwyd erioed'.[27]

Newydd ddechrau yr oedd yn Ysgol Tregaron pan briodwyd John Roderick Rees â Matilda Lloyd Thomas, un o dair merch Martha Thomas a'r diweddar Samuel Thomas, Blaenffynnon, Horeb ger Llandysul. Roedd hithau fel John Roderick Rees wedi claddu ei thad pan oedd yn blentyn gan ei gadael hi a'i mam i ffermio tyddyn a fu yn y teulu am o leiaf dair cenhedlaeth. Dyddiad y briodas oedd Sadwrn, 23 Awst 1958. Gweinyddwyd y briodas yng nghapel Horeb gan y Parch. W. Rhys Nicholas a oedd yn weinidog yno ar y pryd, yn cael ei gynorthwyo gan y Parch. W. J. Gruffydd (Elerydd) a'r Parch. J. Marles Thomas, Llandysul. Hen gyfaill er dyddiau ysgol a choleg oedd y gwas priodas, Tommy Griffiths Jones. Yr oedd Matilda Thomas yn adroddwraig lwyddiannus pan briododd a enillasai dros gant o gwpanau.

Ni pharhaodd y briodas yn hir serch hynny ac ni lwyddasant i brynu cartref iddynt eu hunain, ac felly byddai John yn treulio pob penwythnos ym Mlaenffynnon yn

---

[26] Gwyn Griffiths, *Ar Drywydd Stori: Atgofion Newyddiadurwr o Geredigion* (Tal-y-bont, 2015), t. 47.
[27] *Can Mlynedd o Addysg Uwchradd yn Nhregaron*, t. 134.

Horeb a gweddill yr wythnos gartref yn Bear's Hill. Ganwyd eu mab, Roderick Lloyd Rees, ar 21 Gorffennaf 1960, a rhoddwyd iddo'r enwau teuluol o'r ddwy ochr.

Yn 1960 ac yntau bellach wedi peidio â chystadlu mewn eisteddfodau lleol, penderfynodd gystadlu am y Goron yn Eisteddfod Genedlaethol Caerdydd. Gofynnwyd am bryddest heb fod dros 300 o linellau ar y testun 'Unigedd' neu 'Margam'. Y beirniaid oedd Caradog Prichard, T. Hughes Jones a B. T. Hopkins. Ymgeisiodd 29 am y Goron; pump wedi dewis 'Margam' yn destun a'r gweddill 'Unigedd'. Ffugenw John Roderick Rees oedd 'Ciloerwynt' ac fe'i gosodwyd ymhlith y tri cyntaf yn y gystadleuaeth. Yn y bryddest ceir portread o unigedd personol Sara'r forwyn wedi ei gyfleu ar gefndir o unigedd a llymder natur ar y naill law ac unigedd ystafell lawn y cartref preswyl i hen bobl. Rhagredegydd yw'r bryddest hon i 'Glannau' a enillodd i'r bardd Goron Eisteddfod Genedlaethol 1985.

Cystadlodd y bardd drachefn am Goron Eisteddfod Genedlaethol Abertawe a'r Cylch yn 1964. Y testun y tro hwn oedd 'Ffynhonnau' a'r beirniaid oedd T. H. Parry-Williams, W. J. Gruffydd (Elerydd) ac Eirian Davies. Daeth 31 cynnig i law ac anodd fu sicrhau dyfarniad a fyddai'n dderbyniol gan o leiaf ddau o'r beirniaid. Ymgais 'Craig y Nos' o eiddo John Roderick Rees a haeddai'r Goron yn ôl T. H. Parry-Williams, ac meddai: 'Fe aeth y bryddest hon â'm bryd i o'r darlleniad cyntaf, gan fy mod yn teimlo arddeliad yn y canu'.[28] Er bod Elerydd yn cydnabod rhagoriaethau 'Craig y Nos', yr oedd yng ngherdd 'Orffews', o eiddo Rhydwen Williams, 'rywbeth newydd' i'w gynnig, rhyw 'ffresni' ac 'afiaith' nas cafwyd ymhlith yr ymgeiswyr eraill.[29] Wrth ddyfarnu, serch hynny, ni

---

28 *Cyfansoddiadau a Beirniadaethau Eisteddfod Genedlaethol Abertawe a'r Cylch 1964*, gol. E. Lewis Evans, t. 30.
29 *Cyfansoddiadau a Beirniadaethau Eisteddfod Genedlaethol Abertawe a'r Cylch 1964*, t. 43.

lwyddodd i wahanu'r ddwy bryddest yn llwyr; yn hytrach, dyfarnodd y Goron i 'Orffews' a £30 o'r wobr ariannol o £60 i 'Craig y Nos'. Yr oedd Eirian Davies yn gwbl hyderus ei farn mai cerdd 'Orffews' a'i cyffrôdd fwyaf ac mai ef hefyd oedd bardd gorau'r gystadleuaeth, a'i fod yn deilwng o dderbyn y Goron a'r wobr ariannol. Wedi i swyddogion Cyngor yr Eisteddfod Genedlaethol ystyried argymhellion y tri beirniad, cytunwyd mai'r dyfarniad priodol fyddai rhoi'r wobr, sef y Goron a'r swm ariannol, am y bryddest a farnwyd yn orau gan ddau o'r tri beirniad.

Boddi yn ymyl y lan fu tynged John Roderick Rees unwaith eto. Cefnodd ar gystadlu y tro hwn, wedi ei ddadrithio gan y ffaith na chafodd unrhyw gydnabyddiaeth o gwbl am ddod yn ail mor agos am y Goron, ac i gerdd gael ei gwobrwyo nad oedd hyd yn oed yn destunol, a rhannau ohoni namyn adleisiau amlwg o *Under Milk Wood*, Dylan Thomas. Ar ben hynny, yr oedd y pennaf a'r galluocaf o'r tri beirniad, T. H. Parry-Williams, yn dyfarnu nad oedd cerdd 'Orffews' yn bryddest yng ngwir ystyr y gair, ac anodd, ychwanegodd, gwybod i sicrwydd 'i ba *genre* y mae'n perthyn'.[30] Tybiai John Roderick Rees i W. J. Gruffydd ac Eirian Davies gael eu cyfareddu gan swyn a sain geiriau yn hytrach na chan y cynnwys. Gan mai cystadleuaeth eisteddfodol ydoedd, yr oedd yn ofynnol dilyn rheolau'r gystadleuaeth honno a glynu wrth lythyren y ddeddf, yn ôl John Roderick Rees, a golygai hynny gadw'n gaeth at reolau cydnabyddedig. Atynnwyd Eirian Davies a W. J. Gruffydd at afiaith byrlymog, hwyliog a newydd-deb cerdd Rhydwen Williams. Hwyrach mai profiad a pharch Parry-Williams at reolau'r gêm gystadlu a'i cadwodd yntau rhag ymgolli yn awyrgylch swynol a dramatig cerdd Rhydwen Williams.

Teg dweud i John Roderick Rees gael ei siomi yn

---

[30] *Cyfansoddiadau a Beirniadaethau Eisteddfod Genedlaethol Abertawe a'r Cylch 1964*, t. 32.

nyfarniad Eirian Davies a W. J. Gruffydd, yn arbennig o
gofio bod y mwyaf profiadol ac athrylithgar ohonynt, sef
T. H. Parry-Williams, o blaid ei gerdd ef. Fe'i rhyfeddwyd
gan ddyfarniad W. J. Gruffydd a hanai o'r un cefndir
cymdeithasol a diwylliannol ag a ddisgrifir ganddo yn
'Ffynhonnau'. Teg ychwanegu i'r cyfeillgarwch a fu
unwaith rhyngddo ef ac Elerydd, a hynny er dyddiau ysgol
yn Nhregaron, bylu ac na châi byth ei adfer i'w gyflwr
gwreiddiol. Yn ddi-os, nid gŵr i'w groesi oedd John
Roderick Rees ac nid gŵr ychwaith a allai'n hawdd
ymwrthod â digofaint. Soniai ar dro fel y byddai wedi hoffi
ennill yn 1964 gan fod y ddau berson a rannai ei aelwyd yn
dal yn fyw ac y gallent fod wedi ymuno ag ef yn y dathlu.
Pan gafodd ei 'awr fawr' yn y pafiliwn cenedlaethol yn
1984, yr oeddynt ill dau wedi marw a heb allu profi
cyfaredd ei fuddugoliaeth. Hyn sydd yn esbonio'r cwmwl o
dristwch a'i goresgynnodd ar y llwyfan yn ystod y seremoni
yn Llanbedr Pont Steffan.

Er dod mor agos at ennill y Goron genedlaethol yn
Eisteddfod Abertawe yn 1964, ni roddwyd i John Roderick
Rees unrhyw gydnabyddiaeth na gwobr, ac ni
chyhoeddwyd y bryddest hyd 1984 pan ymddangosodd yn
y gyfrol *Cerddi John Roderick Rees.*

Nid rhyfedd gan hynny y tybiai na ddylid dyfarnu'r Goron
a'r wobr ariannol yn ei chyfanrwydd i un bardd yn unig yn yr
Eisteddfod Genedlaethol. Chwaeth bersonol yw'r beirniad
olaf bob amser a thrwy hynny credai y dylid rhannu'r wobr
rhwng y goreuon yn y dosbarth cyntaf ac yna eu cyhoeddi
gyda'i gilydd adeg yr Eisteddfod. Annheg yn aml mewn
cystadleuaeth glòs yw rhoddi'r wobr gyfan i un cystadleuydd
a gadael y gweddill heb gydnabyddiaeth o gwbl.

Erbyn dechrau'r chwedegau yr oedd John Roderick Rees
wedi ymsefydlu yn ei swydd fel pennaeth y Gymraeg yn
Ysgol Uwchradd Tregaron. Yn 1961 ac yntau wedi wedi
bod yn brifathro ar yr ysgol er 1945, daeth yn amser i

D. Lloyd Jenkins ymddeol, wedi llafurio yn y winllan hon am yn agos i ddeugain mlynedd. Yr oedd gan John feddwl mawr o'i brifathro a'i gyn-athro a chwithig ganddo fu ei weld yn cefnu ar oes o lafur o fewn ffiniau'r ysgol. Ni chafodd ymddeoliad hir gan iddo farw yn Awst 1966. I'w olynu fel prifathro'r ysgol yn 1961, penodwyd Glyn Ifans, brodor o Benrhiw-goch, sir Gaerfyrddin, a oedd ar y pryd yn ddarlithydd yng Ngholeg y Drindod, Caerfyrddin. Cyn hynny bu'n athro am bum mlynedd yng Nghaerdydd, ac yn sir Drefaldwyn am chwe blynedd. Ni bu'r cydweithio rhwng John Roderick Rees a Glyn Ifans yn un hapus a hwylus bob tro, ac yr oedd yr athro, fe ddichon, yn ymwybodol o genedlaetholdeb y prifathro newydd a'i gefndir yn y Lluoedd Arfog.

Cychwynnwyd cylchgrawn newydd i'r ysgol yn 1964, sef *Plu'r Gweunydd*, a John Roderick Rees yn brif olygydd. Ymddangosodd yn gymharol reolaidd am rai blynyddoedd, er y gwnaed yr holl waith argraffu yn yr ysgol ar dudalennau cwarto. Yn rhifyn cyntaf y cylchgrawn mae'n ymhyfrydu yng nghyfraniad nodedig ei ysgol i Gymru gan bwysleisio unwaith yn rhagor gyfraniad llywodraethol y rheini a arhosodd ym mro eu mebyd:

Go brin y bu i un ysgol o'i maint yng Nghymru gyfrannu cynifer o sêr i'r ffurfafen honno yn y ganrif hon ... Wedi dweud hynny, a gawn ni gofio fod y traddodiad yn parhau ac yn ymganghennu i feysydd eraill hefyd ar waethaf ysictod cymdeithasol y blynyddoedd diwethaf hyn yn ardaloedd gwledig cylch yr ysgol. Ym myd nofel, ysgrif a barddoniaeth gallwn hawlio cynrychiolwyr disglair o'r cyfnod diweddar yn hanes yr ysgol. Eithr, nid y sêr a alltudiwyd yw cyfraniad pwysicaf ysgol fel hon ond y rhai hynny fu'n ffodus i gael aros yn eu bröydd a'u sir mewn fferm a gweithdy, ysbyty a siop i sicrhau fod sylfaen y gymdeithas gynhenid yn dal yn waelodol iach.

Diau fod *Plu'r Gweunydd* yn deitl addas i'r cylchgrawn o gofio'r olygfa a ddisgrifiwyd mor fanwl a chyfoethog gan O. M. Edwards ar ei daith mewn trên ganol haf ar draws Cors Caron neu Gors Goch Glan Teifi a saif ychydig i'r gogledd o dref Tregaron. Mae'n un o'r ddwy gyforgors fwyaf yng Nghymru ac yn ymestyn dros 18,000 erw; Cors Fochno yng ngogledd Ceredigion yw'r llall, sydd yn 5,000 erw:

> Plu'r gweunydd, hen gyfeillion mebyd i mi ... Yr oeddynt yno wrth eu miloedd, yn llanerchi o wynder ysgafn tonnog, byw, heulog. Hwy a roddodd i'r hen gors ddu, hagr ei gogoniant gwyn. Yr oedd eu plu tuswog yn llawnion, ac eto'n ysgeifn. Gwyddwn mor esmwyth yw eu cyffyrddiad; un o bleserau mebyd oedd eu tynnu ar draws ein bochau. Ond ni welais hwy erioed yn edrych mor ieuanc, a'u gwyn mor gannaid, a'u hysgogiadau mor fywiog. Yr oedd yr awel ysgafnaf yn gwneud iddynt wyro, fel pe baent filoedd o angylion yn addoli. Yna'n sydyn taflent eu pennau'n ôl ac ysgydwent fel pe baent dyrfaoedd o rianedd mewn gwisgoedd gwynion yn dawnsio. A thoc ymdawelent, a gorffwysent yn eu gogoniant, dan adlewyrchu golau'r haul, yn esmwythach ac yn burach golau na phan ddisgynnai arnynt. Tybiwn fod y bryniau a'r mynyddoedd o amgylch yn codi y tu ôl i'w gilydd i edmygu plant angylaidd y gors, a bod llwybrau dynion yn cadw oddi wrthynt rhag torri ar heddwch mor dyner, a difwyno tlysni mor bur. Yr oedd cyfuniad o wynder, disgleirdeb, a chynhesrwydd yn y fan olaf yng Nghymru y buaswn yn mynd i chwilio amdano.[31]

Y penllwydyn, sef plu'r gweunydd yng nghyfnod cynnar eu tyfiant, yw un o'r planhigion cyntaf i dyfu yn ardal Tregaron wedi hirlwm y gaeaf. Ymddengys y byddai rhai

---

31 'Plu'r Gweunydd', *Yn y Wlad ac Ysgrifau Eraill*, gol. Thomas Jones (Wrecsam, 1953), t. 35.

ffermwyr yng Ngheredigion yn yr hen ddyddiau yn gosod penllwyd yn eu het fel arwydd gweledol o ddyfodiad y gwanwyn. Credid gan yr hen bobl fod plu'r gweunydd ar yr adeg gynnar hon yn eu tyfiant yn fwyd maethlon i ddefaid, cyn faethloned â cheirch i geffyl.[32] Gwelir gan hynny mor berthnasol y teitl i waith llenorion a beirdd ifainc ar eu prifiant yn ardal Ysgol Uwchradd Tregaron.

Daeth newidiadau hefyd i'r hen drefn yn Ysgol Uwchradd Tregaron yn ystod y chwedegau a hynny'n gymdeithasegol ac yn ieithyddol. Y mewnlifiad a fu'n bennaf cyfrifol am y newid hwn, y tonnau mân yn bwrw ar y traethau i gychwyn, yna'r tonnau mwy yn ymfrigo, a hwy a wnaeth greithio gwrthgloddiau brau y drefn gynefin a chyfarwydd. Nid oedd y llifddorau bellach yn ddigon cryf i'w gwrthsefyll. Yr oedd yr hen ddull o fyw a'r hen werthoedd ar chwâl yn y llanw. Cyfnod oedd hwn o frig a chafn, o ennill mwy o ddisgyblion yn llawnder y mewnfudo, ond o golli ysbryd trwyadl Gymreig yr ysgol am y tro cyntaf er ei sefydlu yn 1897. Parodd hyn newid yn holl hinsawdd addysgu a dysgu'r ysgol a gwelwyd yr angen bellach am gyflwyno gwersi cynhwysol ar gyfer ystod mwy eang o allu ieithyddol ac o gefndir diwylliannol a chymdeithasol. Bu'r mewnfudo yn her i bolisi iaith awdurdod addysg y dydd, a daeth y plant yr oedd y Gymraeg yn ail iaith iddynt i hawlio darpariaeth oedd wedi ei theilwra ar gyfer eu hanghenion penodol hwy mewn ysgol gynradd ac uwchradd.

Er y mewnfudo a brofwyd yn llawer o ardaloedd Ceredigion, gwelwyd crebachu sylweddol ym mhoblogaeth llawer o'r ardaloedd gwledig a hynny'n golygu gorfod cau amryw o ysgolion cefn gwlad Ceredigion: Ystrad-fflur (1952), Llanddeiniol (1953), Ystumtuen (1957), Elerch (1959), Aber-ffrwd (1959), Cwmystwyth (1960) a'r Gors

---

32 Gw. A. O. Chater, *Flora of Cardiganshire* (Aberystwyth, 2010), t. 780.

(1963). Yr oedd gan 16 o ysgolion cynradd y sir hefyd lai nag 20 o ddisgyblion yn 1953. Mae'n werth edrych ar ffigurau rhai o ysgolion ardal Tregaron rhwng 1934 ac 1971 i lawn sylweddoli cymaint o ddirywiad a fu yn nifer y disgyblion yn ystod y blynyddoedd hynny:

	1934	1954	1971
YSGOLION CYNRADD			
Bwlch-llan	26	10	11
Llangeitho	68	66	58
Lledrod	30	12	14
Pen-uwch	61	38	20
Pontrhydfendigaid	73	66	34
Swyddffynnon	33	32	27
Ysbyty Ystwyth	73	36	26

Wrth ganolbwyntio ar gyfrifiadau cylch Ysgol Uwchradd Tregaron, canfyddir mai Cymraeg oedd iaith gyntaf 93% o'r trigolion yn 1949. Erbyn 1961, syrthiasai'r ffigur hwnnw i 85%; yn 1967 80% oedd y ganran. Yn 1977, 59% yn unig a allai hawlio mai'r Gymraeg oedd eu hiaith gyntaf, ac erbyn 1983, syrthiasai'r ganran i 43%, gostyngiad o 16% mewn chwe blynedd yn unig.[33]

Sylwer hefyd fod 80% o blant Ysgol Gynradd Pen-uwch yn honni mai'r Gymraeg oedd eu hiaith gyntaf yn 1960. Erbyn diwedd y 70au yr oedd y ganran honno wedi syrthio i 48%. Cyffelyb oedd y sefyllfa ar draws y sir: yr oedd pob disgybl yn Ysgol Swyddffynnon â'r Gymraeg yn famiaith iddo yn 1960; erbyn 1979, syrthiasai'r ganran i 39%.[34] Felly

---

33 J. W. Aitchison and Harold Carter, 'The Welsh Language in Cardiganshire 1891–1991', *Cardiganshire County History: Cardiganshire in Modern Times*, Vol. 3, eds. Geraint H. Jenkins and Ieuan Gwynedd Jones (Cardiff, 1998), t. 583 (570–89).

34 Ar oblygiadau'r sefyllfa ieithyddol ar bolisïau iaith y pwyllgorau addysg lleol, gw. John Phillips, *Agor Cloriau: Atgofion Addysgwr* (Tal-y-bont, 2018), tt. 104–114.

hefyd y sefyllfa yn Llanddewibrefi: 100% o'r plant yn Gymry Cymraeg yn 1960; erbyn 1979 dim ond 49% oedd y ganran. Hyn sydd yn awgrymu maint ac arwyddocâd mewnfudo ar gyfrwng addysg Ceredigion ar y pryd.

Yn dilyn y mewnfudo cyson i gefn gwlad Ceredigion, bu'n rhaid i ysgolion fel Tregaron drefnu gweithgareddau diwylliannol mwy rhyddfrydol a chynhwysol a fyddai'n adlewyrchu cefndir mwy cymysg a llai Cymreig amryw o'r disgyblion. Mor bwysig bellach oedd ehangu'r cwricwlwm i gwrdd â gofynion addysgol disgyblion o bob ystod a chyrhaeddiad. Yn 1969 hefyd codwyd oedran gadael ysgol i 16 oed, a olygai ddosbarthiadau mwy o faint, rhagor o staff ac ymdrech gydwybodol ar ran llawer adran i gynnwys yn eu hamserlen elfen o addysg alwedigaethol.

O ganlyniad i'r newidiadau trefniadol a chymdeithasol hyn a'r pwyslais cynyddol ar gyflwyno'r Gymraeg fel ail iaith, teimlai John Roderick Rees fod yr ysgol a fu'n rhan mor bwysig o'i fyw a'i fod bellach yn colli ei chymeriad a'i hawyrgylch Gymreig frodorol. Teimlai ei bod erbyn hyn yn ceisio cwrdd â gofynion cymdeithas lastwraidd a gollasai afael ar y gwerthoedd cymdeithasol a chrefyddol a ystyriai ef yn allweddol bwysig mewn unrhyw ganolfan addysgol. Yr un oedd y Pica a'r mynyddoedd eraill o gwmpas Tregaron, ond arall oedd y praidd. Hwyrach y gellir maentumio fod addysg ysgol yng Nghymru ar y pryd yn fewnblyg a chul, heb orwelion digon eangfrydig i gofleidio cyfleon a gofynion cyffrous ail hanner yr ugeinfed ganrif. Nid yn unig yr oedd anghenion addysg yn newid, yr oedd plant yr ysgol yn newid hefyd o ran agwedd a pharch at ysgol a'i hathrawon. Yr oedd cynnal trefn a disgyblaeth mewn rhai dosbarthiadau yn orchwyl anodd a heriol erbyn hyn. Er penderfynu y byddai'n gadael ei swydd petai'r angen yn codi iddo ofalu am ei fam faeth, ychydig a feddyliodd er hynny y deuai'r alwad dyngedfennol bedair blynedd wedi claddu ei dad.

Sefyllfa athro'r Gymraeg yn Nhregaron, 1957–73

Dichon mai buddiol yw atgoffa ein gilydd fod John Roderick Rees yn bennaeth y Gymraeg yn Nhregaron yn y dyddiau cyn sefydlu canolfannau iaith mewn rhai ardaloedd fel Tregaron a Llandysul a chyn cyflwyno'r Cwricwlwm Cenedlaethol. Nid oedd yn y sir ychwaith ysgolion cyfun dwyieithog swyddogol fel sydd ar gael heddiw. Canlyniad y mudo a'r alltudiaeth yma fu creu gwagle sydd yn dal yn y broses o gael ei lenwi gan fewnfudiad di-baid o fewnfudwyr.

Cyn y mewnfudo mawr yr oedd cyfundrefn ieithyddol Ysgol Tregaron yn gymharol syml i'w gweithredu, gyda phlentyn di-Gymraeg yn cael ei gymathu a'i Gymreigio yn naturiol a hynny'n fuan wedi iddo gyrraedd yr ysgol. Daeth tro ar fyd yn ystod y chwedegau ac i raddau pellach yn y saithdegau pan ddaeth Ceredigion yn gyrchfan i nifer cynyddol o Saeson mewnfudol. Gwir i amryw fewnfudwyr ymsefydlu eisoes yn llawer o'r trefi arfordirol. Yr hyn a wnaeth y mewnfudiad hwn yn wahanol oedd i nifer sylweddol o'r mewnfudwyr, am y tro cyntaf, symud i ardaloedd mewndirol gwledig Ceredigion, i bentrefi a chymdogaethau a ystyrid gynt yn greidd-dir y Gymraeg. Yn y degawd pan adawodd John Roderick Rees ei swydd yn Nhregaron, yr oedd 10,000 o fewnfudwyr, sef 18% o'r boblogaeth, wedi symud i Geredigion i fyw, ac wrth i'r Saeson anfon eu plant i'r ysgolion cynradd ac uwchradd fe droes y rheini yn sefydliadau cymysgiaith. Lle gynt yr oedd ysgolion yn darparu ar gyfer un garfan ieithyddol o blant, bellach yr oedd yn ofynnol iddynt sicrhau darpariaeth i gyflenwi anghenion ystod ieithyddol ehangach o ddisgyblion. Roedd llawer o'r rheini hefyd yn cyrraedd ar wahanol oedrannau. Fe gafodd ysgolion fel Tregaron eu hunain yng nghanol brwydr yr iaith. I lawer o rieni'r plant Saesneg, nid oedd y Gymraeg ond iaith gymharol ddibwys ac anacronistaidd nad oedd iddi ddyfodol yn y byd modern. Tuedd y plant hyn hefyd oedd ffurfio grwpiau o gyfoedion ar sail iaith. Cyfyngwyd eu Cymreictod o fewn muriau'r ysgol yn unig.

Yn weinyddol a chymdeithasol, Cymraeg oedd iaith Ysgol Tregaron pan oedd John Roderick Rees yn dysgu yno, ond bellach yr oedd yn ofynnol rhoddi pwyslais i'r Gymraeg a'r Saesneg yn rhaglen yr ysgol ac yng nghynllun gwaith yr athrawon. Mae'n werth nodi hefyd fel y sylweddolwyd yn gyffredinol yn siroedd Dyfed yn y saithdegau fod yna ddirywiad sylweddol pellach yn safon iaith plant yr oedd y Gymraeg yn famiaith iddynt. Yr oedd y plant o Loegr, ynghyd â phresenoldeb goruchafol y teledu ar yr aelwyd, yn prysur Seisnigo a glastwreiddio eu Cymraeg. Yr oedd graddfa llwyddiant plant y mewnddyfodiaid yn amrywio ac yn dibynnu llawer ar nifer y Cymry Cymraeg yn y dosbarth, cymhelliant y plant i ddysgu'r Gymraeg, ymagweddiad y rhieni a pha mor hwyr yn eu gyrfa ysgol y cyrhaeddent. Nid oedd yn Ysgol Tregaron ffrwd Saesneg. I bob pwrpas ymarferol felly, disgwylid iddynt gymathu i fywyd cymdeithasol Cymraeg yr ysgol o'r cychwyn. Y rhesymeg y tu ôl i hyn oedd bod gan y plentyn mewnfudol ei holl fywyd ysgol o'i flaen a bod ganddo amser digonol i ddysgu Cymraeg a chael yn y broses ei integreiddio i'r system addysg. Gwendid yr egwyddor hon oedd mai'r lleiafrif galluog a fyddai fwyaf tebygol o ymgyrraedd at raddfa dderbyniol o ddwyieithrwydd, a hwythau hefyd a oedd fwyaf tebygol o gefnu ar eu hardaloedd mabwysiedig a dychwelyd i Loegr neu fudo i wlad arall. Rhoddid y flaenoriaeth i'r Gymraeg gan y prifathrawon ond Saesneg oedd iaith yr addysgu, a chan hynny ni theimlai neb o dan bwysau i ddysgu'r

Gymraeg er mwyn ymdopi yn y dosbarth. Mae'n wir hefyd yn y dyddiau hynny na ddarperid hyfforddiant mewn swydd i athrawon Cymraeg fel John Roderick Rees i ddarparu strategaeth ddysgu strwythuredig ar gyfer gallu cymysg yn y dosbarth. Nid oedd ar gael ychwaith nodau cyrhaeddiad pendant y dylai'r athro iaith eu cyrraedd ar wahanol oedrannau. Rhoddid rhwydd hynt i'r athrawon ymdopi a chyflawni'r hyn oedd yn bosibl o dan yr amgylchiadau ar y pryd. Llwyddodd ysgolion fel Tregaron i gymathu rhai o'r mewnfudwyr a'u troi ar fyrder i fod yn ddisgyblion dwyieithog llwyddiannus.

Erbyn dechrau'r saithdegau, sylweddolai John Roderick Rees fod yn ei ddosbarthiadau ostyngiad yn nifer y disgyblion mamiaith Cymraeg a'i gwnâi'n anodd i droi disgyblion o gefndir Saesneg eu hiaith yn ddisgyblion dwyieithog. Nid oedd sefyllfa gymysg o'r fath yn gydnaws â strategaeth ddysgu rhywun fel ef, a oedd yn gyfarwydd ag addysgu Cymry iaith gyntaf. Ni theimlai'n gyfforddus ynghylch meithrin yn ei ddisgyblion hunaniaeth ddiwylliannol newydd yn ogystal ag iaith newydd. Yr oedd dysgu Cymraeg fel pwnc trwy gyfrwng y Gymraeg yn dod yn gynyddol anodd, ac yn golygu bod angen deunyddiau addas ar gyfer darparu i'r plant mewnfudol brofiadau dysgu amrywiol. Er mai polisi Ysgol Uwchradd Tregaron yn ystod y blynyddoedd y bu John Roderick Rees yn gweithio yno oedd gosod y grŵp lleiafrifol mewn dosbarth iaith mwyafrifol o'r cychwyn cyntaf, gan ofyn iddynt 'nofio neu foddi', eto yr oedd hyn, yn ôl John Roderick Rees, yn gosod y plant Saesneg o dan anfantais addysgol, a dyma sefyllfa gwbl annerbyniol iddo. Ei farn ef oedd y dylid darparu elfen gref o drochiad ieithyddol i'r mewnddyfodiaid cyn iddynt gychwyn yn Ysgol Tregaron, waeth beth oedd eu hoedran yn cyrraedd dalgylch yr ysgol. Yr oedd rhyw fath o ddidoli neu wahanu yn anorfod felly os oeddid am ddiogelu buddiannau'r plant Saesneg yn yr ysgolion. Aneffeithiol i John hefyd oedd dosbarthiadau Cymraeg cyfansawdd lle y dysgid y plant lleiafrifol yn eu hiaith eu hunain am ran o'r amser ac yn yr iaith Gymraeg am y rhan fwyaf o'r wers.

Yr oedd sefyllfa ieithyddol Ysgol Tregaron yn un bur gymhleth, mae'n amlwg, erbyn dechrau'r saithdegau. Gorfodwyd yr ysgol i dderbyn hwyrddyfodiaid o bob oed, a'r rheini ymron yn ddieithriad yn gwbl ddi-Gymraeg. Anodd oedd cymathu'r rheini i fywyd cymdeithasol Cymraeg yr ysgol, a dim ond carfan fechan ohonynt a oedd yn dymuno hynny beth bynnag. Ychydig ohonynt a gyfranogai o weithgareddau diwylliannol Cymraeg fel yr eisteddfod flynyddol a gynhelid ym mis Mawrth. Eu tuedd oedd byw yn Saesneg a chymysgu â disgyblion o'r un cefndir ieithyddol â hwy eu hunain gan sefyll ar ddiwedd eu cyfnod yn yr ysgol arholiadau Cymraeg Ail Iaith (Sylfaenol). I gymhlethu'r sefyllfa, yr oedd yn yr ysgol athrawon di-Gymraeg ac athrawon a oedd yn meddu'r iaith ond nad oeddynt yn ddigon hyderus i'w defnyddio, neu yn hytrach a oedd yn gwneud popeth o fewn eu gallu i beidio â'i defnyddio. Erbyn heddiw, mae'n siŵr mai dymuniad John Roderick Rees fyddai dysgu mewn ysgol ddwyieithog lle y ceir cyfundrefn ieithyddol fwy syml a lle y mae natur a nod ieithyddol y sefydliad yn glir i bawb. Mewn ysgol o'r fath hefyd gallai gyfrannu at gynnal gweithgareddau allgyrsiol Cymraeg a hybu naws gyffredinol Gymraeg yr ysgol heb orfod poeni am ddarpariaeth benodol ar gyfer y dysgwyr sylfaenol.

Blynyddoedd y drafael

Ar 3 Rhagfyr 1973 daeth galwad ffôn i'r ysgol yn ei hysbysu fod Jane wedi cael damwain yn y cartref a bod angen sylw brys arni:

Y prynhawn hwnnw,
ar ganiad y ffôn,
synhwyro bod y dadfeilio ar daith
ac erydu'r blynyddoedd
wedi gwahanu'r ddwylan.[35]

Gadawodd John y dosbarth ar frys am y tro olaf a gyrru adref a chael Jane yn gwaedu o glwyf yn ei thalcen a gawsai pan syrthiodd a tharo ei phen ar y mamplis neu silff y grât. Cyrchwyd hi i ysbyty Aberaeron i gael saith neu wyth o bwythau yn y clwyf.

Dechreuasai'r dirywiad rai blynyddoedd cyn hynny a chyn i David Rees farw yn Awst 1969. Ceir sôn am y tad yn gwanychu 'yng nghrafangau'r cancr' a hithau Jane, yr hon a fu'n nyrs i bawb ac yn gwylad pob 'ymadawiad du' yn y teulu, â'i 'hangorion yn llacio eisoes' a'r glannau'n pellhau beunydd ac yn braidd gyffwrdd â phethau cynefin y cartref. Yr oedd yr aelwyd gynt yn ynys ddiddan pan oedd y tri ohonynt o gwmpas eu pethau, cyn i'r cancr afael mor ddigymrodedd yn ei brae, a chyn i'r 'Erydwr mawr' gnewian y tir mawr 'o filfedd i filfedd'. Yntau'n colli tad yn araf i'r cancr a gweld ei fam faeth yr un pryd yn dirywio'n gynyddol o glefyd Alzheimer, anhwylder a enwyd ar ôl y niwrolegydd Almaenig Alois Alzheimer (1864–1915), a ddisgrifiodd ar ddechrau'r ugeinfed ganrif y newidiadau yn yr ymennydd sydd yn nodweddiadol o'r salwch. Clefyd Alzheimer yw'r ffurf fwyaf cyffredin ar y teulu o anhwylderau a elwir yn ddementia ac sydd yn erydu'r gallu deallusol a'r cof. Dyma'r broses a gaiff ei disgrifio mor fanwl gofiadwy gan John Roderick Rees yn ei bryddest 'Glannau' a enillodd iddo Goron Eisteddfod Genedlaethol y Rhyl a'r Cyffiniau yn 1985.[36]

---

35 'Glannau', *Cerddi 1983–1991*, t. 21.
36 Yn y flwyddyn 2000, yr oedd 850,000 o bobl yn y Deyrnas Unedig yn dioddef o ddementia. Er y cysylltir yr anhwylder â henaint yn bennaf, yr oedd oddeutu 42,000 o bobl o dan 65 oed yn dioddef naill ai o ddementia neu glefyd Alzheimer.

Nid ar y dioddefwyr yn unig y bydd clefyd fel Alzheimer neu ddementia yn effeithio, wrth gwrs, ond ar fywyd aelodau o'r teulu sydd yn agos atynt. Dyma rywun a oedd wedi caru a gofalu am John Roderick Rees o'r adeg pan oedd yn blentyn dwy flwydd oed yn newid a dirywio o dipyn i beth nes dod yn berson cwbl ddibynnol arno. Bellach, mor gyfyngedig oedd bywyd y ddau ohonynt, wedi eu hynysu ac ar 'drugaredd y gwyntoedd a'r cerrynt croes'. Dyma'r cyfnod, mae'n debyg, y bu galaru am y ffordd yr arferai Jane drin yr anifeiliaid, gwarchod yr aelwyd, a gofalu amdano yntau a'i dad. Erbyn marw David Rees nid oedd Jane yn gallu ei adnabod hyd yn oed:

'Dai, ble ŷch-chi Dai?'

'Ma' Dai wedi marw
(Nhad oedd Dai).

Fi sy 'ma'.[37]

Dyma gyfnewid rôl; erbyn hyn, ef yw'r nyrs, hithau'n dibynnu ar ei ymgeledd a'i ofal tosturiol drosti:

Arhosaf yma
i warchod y porthladd
a disgwyl y dychwelyd prin
i'r glannau hen,
y glannau ysbeidiol, bregus
sy'n aros
o gyfandir dyfal y gofal gynt.

Dyddiau, nosweithiau Trapistaidd.
Disgwyl am fflach y goleudy
ar ryw benrhyn pell,
i oleuo'n cyfathrach;
disgwyl a dim yn digwydd.[38]

---

[37] 'Glannau', *Cerddi 1983–1991*, t. 20.
[38] 'Glannau', *Cerddi 1983–1991*, tt. 21–2.

Mae'r 'nosweithiau Trapistaidd' yn gyfeiriad at fudandod yr hen wraig yn eistedd yn ei chadair am nosweithiau cyfain heb yngan gair. Tawelwch yw prif nodwedd urdd fynachaidd y Trapistiaid, sydd yn dilyn yn gaeth Reol Sant Benedict, urdd a sefydlwyd yn Abaty La Trappe yn Normandi yn 1664 fel cangen o Urdd y Sistersiaid.

Dyfynnir llinell o waith Ceiriog yn 'Llongau Madog': 'Antur enbyd ydyw hon'[39] a lwydda i atgoffa'r darllenydd mor anodd ac anturus yw'r daith a hithau'n degan diymadferth yn cael ei thaflu yma ac acw yn y corwynt creulon. Ef bellach sy'n ei bwydo hi, ei golchi hi, ei gwarchod a'i chynnal gorff ac enaid clwyfus. Unig yw'r aelwyd, dim ond y ddau ohonynt fel dwy ynys ar wahân a Daisy'r hen ast ffyddlon yn galw am gymundeb ac anwyldeb llaw:

> 'Dere Daisy fach'
> yn brathu'r distawrwydd
> a'r hen ast yn gwybod,
> yn ei chusanu fel plentyn,
> yn pawennu'n dyner
> ac aros hydoedd
> a'i dwydroed flaen yn ei chôl.
>
> Cymundeb dilafar
> y dwylo gwythiennog, gwyw.[40]

Galwai'r teulu ynghyd â chymdogion a chyfeillion o bryd i'w gilydd; yna byddai dyddiau lawer heb gymundeb llafar â neb. Y teledu oedd unig gymundeb John Roderick Rees â'r

---

[39] *Ceiriog: Detholiad o'i Weithiau*, gol. T. Gwynn Jones (Wrecsam, 1932), t. 49. Mae'n werth nodi mor berthnasol yw'r cyfeiriad hwn o gofio am y traddodiad a ddywed fod Madog ab Owain Gwynedd yn hoff o'r môr, ac o hynny, meddir, y cychwynnodd y chwedl mai ef a ddaeth o hyd i America.

[40] 'Glannau', *Cerddi 1983–1991*, t. 22.

byd y tu allan yn fynych a hynny am ddyddiau bwygilydd. Cynghorwyd ef gan amryw i fynd â hi am seibiant i gartref preswyl. Roedd eraill o'r teulu wedi ei rybuddio cyn iddo adael ei swydd yn Ysgol Tregaron mai doethach fuasai mynd â Jane yn y bore i ysbyty neu gartref geriatrig lleol, a'i chasglu wedyn ar ôl gorffen yn yr ysgol. Gwrthod pob cyngor a chonsýrn a wnaeth John. Yr oedd wedi penderfynu o'r cychwyn mai ei gyfrifoldeb ef oedd darparu ymgeledd i Jane yn ei gwaeledd araf a'i hangen. Nid oedd am drosglwyddo'r cyfrifoldeb hwnnw amdani i neb, oni fyddai ei iechyd ef ei hun mewn perygl.

Mwynhâi Jane gwmni ei dwy gath anwes a ddeuai i orwedd ar ei gwely ac i rannu ei hystafell gystudd. Hwynt-hwy oedd ei hunig gymundeb â'r byd yn fynych pan oedd yn rhwyfo yn ei dychymyg i rywle'n ddigwmpawd allan yn y môr.

Ni allai John fyw â'r euogrwydd o osod Jane mewn ward lle y gofelid am gleifion dementia tebyg iddi hi. Diau mai'r ofn a'i meddiannai oedd y byddai'n ei siomi, gan roi diwedd ar eu perthynas a ymestynnai yn ôl dros hanner can mlynedd hir. Ei gysur oedd ei bod mor ddiddig ei hysbryd ar adegau prin, yn ledio emyn neu adnod, rhigwm neu salm.

Monologau hir a geid gan Jane bryd arall a gwên yn esgyn i'w hwyneb: rhyw ddigrifwch ddoe yn ymgripio i'r cof. Glanio ar ynys y plant a rhigymu hen benillion iard yr ysgol, yna tawelwch a gorwedd yn fud a diystum, yn ddiymadferth hollol. Ceisio procio ei chof bryd arall ond dim ymateb:

> Llithrai'r llong
> o afael y glannau
> i ru y môr
> ar y penrhyn hwnnw.

Dichon i John fynd drwy broses hir o ddod i delerau â'r newidiadau hyn ac i'w ymateb amrywio rhwng gobaith a cham-obaith y byddai Jane yn gwella rhywfaint neu y câi hwyrach wellhad gwyrthiol dros nos. Wynebu'r ffaith a fu'n anodd, ac nad oedd gwellhad o'r cyflwr ac mai gwaethygu'n araf a wnâi oherwydd y salwch. Er cymaint y cyfyngiadau ar ei fywyd a'i ffordd o fyw, o golli swydd a chyfeillach yr ystafell staff yn yr ysgol, ac o golli'r amrywiaeth a'r ysgogiadau deallusol yn ei ddiwrnod gwaith, ni fynegwyd ganddo ar y pryd, yn llafar nac yn ysgrifenedig ychwaith, y tristwch, y dicter na'r eiddigedd a brofodd yn ystod y saith mlynedd y bu'n gwarchod a gofalu am Jane. Ŵyr neb yn union, ond y sawl a brofodd sefyllfa gyffelyb, yr ymdrech a'r gwewyr emosiynol a ddioddefodd yn dawel ac unig yn oriau hir y nos ac yn ystod y dyddiau undonog wrth iddo geisio ymgodymu'n wrol â'i sefyllfa ddirdynnol. Un a warchodai ei deimladau a'i fyfyrdodau oedd John Roderick Rees. Ni allai ond disgwyl fflach o'r goleudy ar ryw benrhyn pell, 'disgwyl a dim yn digwydd'.

Yna, a hithau yn ei chadair wrth y tân nos Wener, 24 Ebrill 1981, a neb ond hi a John yn y tŷ, a thrwch o eira annhymig yn gorchuddio'r fro fel ewyn gwyn, bu Jane Mary Walters farw yn dawel. Claddwyd hi yn ymyl bedd David Rees a'i wraig Mary, sef tad a mam John Roderick Rees, ym mynwent Bethania.

Aeth tair blynedd heibio cyn i John Roderick Rees, y bardd, ddod i delerau â'i deimladau a dechrau byw ei fywyd ei hun drachefn. Gorchwyl anodd oedd hon hefyd, ac er nad oedd yn mwynhau ei waith fel athro erbyn diwedd ei yrfa, eto yr oedd yn yr ysgol gyd-athrawon a chyfeillion yr oedd erbyn hyn wedi colli cymundeb â hwy.

Profiad erchwyn y gwely yw 'Glannau', sydd yn sôn am y gwahanol lannau y bu i Jane eu cyrraedd yn ystod ei gwaeledd hir. Sonnir am dair glan mewn gwirionedd. Y gyntaf yw'r hon lle y rhoddai sylw i anifeiliaid dof gan anwybyddu, fwy na heb, bobl o'i chwmpas gan nad oedd erbyn hyn yn eu cofio. Yr ail lan a gyrhaeddodd oedd yr hon a'i galluogodd i ailadrodd o'i chof hen emynau a phenillion na wyddai John iddi eu clywed na'u dysgu erioed. Y drydedd lan oedd y lan Saesneg pan gyfathrebai â phawb, gan gynnwys John, drwy'r iaith honno. Dychwelyd a wnâi wrth gwrs i'w phlentyndod a'i dyddiau ysgol pan ddefnyddid Saesneg, a Saesneg yn unig, fel cyfrwng addysgu.

Ei dad yn 'trafaelu angau' a hithau Jane yn dioddef dirywiad cynyddol yn ei chryfder corfforol a meddyliol. Cyfoethogir y dweud gan gyfeiriadau fel hwn at y *Marie Celeste*, y llong ledrithiol draddodiadol, a chan ddyfyniadau perthnasol fel, 'Antur enbyd ydyw hon', sef llinell o gerdd Ceiriog, 'Llongau Madog'. Cyfeirir hefyd at gerdd W. J. Gruffydd, 'Capten John Huws yr Oriana', yn y llinell 'Fel hwlc ar fin y distyll', ac at ail soned R. Williams Parry, 'Gadael Tir', lle y mae'n sôn am 'Y môr ar benrhyn tragwyddoldeb mawr'. Y cyfeiriadau hyn sydd yn cyfoethogi'r gerdd ac yn grymuso'r mynegiant. Nid hunandosturi na chysur ychwaith a geir yma, ond mynegiant didwyll o brofiad dirdynnol; megino'r cof a chreu o'r gwreichion gerdd sydd yn atgoffa darllenydd o 'Gân yr Henwr' yng Nghanu Llywarch Hen.

Addefodd yn ddiweddarach fod yna rywbeth yn ei enaid yn dweud wrtho wedi gorffen y gerdd y byddai'n ennill y Goron. 'Felly pan ddaeth y llythyr dair wythnos cyn yr Eisteddfod ches i ddim sioc'.[41] Y tri beirniad oedd Donald Evans, Dafydd Owen a Gwyn Thomas, ac yr oeddynt ill tri'n unfrydol mai eiddo 'Patmos', sef John Roderick Rees, oedd y gerdd fuddugol, gan nad ef a aeth at ei destun ond 'y testun ddaeth ato ef'.[42] Addas ac arwyddocaol oedd

---

[41] *Y Cymro* (28 Awst 1985), t. 9.

[42] Dafydd Owen, 'Beirniadaeth y Goron', *Cyfansoddiadau a Beirniadaethau Eisteddfod Genedlaethol y Rhyl 1985*, gol. J. Elwyn Hughes, t. 32.

dewis 'Patmos' yn ffugenw gan ei fod yn enw ar ynys sydd rhwng Asia Leiaf a Gwlad Groeg ac a gysylltir â Llyfr y Datguddiad (1:9) yn y Testament Newydd. Yma y mae'r awdur yn disgrifio'r weledigaeth a dderbyniodd Ioan pan oedd ar ynys Patmos lle y cawsai ei garcharu oherwydd ei fod yn pregethu ac yn tystiolaethu. Cyfeiria Ioan ato'i hun fel brawd i'w gyd-ddioddefwyr, oherwydd ei fod yntau yn alltud pan roddwyd iddo ei weledigaeth ddwyfol. Defnyddir Patmos felly fel cyfeiriad at y fan lle y cafwyd gweledigaeth gan yr erlidiedig o arwyddion apocalyptaidd. Mae'r bardd yn dychwelyd eto at Lyfr y Datguddiad yng nghlo'r bryddest gan gyfeirio at yr adnod: 'Ac mi a welais nef newydd a daear newydd: canys y nef gyntaf a'r ddaear gyntaf a aeth heibio; a'r môr nid oedd mwyach' (21:1). Mae'r adnod yn arbennig o addas yn y cyswllt hwn, oblegid y mae'n cyfeirio at drawsffurfio bywyd o boen a blinder ar gyfer bywyd o ansawdd newydd a pherffaith na all henaint ei aeddfedu na marwolaeth ei gyffwrdd a'i anharddu. Mae'r bardd yn gorffen ei gerdd drwy ychwanegu na bydd môr mwyach, am mai symbol o anhrefn ddieflig a thrigfan y bwystfil yw'r môr yn Llyfr y Datguddiad. Ar yr un pryd, mae diflaniad y môr yn golygu nad oes gwahanfur bellach rhwng y nef a'r ddaear. Wrth ymdrin â'r bryddest mewn adolygiad, mae Donald Evans yn synio am y bardd fel un a ganodd i'r hyn a welodd ac a deimlodd:

> Yn wir, y mae'r bryddest hon fel rhyw fath o adwaith yn erbyn y gorgyfoesedd ymdrechgar hwnnw sy'n tueddu, weithiau, i lethu ein barddoniaeth ar hyn o bryd. Drwy ganu i raib a gormes anochel henaint, fe ganodd i un o brofiadau mawr yr hil ddynol drwy gydol yr oesoedd. Fe ganodd yn gyfoes ac yn oesol yr un pryd.[43]

---

[43] 'Cyfansoddiadau a Beirniadaethau y Rhyl a'r Cyffiniau, 1985', *Barn*, Rhif 272 (Medi 1985), t. 345.

Wedi iddo gychwyn ei yrfa farddol yn Ysgol Uwchradd Tregaron, ac ennill yno gystadleuaeth y gadair pan oedd yn 17 oed, aeth ymron i hanner can mlynedd heibio cyn i John Roderick Rees gyrraedd ei uchafbwynt fel bardd a chyrraedd ei anterth yn 'Glannau' yn 1985 ac yntau yn 64 mlwydd oed. Dyma, hwyrach, un o gyfraniadau mawr y ganrif ddiwethaf i lenyddiaeth eisteddfodol, ac er i'w hawdur lunio rhai cerddi teilwng iawn i'w cynnwys yn ei gyfrol olaf, nid oedd yn bosibl nac yn ddisgwyliedig ganddo lunio cerdd gyffelyb i 'Glannau'.

Cynnal y ddoe a ddarfu

Cafwyd unfrydedd llwyr hefyd ymhlith beirniaid y Goron y flwyddyn flaenorol yn Eisteddfod Genedlaethol Llanbedr Pont Steffan a'r Fro pan enillodd John Roderick Rees ei Goron genedlaethol gyntaf wedi ugain mlynedd o dawedogrwydd fel bardd cystadleuol. Wedi siom colli Goron Eisteddfod Genedlaethol Abertawe yn 1964, collodd y gynneddf neu'r dwymyn gystadleuol ac nid oedd ganddo awydd bellach i ddychwelyd i faes ymrafael byd yr eisteddfod. Pan ddaeth yr Eisteddfod Genedlaethol i Lanbedr Pont Steffan er hynny yn 1984, penderfynodd roddi un cynnig arall arni cyn tewi. Yr oedd bellach yn 63 mlwydd oed ac yn ymwybodol nad oedd wedi cyfansoddi rhyw lawer, ac eithrio at alwad cymdeithas. Yn ystod yr ugain mlynedd o 1964 hyd 1984, ni bu ynghwsg yn gorfforol na meddyliol gan iddo fod wrthi'n darllen, myfyrio a chyfansoddi rhywfaint. Yn y cyfnod hwn hefyd y gwelodd fro ei febyd yn gweddnewid, capeli ac ysgolion y cylch yn cau, a chynnal bywyd a bwthyn yn mynd yn fwyfwy anodd yn dilyn yr allfudo.

Nid dilyn y duedd arferol a wnaeth yn y bryddest 'Llygaid' fel beirdd eraill y dydd a chystwyo'r mewnfudwyr, ond yn hytrach gwelodd ardal Pen-uwch fel y gwelodd Ellis Wynne (1671–1734) ei 'Strydoedd' yn *Gweledigaetheu y Bardd Cwsc* (1703). Ar hyd y teirffordd, llwybra tair carfan wahanol o bobl ac y mae i'r tair eu cryfderau a'u gwendidau yn ôl John Roderick Rees: Cymry cynhenid, neu hen ŷd y wlad, hwynt-hwy yw'r 'deri nas diwreiddiwyd', chwedl Dafydd Nanmor,[44] ond sydd yn cyflym brinhau; Saeson dŵad ar gynnydd a hipis merciwraidd mynd-a-dod. Cais y bardd yn y bryddest dafoli dylanwad y mynd a dod ar ei fro ac fel y troes yn gwm, neu'n rhandir tawelwch i'r Gymraeg. Er bod o hyd y gweddill ffyddlon cyndyn a dystia i barhad y traddodiad gwledig, eto mae yma newid pellgyrhaeddol. Er y gellir synhwyro dylanwad pryddest 'Adfeilion' T. Glynne Davies ar rannau o'r bryddest – cerdd a ystyrid gan John Roderick Rees yn un o bryddestau gorau'r ugeinfed ganrif ar sail ei chynildeb a'i rhin geiriol[45] – eto nid efelychwr na charfanwr oedd John Roderick Rees. Llwyddodd yn y bryddest hon i dorri ei gŵys ei hun drwy roddi problem gymdeithasol ac ieithyddol Ceredigion yng nghyd-destun wythdegau'r ganrif ddiwethaf yn ganolbwynt pryddest gyfoes, angerddol sydd yn tynnu sylw at y difrod a wnaed gan y Cymry Cymraeg, y mewnfudwyr a'r hipis i'r bywyd gwledig, nid yn unig yng Ngheredigion ond yng Nghymru'n gyffredinol.

Anodd meddwl am gerdd arall yn ail hanner yr ugeinfed ganrif a lwyddodd i gyffroi a sobri'r darllenydd fel 'Llygaid' gan John Roderick Rees. Yr oedd y feirniadaeth yn y bryddest yn ddeifiol ar y rheini a droes eu cefnau ar fro eu mebyd ac agor y llifddorau, fel Seithenyn feddw, i'r mewnfudwyr. Cafwyd ymateb pur negyddol i'r gerdd bolemig hon a chyhuddwyd John o fod yn asgell dde, yn eithafol Dorïaidd, o gowtowio i'r Saeson ac o fod yn wrth-Gymreig a pholemig.

---

44 'I Rys o'r Tywyn', *The Poetical Works of Dafydd Nanmor*, ed. Thomas Roberts (Cardiff, 1923), t. 29.
45 T. Glynne Davies, *Llwybrau Pridd* (Llandybïe, 1961), tt. 41–50.

Yn ôl y bardd, ni wnaeth ond disgrifio realiti'r sefyllfa yn ddidwyll o safbwynt rhywun a oedd wedi hen ymsefydlu, gwreiddio a thyfu'n rhan o'i fro. Gwelodd John Roderick Rees nad oes hawl gan undyn ychwaith i hawlio ei berchnogaeth ar ddarn o dir a daear, pwy bynnag ydyw. Er balchder a hunanhyder y brodorion, mynd oedd tynged anorfod yr hen ardalwyr o un i un, ac mewn ffordd bu i dameidiau o'r hen fro Gymraeg draddodiadol ddiflannu gyda hwy bob tro. Nid oes modd mwy i undyn ym Mhenuwch honni mai ef biau'r fro gan ei fod ef yn un o'i brodorion.[46] Corlannwyd yr hen do mewn cartrefi hen bobl, heb ddychwelyd fyth i'w tiriogaeth. Nid galarnadu neu jeremeiadu a wna John Roderick Rees yn y bryddest serch hynny, gan ei fod hefyd yn dathlu'r ffaith fod yr ysgol leol yn dal ar agor; daeth y mewnfudwyr â'u plant i'w hachub ac adfer y diwylliant crefftwrol gwledig a rhoddasant yn ogystal fywyd newydd i'r hen furddunnod. Deil bywyd o hyd i dabyrddu yng ngwythiennau'r fro. I rai, gwendid pennaf John Roderick Rees oedd iddo dderbyn 'anglophone multiculturalism' neu amlddiwylliannaeth, a ddeil o hyd yn destun trafod ar draws Prydain. Byddai'n cydsynio â sylw Daniel G. Williams:

The Welsh-language world cannot be a closed world if it is to survive. Once Welsh-language culture is conceived of in racial terms, as a closed system, and as a constraint on communication between peoples, it becomes easy to wish that it should disappear.[47]

---

46 Cymh. ysgrif gan T. H. Parry-Williams, 'Bro', *Pensynnu* (Llandysul, 1966), tt. 87–90. Yma y mae'r awdur yn sôn am brofiadau a ddaethai i'w ran ac a wnaeth iddo amau ai ei fro ef erbyn hyn yw Rhyd-ddu ac Eryri, ac a ydyw wedi colli'r hawl bellach i'w fro.

47 *Wales Unchained: Literature, Politics and Identity in the American Century* (Cardiff, 2015), t. 146.

Gwelodd ei bod yn ofynnol weithiau aberthu culni diwylliannol ac ieithyddol er mwyn sicrhau dyfodol pentrefi a chymunedau cefn gwlad siroedd fel Ceredigion. Gadawyd Ceredigion yn ddiffeithdir anial gan ei thrigolion, ac yn ei thro gadawodd yr hen Geredigion draddodiadol Gymraeg a Chymreig ei thrigolion hithau.

Unwaith eto, yr oedd y tri beirniad yn 1984 – Gwyndaf, Pennar Davies a Dafydd Rowlands – yn unfryd mai eiddo 'Tua'r Gorllewin', sef John Roderick Rees, oedd y bryddest orau yng nghystadleuaeth y Goron. Dyma felly ennill y Goron genedlaethol ddwywaith yn olynol, a'r beirniaid yn unfrydol. Yr oedd hon yn gamp eisteddfodol go arbennig nas cyflawnwyd ond gan un arall, sef Bryan Martin Davies, er yr Ail Ryfel Byd.

Yn canlyn ei fuddugoliaeth yn Eisteddfod Genedlaethol Llanbedr Pont Steffan, trefnwyd cyfarfod dathlu i John Roderick Rees gan drigolion ei ardal. Fel rhan o raglen y noson, gwahoddwyd rhai o brifeirdd de Ceredigion i ddarllen eu penillion cyfarch, gan gynnwys T. Llew Jones a Dic Jones. Soniwyd am y bwriad wrtho, a gwrthododd y prifardd newydd y trefniant hwn ar ei union gan ychwanegu mai ei bobl ei hun yn unig a ddymunai i gyd-ddathlu ei fuddugoliaeth. Dadlennol yw sylwadau T. Llew Jones yn ei ddyddiadur am ddydd Mawrth, y 7fed o Awst 1984, sef diwrnod y Coroni yn Eisteddfod Genedlaethol Llanbedr Pont Steffan:

> Gwylio'r coroni yn y prynhawn, John Roderic Rees yn ennill gyda chanmoliaeth uchel. Ef wedi chwerwi ers ugain mlynedd oherwydd iddo golli yn Abertawe gynt! Y sildyn cecrus ag ef.[48]

---

[48] LlGC Llsgr. 23828A – 1984.

Ar noson y dathlu ei hun, cafwyd cyfarchion gan R. T. Griffiths, Aberaeron, William Lewis, Tommy G. Jones, W. Llywelyn Griffiths a Mrs Mary Morgan o Lanrhystud. Cyhoeddwyd y penillion oll y mis canlynol yn y papur bro lleol, *Y Barcud*.[49] Flwyddyn yn ddiweddarach, 15fed o Awst 1985, yn dilyn y fuddugoliaeth yn Eisteddfod Genedlaethol y Rhyl, cafwyd cyfarfod dathlu tebyg. Llywyddwyd y cyfarfod dathlu y tro hwn gan Evan Williams, a ddarllenodd rannau o'r bryddest. Yn bresennol hefyd yr oedd rhai o'r mewnfudwyr, a sicrhawyd fod yna rywun ar gael i esbonio'r bryddest yn Saesneg iddynt hwy. Cyhoeddwyd y cerddi cyfarch fel y flwyddyn cynt yn *Y Barcud*.[50]

Ni ellir llai na sylwi na wahoddwyd yr Archdderwydd Elerydd (W. J. Gruffydd) i ymuno yn y dathlu, gan mai ef a fu'n gyfrifol am goroni John Roderick Rees ar lwyfan y Brifwyl yn 1984 ac 1985. Yr oedd W. J. Gruffydd yn byw erbyn hynny yn Nhregaron, ond nid oedd y graith a ffurfiwyd yn 1964 wedi lliniaru digon i estyn breichiau o Ben-uwch i Dregaron er mor orfoleddus a melys y dathliad. John Roderick Rees fyddai'r cyntaf i gydnabod fod ganddo ei ffon fesur ei hun, a hi a bennai ei werthoedd sylfaenol, a phwy a gâi fynediad i gysegr sancteiddiola'r fron. Nid hawdd i rywun nas adnabu'n llwyr resymoli ei benderfyniadau a'i fwriadau anghymodlon ar adegau, a'i safiad di-droi'n-ôl, doed a ddelo; eto ni ellir llai na pharchu rywsut gadernid ei argyhoeddiad. Aeth enillydd y Goron yn y Rhyl yn 1985 yn union at ei waith, oblegid yn gynwysiedig yn rhifyn Medi y flwyddyn honno o'r papur bro y mae penillion gan John Roderick Rees i'w darllen yng nghinio dathlu Clwb Ffermwyr Ieuainc Lledrod yn ddeugain oed.

---

[49] *Y Barcud*, Rhif 84 (Medi 1984), t. 3.
[50] *Y Barcud*, Rhif 94 (Medi 1985), tt. 11–12.

Y bardd llawryfog

Er pwysiced y fuddugoliaeth, cyfwerth yn ei olwg ef oedd darparu gwasanaeth i'w gymuned leol, yn null unrhyw grefftwr arall. Mae'n debyg mai cerddi fel y rhain a esyd John Roderick Rees yng nghanol y bywyd llenyddol hanfodol werinaidd a berthyn i ardaloedd gwledig Ceredigion a Chymru'n gyffredinol.

Canu yn y traddodiad mawl a chymdeithasol a wnaeth John yn bennaf. Nod ei gerddi o tua 1985 ymlaen, yn dilyn ei ddwy fuddugoliaeth genedlaethol, oedd dathlu rhyw ddigwyddiad neu'i gilydd – fel pen-blwydd Margaret Jones, Y Garn-wen, Pen-uwch, yn gant oed, 27 Gorffennaf 1988,[51] neu briodas ruddem Huw a Rhianydd Blackwell, Llwynpiod, yn 1992.[52] Canodd gerdd wedyn i'r Parch. George Noakes, cyfaill ysgol iddo, ar achlysur ei ddewis yn Archesgob Cymru yn Nhachwedd 1986,[53] a cherddi coffa i amryw o'i gymdogion a'i gyfeillion, gan gynnwys llawer i'r beirdd lleol, fel Dafydd Jones, Ffair-rhos,[54] ac Ifor Davies, Aberystwyth. Esgorodd y swydd hon ar gyfansoddi emynau at achlysuron arbennig hefyd.

Ffrwyth defodaeth neu swyddogaeth gyhoeddus yw llawer o gynnwys cyfrol olaf John Roderick Rees. Ond yr oedd cryn gamp a chelfyddyd fydryddol yn perthyn i lawer o'r cerddi hyn, fel ei gerdd goffa i'r bardd gwlad Ifor Davies lle y mae'n talu teyrnged i'r crefftwr geiriau:

> Ymhell dros ei bedwar ugain
> A'i awen yn ffresni i gyd.
> Hyd fedd, ni pheidiodd â'm synnu
> Â'i greadigaethau o hyd.[55]

---

51 *Cerddi Newydd 1983–1991*, t. 75.
52 *Cerddi Newydd 1983–1991*, t. 74.
53 *Cerddi Newydd 1983–1991*, t. 47.
54 *Cerddi Newydd 1983–1991*, t. 83.

Gan nad oedd John Roderick Rees yn berson cyhoeddus fel y cyfryw nac ychwaith yn ei elfen yn cymryd rhan mewn gweithgareddau neu ddigwyddiadau cyhoeddus, eto teimlai y gallai gyflawni swyddogaeth gymdeithasol o bwys yn ei rôl fel bardd. Er nad mewn cywydd nac englyn, awdl na hir-a-thoddaid, y cyflawnodd ei orchwyl fel llefarydd ei fro, eto ni ellir llai na mawrygu ei ddawn i gyflawni ei swyddogaeth gymdeithasol a defodol yn y mesurau rhydd. Ar lefel isdestunol, mae gwaith cymdeithasol John yn impio ei gynnyrch wrth gorff o draddodiad sydd yn ymestyn yn ôl i Daliesin yn y chweched ganrif.[56]

Cyfrannu i'r cyfryngau

Er mor breifat a gochelgar ydoedd John Roderick Rees yn ei ddull o fyw, yr oedd yna ran ohono'n chwennych cyfleon i fynegi ei farn ar faterion cyfoes y dydd. Rhoes ei ddwy fuddugoliaeth genedlaethol iddo'r hyder a'r sicrwydd ynghyd â'r cyfleon i ddadlennu llawer mwy nag a wnaethai gynt am ei fywyd personol, ei syniadau a'i argyhoeddiadau dyfnaf.

Bu'r radio a'r teledu yn gwmni gwastadol iddo ar ei aelwyd, yn arbennig yn ei henaint a'i gyfnod o lesgedd. Nid gwrandäwr goddefgar mohono ychwaith, fel y gellid disgwyl. Gallai fod yn feirniadol o gynnwys ac arddull nifer o raglenni Cymraeg. Nid hawdd ganddo oedd gweld llawer o gyflwynwyr dosbarth canol Caerdydd yn gosod eu stamp sosialaidd ar raglenni nodwedd a gwleidyddol a oedd yn gofyn am driniaeth fwy eangfrydig, cynhwysol a chytbwys. Yr oedd y cyflwynwyr hyn a'r cynhyrchwyr hefyd yn fynych

---

55 'Ifor Davies, Bardd (1904–1990)', *Cerddi Newydd 1983–1991*, t. 84. 4 Hydref 1990 oedd dyddiad angladd Ifor Davies ym Mhen-garn, Bow Street.

56 Gw. Peredur I. Lynch, 'Dic yr Hendre, y Bardd Llawryfog a Saunders', *Ysgrifau Beirniadol XXXI*, goln. Tudur Hallam ac Angharad Price (Bethesda, 2012), tt. 119–57.

yn bobl a oedd wedi gadael eu broydd genedigol gwledig er mwyn sicrhau cyflogau breision a ffordd o fyw gysurus ym maestrefi Caerdydd. Cedwid fynychaf, meddai, at yr hen wynebau cyfarwydd i bedlera eu safbwyntiau cenedlaetholgar ac ystrydebol hyd syrffed.

Y cenedlaetholwyr a'r Llafurwyr oedd yn pennu agenda staff y BBC a'r cwmnïau annibynnol, yn ôl John Roderick Rees. Yr oeddynt o ran eu meddylfryd yn gaeedig ac yn gyfyngedig unochrog eu polisïau golygyddol. Camarweiniol yw'r gred, yn ôl John Roderick Rees, fod Cymru'n wlad gynhenid radicalaidd ac asgell chwith a ddyheai am ddarpariaeth gyfryngol fwy cynhwysol ei chysyniadau a mwy dychmygus ei gweledigaeth.

Wedi dweud hynny, yr oedd yna rai cyflwynwyr, ac eithriadau prin oeddynt, a ystyrid gan John Roderick Rees yn rhai a allai gyflawni eu gwaith yn broffesiynol a deallus ac a fyddai'n ceisio yn eu rhaglenni sicrhau cydbwysedd a pharch dyledus at safbwyntiau gwahanol garfanau ac unigolion, beth bynnag fo'r pwnc gerbron. Ystyriai gyfraniad Vaughan Hughes gyda'r gorau a thecaf ar Radio Cymru ac ar S4C. Ymddengys i Vaughan Hughes yntau orfod mynd trwy 'brawf' neilltuol ar ei ymweliad cyntaf â Bear's Hill:

Ar f'ymweliad cyntaf â Bear's Hill, yn lled fuan ar ôl ei fuddugoliaeth yn Llambed, gwahoddodd Jack fi i gymryd tamaid o swper efo fo. Tatws, nionod a chig moch wedi eu coginio mewn padell. Tatws pum munud fyddan ni ym Môn yn galw prydyn o'r fath. Derbyniais yn llawen. Flynyddoedd wedyn, a ninnau newydd gwblhau rhaglen amdano, cyfaddefodd Jack mai fy rhoi ar brawf oedd ei fwriad wrth fy ngwahodd i dorri bara efo fo. Pe na fyddwn i wedi bwyta ei fwyd, fyddai yntau ddim wedi ymddiried ynof i wneud rhaglen amdano.

Roedd y pryd yn fwy na derbyniol. Roedd ein cyfeillgarwch yn amheuthun.[57]

Cydweithiodd â Vaughan Hughes ar amryw raglenni yn dilyn yr ymweliad gwreiddiol hwn. Yn 1996 lluniodd Vaughan raglen gyflawn arno yn y gyfres *Portreadau* ac fe'i darlledwyd ar 1 Mai 1996. Cyn hynny, ym mis Hydref 1987, ymddangosodd ar raglen yn y gyfres *Arolwg* (HTV Cymru) a edrychai ar fyd y celfyddydau gweledol yng Nghymru. Cafwyd portread byr ohono drachefn yn yr un gyfres ar 28 Mawrth 1988. Ym mis Gorffennaf 1988 hefyd y darlledwyd rhaglen ar Radio Cymru pan edrychwyd ar John Roderick Rees trwy lygaid ei ffrindiau a'i deulu. Fe'i disgrifiwyd ar y rhaglen hon gan Tommy G. Jones fel 'seraff bach yr unigeddau', gŵr na fuasai'n mynd allan o'i ffordd i ymweld â neb yn yr ardal oni bai fod ganddo neges bendant ond un a oedd yr un pryd yn nodweddu cadernid a gwytnwch y Mynydd Bach.

Cyfrannai'n gyson i gyfres arall ar Radio Cymru o dan ofal Vaughan Hughes, sef *Blewyn o Drwyn*, a rhoes y rhaglenni hyn gyfleon i John Roderick Rees ar ddechrau'r nawdegau i roddi mynegiant i unrhyw fater y dymunai ei wyntyllu. Yn y rhaglen a ddarlledwyd ar 24 Gorffennaf 1992, gofynnodd pwy yn hollol sydd yn penderfynu pa unigolion a haedda gofnod yn y *Bywgraffiadur Cymreig*. Teimlai fod angen lledu'r cortynnau a chynnwys llai o weinidogion a mwy o unigolion oedd wedi cyfrannu i fywyd seciwlar y genedl. Y duedd, meddai, yw gorbwysleisio rhai pobl o amcan wleidyddol a chrefyddol arbennig, a rhaid wrth fwy o wrthrychedd heb roddi gormod pwyslais ar ogwydd gwleidyddol. Nod amgen cyfrolau fel hyn, ychwanegodd, yw cofnodi ffeithiau a gwybodaeth, yn hytrach na rhoi cyfle i ledaenu propaganda plaid arbennig.

---

[57] 'John Roderick Rees 1920–2009', *Barn*, Rhif 563/564 (Rhagfyr 2009/Ionawr 2010), t. 37.

Yn rhifyn 13 Awst 1993 o *Blewyn o Drwyn*, Cyngor Celfyddydau Cymru a'r Academi Gymreig a oedd dan ei chwyddwydr. Ei gred oedd fod nawdd cyrff fel y rhain yn or-hael ac yn wastraff ar arian cyhoeddus. Pwysleisiodd nad yn erbyn unigolion yr oedd ond yn erbyn yr egwyddor o nawdd:

> Fe roddir gwobrau hael i lyfrau arbennig – barn criw bach o bobl sydd wedi pennu rhagoriaeth y llyfrau hyn, ond gallant fod yn wrthodedig gan y mwyafrif sydd yn darllen llyfrau Cymraeg.

Sonnir ganddo hefyd am awduron oedd wedi derbyn nawdd i'w galluogi i gymryd cyfnod penodol i ffwrdd o'u gwaith er mwyn ysgrifennu. Ar ddiwedd y cyfnod hwnnw yn aml, anfonir y gwaith i gystadleuaeth yn yr Eisteddfod Genedlaethol gyda'r gobaith o ennill gwobr sylweddol am waith a luniwyd gydag arian o'r coffrau cyhoeddus. Ni welai John Roderick Rees fod hyn yn deg â'r awduron sydd yn llenydda o'u pen a'u pastwn eu hunain ac yn eu hamser eu hunain.

Mewn rhaglen arbennig o *Codi Cwestiwn* a ddarlledwyd gan S4C o faes y Brifwyl yn Aberystwyth yn 1992, ac a gadeiriwyd gan Vaughan Hughes, gwahoddwyd John Roderick Rees fel aelod o'r panel i ateb cwestiynau gan aelodau o'r gynulleidfa. Y ddau banelwr arall oedd Hywel Teifi Edwards ac Eigra Lewis Roberts. Soniodd John, a'i dafod yn ei foch, fod afon Arth yn cysylltu Hywel Teifi ac ef: ef wedi ei eni wrth geg yr afon a Hywel ger ei haber yn Aber-arth. Hyn, ebe John yn gellweirus, sydd yn esbonio pam mai ceg fach oedd ganddo ef, a cheg fawr gan Hywel!

Cyfrannodd hefyd i raglenni Radio Cymru ac S4C yn ymwneud â'r cobiau Cymreig ac â thyddynna, ac yng Ngorffennaf 1991 gofynnwyd iddo gan Radio Cymru sôn am y gwahanol ddylanwadau a fu arno yn ystod ei fywyd. Yn y gyfres o bum rhaglen o ddeng munud yr un, rhoes sylw i'r athrawon ysgol, y darlithwyr yn y coleg a'r beirdd a'i hysgogodd dros y blynyddoedd.[58] Ymhelaethodd ar y dylanwadau ffurfiannol hyn a fu arno mewn dwy raglen ar Radio Ceredigion yn 1997, y naill yng nghwmni Lloyd Jones ar raglen yr oedd yn gyfrifol amdani ar y pryd, *Blas y Pridd*, a'r llall oedd y rhaglen *Am Ddeg* yng ngofal cynddisgybl iddo, Lyn Ebenezer.

Brwydr barhaus, medd John Roderick Rees mewn sgwrs â Handel Jones ar y rhaglen *Ar y Tir*,[59] yw cynnal bywyd mewn ardal mor anghysbell ac mor anhyfyw yn economaidd â Phen-uwch. Er nad oes i'r fro fel y cyfryw hanes hir, eto y mae'n bwysig llacio'r gwahardd cynllunio presennol gan y llywodraeth sydd yn atal y trigolion rhag adeiladu tai yno. Gwelwyd eisioes mai asgwrn cefn ardal Pen-uwch yw ei thyddynnod, ac er na all y tir warantu cynhaliaeth i'r deiliaid, eto bu yma gymdogaeth am genedlaethau lawer yn llafurio i ddofi'r anialdir diffaith fil o droedfeddi uwchlaw'r môr. Gweld bywyd yn goroesi yn y parthau hyn yw gobaith sylfaenol John Roderick Rees; heb hynny nid oes dyfodol i na thyddyn na bwthyn, na chymuned na chymdeithas.

Yr oedd ôl ymchwil a pharatoi manwl ar ei gyfraniadau bob amser, er mor fyrfyfyr yr ymddangosent yn fynych. Gallai fod yn llefarwr difyr, diddan a disglair ar yr aelwyd ac wrth feicroffon, yr arddull bob amser yn glasurol ond byrlymus gydag ambell air lleol a blas y pridd arno yn bywiogi'r sgwrs. Roedd ei atebion cynnil a chynhwysfawr yn ei wneud yn gyfrannwr delfrydol ar y cyfryngau. Yr oedd ei agwedd ymddangosiadol wrthnysig a digyfaddawd hefyd yn ei wneud yn aelod da o unrhyw banel a oedd yn cynnwys safbwyntiau amgenach. Daeth yn wyneb pur gyfarwydd ar S4C yn y nawdegau ac yn llais rhwydd i wrando arno ar Radio Cymru a Radio Ceredigion. Mae blas y pridd ar holl

---

58 *Dylanwadau* (BBC Radio Cymru), darlledwyd 15–19 Gorffennaf 1991.

59 Darlledwyd ar Radio Cymru, 8 Ionawr 1992.

gyfoeth idiomau'r Gymraeg, ac o golli'r cyswllt â'r pridd bydd yr iaith yn ddiystyr ac yn ddiwreiddiau.

Rhoddir blaenoriaeth i'r safiad hwn hefyd yn ei gyfraniadau ysbeidiol i'r papur bro. Ar un achlysur ymddengys i sylwadau golygyddol *Y Barcud* gondemnio'r defnydd o Saesneg a wnaethpwyd gan y beirniad cerdd, Hazel Thomas, ar lwyfan Eisteddfod Tregaron ar 8 Medi 1979. Tramgwyddwyd rhai mynychwyr gan y defnydd o'r iaith fain wrth iddi draddodi ei beirniadaeth. Un o'r rhai a leisiodd ei wrthwynebiad i'r arfer yn y papur bro oedd Glyn Ifans, prifathro Ysgol Uwchradd Tregaron:

Annwyl Syr,
Siom, a dweud y lleiaf, oedd canfod mai beirniad di-Gymraeg oedd yn Eisteddfod Tregaron eleni. Gŵyl Gymraeg yw 'steddfod Tregaron ac nid oes dim yn ei hatal rhag bod yn gyfangwbl Gymraeg ei hiaith. Mae'r Genedlaethol yn cynnal gŵyl am wythnos trwy gyfrwng ein hiaith. Mae'n rhwym ar Dregaron i warchod yr iaith, a'i meithrin yn feunyddiol – mewn ardal mor Gymraeg. Beirniad Cymraeg os gwelwch yn dda, y tro nesaf. "Os digwydd hyn yn yr ir, beth am y crin?".
Yn ddidwyll,
Glyn Ifans

Dadlennol oedd ymateb John Roderick Rees i 'brotest Tregaron' ond ymataliodd, y tro hwn, rhag defnyddio termau fel 'rhagrith' neu 'ffalster' i ddisgrifio rhai o'r ymatebion lleol:

Fe gyfyd ystyriaethau eraill yn sgil protest Tregaron. Mae rhentu a gwerthu llefydd i rai nad ydynt yn siarad Cymraeg yn fwy o berygl i'r iaith na chael beirniad Saesneg, ar dro, mewn Eisteddfod. Anghysondeb (gallwn arfer term cryfach) yn fy marn i, yw derbyn Saesneg pan fo'n dwyn elw i chi a'i gwrthod pan nad yw. 'Rwyf i'n croesawu'r newydd-ddyfodiaid i'n cefn-gwlad Cymreig, pan nad yw'r Cymry am aros yno. Saeson sy'n cadw a chynnal rhannau helaeth o ucheldir Cymru rhag troi'n ddiffeithwch. Hwy sy'n cadw'r to yn ddiddos dros lawer treftadaeth Gymreig a anwylodd ein hynafiaid. Gwell gan lawer Cymro a Chymraes, tanbaid eu cenedlaetholdeb yn llygad goleuni, yw cysuron materol rhagorach pentref a thref.

Wedi croesi 'oed yr addewid' a'r anifeiliaid a oedd yn weddill ganddo ar y tyddyn yn heneiddio, penderfynodd gael gwared arnynt, nid drwy eu gwerthu – ni allai fyth wneud hynny – ond drwy ofyn i Roderick, ei fab, eu symud hwy i'w dyddyn ef yn Horeb, ger Llandysul. Deuai Roderick â rhai ceffylau i bori'r caeau rhag iddynt dyfu'n wyllt. Ar ôl 2002, er hynny, creaduriaid cymdogion a fu'n pori daear Bear's Hill, a chan fod John dros ei 80 oed, nid oedd ganddo bellach ofal anifail ac eithrio ei anifeiliaid anwes. Nid oedd am roi'r gorau i'w dyddyn, serch hynny, a'i obaith oedd y câi iechyd a nerth i allu dal ei afael yn yr hyn a fu'n eiddo i'w deulu am y rhan orau o gan mlynedd.

O dipyn i beth rhoes y gorau hefyd i'w rigymu achlysurol a chymdeithasol ac erbyn 2002 peidiasai ei gyfraniadau ar y radio ac ar S4C. Ei gyfraniad olaf i S4C oedd hwnnw i'r gyfres *Pobol Cymru* (Ffilmiau'r Bont) a ddarlledwyd ar 3 Mehefin 2001. Lluniai ar dro nodiadau esboniadol ar gyfer Blwyddlyfr Cymdeithas y Merlod a'r Cobiau Cymreig yn olrhain achres rhyw gobyn Cymreig neu'i gilydd: y mwyafrif ohonynt yng ngwaedoliaeth y cobiau â chysylltiad â'i deulu ef. Ni phallodd y cof na'r balchder yn yr hyn a gyflawnwyd gan ei deulu. Parhaodd i groesawu cymdogion, ei ffrindiau agosaf a theulu i Bear's

Hill. Galwai dysgwyr y Gymraeg i ymarfer eu sgiliau llafar ac i erchi cyngor a chyfarwyddyd wrth geisio meistroli'r iaith. Câi gysur yng nghwmni ei gŵn a'i gathod annwyl ar yr aelwyd, a thor calon ganddo fuasai gorfod ffarwelio â hwy a gweld eu claddu mewn cae nid nepell o'r tŷ. Lluniodd gerddi i rai o'r cathod a dreuliodd eu hoes rhwng pedwar mur ac a ddaeth i fyw ar aelwyd Bear's Hill, er na wyddai neb yn union o ble yn union y daethant. Cyfaddefodd fwy nag unwaith iddo golli dagrau lawer o hiraeth uwch beddau bach yr anwyliaid hyn.

Gofalwyd amdano ar ei aelwyd gan gylch bychan o ffrindiau agos a fyddai'n sicrhau y câi'r gofal a'r ymgeledd gorau posibl fel y gallai barhau i fyw yn ei ddyddyn cyhyd ag y gallai. Yn hwyrddydd ei fywyd hir nid ildiodd i bruddglwyf na surni diffrwyth; daliai i ymddiddori ym mhobl a digwyddiadau ei gymdogaeth, a chadwai i gysylltu â'i hen ffrindiau a'u hatgoffa naill ai mewn llythyr neu ar gerdyn Nadolig ei fod 'yma o hyd'. Yr oedd y gallu i ymfalchïo felly yn glo cyfaddas a theimladwy i'r hwn a fu, fel y dywedodd am Jane, yn 'nyrs i bawb' ac yn dyst i'r ddau ymadawiad du gynt o'r aelwyd a'i gadawodd yn unig i heneiddio o fewn bychanfyd ei aelwyd.

Brenin Gwalia gyda David Rees, 1948

Brenin Victor gyda J. B. Jones, 1936

Pennod 3

Y *teulu Rees* *a'r còb Cymreig*

Mae Hywel Dda yn y ddegfed ganrif yn disgrifio tri math o geffyl yng Nghymru: yn gyntaf, y ceffyl rhygyngog (*ambling*) a farchogid gan y marchogion mewn twrnameint, neu gan arglwyddi er mwyn pleser. Yn ail, ceid y pynfarch (*pack horse*), a wisgai ystroduriau, ac a gariai bwn (*Equus elitellarius*) yn ôl y diffiniad adeg Gerallt Gymro. Y trydydd math o geffyl oedd yr *Equus operarius*, y ceffyl gwaith cryf a dynnai'r car llusg neu'r gambo. Yr oedd hwn yn geffyl cyhyrog a thrymach na'r còb Cymreig heddiw, er nad mor drwm â'r ceffyl gwedd yn Lloegr. Treuliodd Gerallt Gymro chwe wythnos yn 1188 yn aelod o fintai'r Archesgob Baldwin yn cylchu Cymru i bregethu'r groesgad a hefyd i arddangos awdurdod Caergaint. Yn dilyn y daith ysgrifennodd ei *Itinerarium Cambriae* neu *Hanes y Daith trwy Gymru* (1191), ac yno y ceir ei ganmoliaeth i geffylau Powys a oedd o linach ceffylau Sbaenaidd a ddygwyd i Brydain gan Robert de Belesme, iarll Amwythig.[1] Disgynnydd i'r rhain, wedi'i groesi gyda cheffylau Arabaidd yn ystod y croesgadau, yw'r còb Cymreig. Mae Gerallt Gymro hefyd yn pwysleisio mor bwysig oedd y ceffyl yng Nghymru yn yr Oesoedd Canol.

---

[1]   R. H. C. Davis, *The Medieval Warhorse: Origin, Development and Redevelopment* (London, 1989), tt. 81–2.

Tudur Aled (c. 1465–c. 1525) a gydnabyddir fel meistr y cywydd march yn yr Oesoedd Canol, ac y mae deuddeg o'i gywyddau gofyn am feirch wedi goroesi a hefyd ddwy gerdd yn diolch am feirch. Un o'i gywyddau gorau a mwyaf poblogaidd yw'r un sy'n gofyn march gan Abad Aberconwy dros Lewis ap Madog.[2] Mae'r cywydd yn cynnwys y motiffau cyfarwydd a disgrifiadau stoc cydnabyddedig:

> Neidiwr dros afon ydoedd,
> Naid yr iwrch rhag y neidr oedd.
> Wynebai a fynnai fo,
> Pe'r trawst, ef a'i praw trosto.
> Nid rhaid, er peri neidio,
> Dur fyth wrth ei dor efô.
> Dan farchog bywiog, di-bŵl,
> Ef a wyddiad ei feddwl.
> Draw os gyrrir dros gaered,
> Gorwydd yr arglwydd a red.
> Llamwr drud lle mwya'r drain
> Llawn ergyd yn Llaneurgain.[3]

Yn y cywydd hwn, ceir sylw i rannau o gorff y ceffyl: ffroenau, clustiau, côt, cynffon, coesau, rhawn, llygaid, ac yn y blaen, sydd yn awgrymu i'r bardd ymddiddori mewn ceffylau.[4] Rhoddir sylw manwl i'r ceffyl delfrydol yma a daw crefft a dawn y bardd i'r amlwg yn y confensiynau disgrifiadol.

Dros bedair canrif yn ddiweddarach, a hynny mewn cerdd rydd yn hytrach nag ar fesur y cywydd, y mae John Roderick Rees yn llunio cerdd foliant i'w farch, Brenin

---

2 Ymddengys mewn 26 o lawysgrifau sy'n tystio i'w boblogrwydd ac i'w ddefnydd cyhoeddus.

3 *The Oxford Book of Welsh Verse*, Rhif 90, ed. Thomas Parry (Cardiff, 1951), tt. 173–4.

4 Gw. Bleddyn Owen Huws, 'Poems of Request and Thanks for Horses', *The Horse in Celtic Culture: Medieval Welsh Perspectives*, eds. Sioned Davies and Nerys Ann Jones (Cardiff, 1997), t. 156 (141–61).

Gwalia, a fu'n eiddo iddo ef a'i dad am ddeng mlynedd ar hugain a chwe mis. Dewiswyd y march yn 1948 gan Gymdeithas y Merlod a'r Cobiau Cymreig[5] i gynrychioli'r brid yn y Sioe Geffylau Ryngwladol yn y White City yn Llundain. Cafodd dderbyniad gwresog gan y gwylwyr ac yn canlyn y llwyddiant hwn y lluniwyd y gerdd sy'n cynnwys dyfaliadau llawn mor ddyfeisgar â rhai'r hen gywyddwyr. Mae'n sôn am 'gôt llaeth-a-chwrw' Brenin Gwalia, am 'gryman y war' ac 'asgwrn fel astell'. Fel yn y traddodiad barddol, mae tras y march yn weladwy:

> Tân dy gyndadau yn sbardun rhythmig
> Yn d'osod di yn anghyffwrdd unig
> Sioe ar ôl sioe i ledio'r rhes.[6]

Y mae'n amlwg, felly, i John Roderick Rees fod yn 'ddyn ceffylau' yn ogystal â bod yn dyddynnwr a bardd. Yr oedd ei dad a'i dad-cu o'i flaen yn wŷr meirch ac yn dilyn march; felly, yr oedd yn gyw o frid. Cofiwn mai ardal fynyddig oedd Pen-uwch, Bethania a'r Mynydd Bach: gwlad y bryniau a'r gweunydd, y rhosydd a'r llynnoedd, ac yr oedd gan bob fferm ar ddechrau'r ugeinfed ganrif bâr o geffylau i wneud y gwaith. Mewn ardal fel Pen-uwch, ychydig o ffermwyr a fyddai'n cadw ceffylau trymion o 17–18 llaw (y *Shires*),[7] ond yn hytrach cadwent y rhai mwy ysgafn o'r 15.2 i'r 16 llaw a'r rheini'n gryf ac ufudd. Ymhlith y ceffylau ysgafn hyn yr oedd y còb Cymreig y bu llawer o feithrin

---

5   Ffurfiwyd y gymdeithas yn wreiddiol yn 1901 gan dirfeddianwyr, ffermwyr a bridwyr ceffylau Cymru. Cyhoeddwyd y gyfrol gyntaf o'r *Welsh Stud Book* yn 1902 ac yng nghyfrolau'r gyfres y rhestrir meirch a chesig a gofrestrwyd gan y gymdeithas yng Nghymru. Mae pob cyfrol yn cynnwys manylion bridio pedair adran wahanol o ferlen (A) i gòb Cymreig (D). Ymddengys i fath arbennig o geffyl gael ei adnabod gyntaf fel y còb Cymreig yn 1840.

6   *Cerddi'r Ymylon*, t. 74.

7   Yr oedd 175,000 o geffylau gwedd yn gweithio ar ffermydd Cymru yn 1911; erbyn ail hanner yr ugeinfed ganrif, disodlwyd hwy gan y tractor.

arnynt ar gyfer marchogaeth ac i dynnu certi ysgafn yn ystod y bedwaredd ganrif ar bymtheg. Mae maint y cobyn Cymreig yn amrywio o'r 14 llaw hyd at 15.2 llaw, yn ôl chwaeth a gofynion y perchennog. Bu ardal Pen-uwch wrth droed y Mynydd Bach yn enwog dros genedlaethau lawer am fagu ceffylau a meirch o'r safon uchaf. Ceir hen bennill ar lafar sydd yn sôn am y traddodiad hwn:

> Hen ardal fynyddig lled agos i'r sêr
> Heb ynddi goed 'falau na ffigys na phêr,
> Ond llu o dyddynnod yn cadw dwy fuwch
> A deuddeg ystalwyn yw ardal Pen-uwch.[8]

Awdur y pennill oedd William Davies, Pistyllgwyn, Llanddewibrefi, perchennog y march Trotting Jack a anwyd yn 1908 ac a enillodd wobrau mewn sioeau dros Gymru a Lloegr. Lluniwyd y gerdd yn 1919 pan enillodd dau geffyl o'r ardal y wobr gyntaf a medalau yn Sioe Frenhinol Lloegr a gynhaliwyd y flwyddyn honno yng Nghaerdydd. Yn yr ardal hefyd yn ystod y cyfnod hwn yr oedd bridwyr fel Richard Morgan, Lluest-y-broga, Llangeitho, perchennog Caradog Flyer (ganed 1896), a deithiai siroedd Ceredigion, Caerfyrddin a gorllewin Morgannwg. Yr un oedd perchennog Ceitho Welsh Comet (ganed 1913), ceffyl du llwyddiannus a enillodd yn Sioe Frenhinol Cymru yn 1924. Perchennog cobiau arall yn yr ardal ydoedd H. S. Williams, Garnuchaf, Bethania, ac yr oedd ganddo yntau feirch a enillodd wobrau mewn sioeau ledled Cymru. Mae'n amlwg, gan hynny, fod ardal Pen-uwch a'r Mynydd Bach yn enwog o ddiwedd y bedwaredd ganrif ar bymtheg ymlaen am eu ceffylau a'u meirch. Cedwid ceffylau amlbwrpas at ddefnydd fferm a thyddyn, a

---

8   Dyfynnir gan Dafydd Edwardes o Danyffynnon, Pen-uwch, mewn ysgrif ar y còb Cymreig yn *Blwyddlyfr Cymdeithas y Merlod a'r Cobiau Cymreig*, 1971, t. 85. Gw. hefyd Wynne Davies, *Welsh Ponies and Cobs: Ceredigion Champions* (Llandysul, 2010), t. 42.

hynny yn absenoldeb tractor a thrafnidiaeth i gario pwn a nwyddau o unrhyw fath o'r siop a'r farchnad.

Yn yr ardal wledig i'r dwyrain o drefydd Aberystwyth ac Aberaeron y bu'r còb Cymreig fwyaf poblogaidd. Ar y tir uchel sydd yn lloches i dyddynnod a rhai ffermydd mwy o faint daeth y brid hwn yn gaffaeliad i incwm y tyddyn, ond hefyd yn allweddol yng ngorchwylion pob dydd y llefydd moel ac anghysbell hyn. Yn y darn hwn o Geredigion roedd yma ar un adeg oddeutu 20–30 bridfa gyda'r mwyafrif yn cadw dim ond un march er mwyn hybu bywoliaeth y tyddyn. Datblygwyd ffeiriau ceffylau yn yr ardal ar rai adegau o'r flwyddyn; y rhai mwyaf poblogaidd oedd Ffair Garon (16 Mawrth) a gynhelid yn Nhregaron,[9] a Ffair Dalis (7 Mai) yn Llanbedr Pont Steffan, lle y deuai prynwyr a gynrychiolai ddiwydiant mewn trefydd a dinasoedd.[10]

Yno, er enghraifft, y deuai gwŷr o Lundain i brynu cobiau ar gyfer y masnachwyr llaeth. Cyn i'r car modur a'r tacsi ddod yn boblogaidd ar strydoedd dinas a thref, y cab a dynnid gan gobyn o Geredigion a oedd mewn bri i ddwyn boneddigion i'r theatrau a'r gwestai. Prynai gwŷr y rheilffyrdd geffylau yng Ngheredigion hefyd ar gyfer tynnu wageni nwyddau o'r gorsafoedd. Troes Tregaron a Llanbedr Pont Steffan yn ganolfannu pwysig ar gyfer y rheini a ddymunai geffylau i'w defnyddio yn y pyllau glo yn neheudir Cymru. Treulient hwy eu hoes o dan ddaear heb weld golau dydd, ac eithrio ar ddiwedd eu hoes.

Er pwysiced y bu'r ceffyl, ac yn arbennig y còb, ar

---

9 Yn ôl Evan Jones yn *Cerdded Hen Ffeiriau* (Aberystwyth, 1972): 'Danfonwyd wyth-ugain-a-dau o geffylau o orsaf Tregaron mewn deunaw o wagenni ar ddydd Ffair Garon yn 1901' (t. 42).

10 Yn y ffair a gynhaliwyd yn 1901 yn Llambed, danfonwyd i ffwrdd i wahanol rannau o'r wlad tua 1,100 o geffylau mewn cant o wageni. Cynhelid Ffair Dalis dros gyfnod o dri diwrnod. Adeg y Rhyfel Byd Cyntaf aeth ceffylau'n brin a thelid prisiau uchel am y rhai a oedd yn ddigon cryf i dynnu gynnau trymion yn Ffrainc. Telid cymaint â £150 a £160 am geffyl cryf gan olygu y gallai ambell dyddynnwr glirio ei ddyledion.

dyddynnod Cymru ar un adeg, colli ei le a'i boblogrwydd fel ceffyl amlbwrpas a wnaeth yn sgil y mecaneiddio a fu yn ystod yr ugeinfed ganrif. Yn 1921, yr oedd oddeutu 180,000 ohonynt ar ffermydd Cymru; yn 1947, yr oedd y nifer wedi gostwng i tua 30,000; ac erbyn 1958, gwelwyd dirywiad eto yn y nifer i 25,000. Erbyn hynny, yr oedd y car, y bws, y lorri a'r tractor wedi hen ddisodli'r ceffyl.

Yn ystod ei oes yn tyddynna ac amaethu, defnyddiai John Roderick Rees geffylau at bob gorchwyl ar y fferm: aredig, trin y gwair a'r ŷd adeg y cynhaeaf, cyrchu siyrnau llaeth i waelod y lôn; yn wir, ni bu'n berchen ar dractor yn ystod ei oes. Yr oedd y còb yn rhan bwysig o'i fywyd economaidd ac amaethyddol ef a'i deulu. Pinacl gyrfa'r tad, David Rees, oedd ennill Cwpan Tywysog Cymru am y còb Cymreig gorau yn Sioe Frenhinol Cymru ym Mhen-y-bont ar Ogwr yn 1924 ac yna'r flwyddyn ganlynol yng Nghaerfyrddin gyda march o'r enw Mathrafal Brenin. Cafodd John Roderick Rees yr anrhydedd o feirniadu'r gystadleuaeth honno yn y Sioe Fawr yn Llanelwedd yn 1980 pan enillwyd y cwpan gan farch o'r enw Ffos-las Flying Rocket, eiddo Heulwen Haf Jones.

Bu cystadlu brwd yn sioeau Cymru rhwng y ddau ryfel byd, a'r galw'n fawr am geffylau gwaith a meirch teithiol. Yn dilyn yr Ail Ryfel Byd, newidiodd dulliau amaethu, a disodlwyd y ceffyl gwedd gan dractorau a pheiriannau, ond parhaodd rhai o fridwyr ardal y Mynydd Bach i gadw meirch gan ddyfod i gryn amlygrwydd ym myd y cobiau drwy Gymru.

Yr oedd 1,932 o dractorau ar ffermydd Cymru yn 1938; erbyn 1946, yr oedd y nifer wedi cynyddu i 13,652.[11] Ar yr un pryd, serch hynny, amcangyfrifwyd bod 81,462 o geffylau'n dal ar ffermydd Cymru yn ogystal â rhyw

---

11   Russell Davies, *People, Places and Passions: 'Pain and Pleasure'.*
     A Social History of Wales and the Welsh 1870–1945 (Cardiff, 2015),
     t. 36.

377,346 o wartheg godro, 3,286,272 o ddefaid a 1,011,218 o wartheg cadw.[12] Allforiwyd llawer o'r cobiau i wledydd fel Awstralia, Gwlad Belg, Canada, y Weriniaeth Tsiec, Denmarc, y Ffindir, Ffrainc, yr Almaen, Seland Newydd, Pacistan, De'r Affrig, Sbaen, Sweden, y Swistir, Unol Daleithiau America a'r Iseldiroedd, gan wneud i'r bridwyr yng Nghymru elw a'u galluogodd i hybu a meithrin y brid.[13] Troes cadw cobiau'n fusnes rhyngwladol yn hytrach nag yn hobi neu'n ffynhonnell ariannol ychwanegol i ddyddynwyr a ffermydd llai yng Ngheredigion. Datblygodd y còb Cymreig enwogrwydd byd-eang, yn arbennig pan ddechreuodd Bridfa Llanarth gynnal arwerthiannau a ddenai brynwyr o bob cwr o'r byd. Roedd 171 o gobiau ar werth yno yn 1982, er enghraifft, ond yn 1980, roedd y nifer wedi cynyddu i 326, sydd yn tystio mor ffyniannus oedd y farchnad gobiau yng Ngheredigion ar ddiwedd y ganrif ddiwethaf.

Roedd traddodiad ymhlith bridwyr cobiau o fynd â meirch a enillasai bremiwm o gwmpas ffermydd yn flynyddol yn gwasanaethu cesig. Yr oedd dilyn march yn rhan bwysig o economi llawer tyddyn a fferm fynyddig, a hynny'n arbennig yng nghanolbarth Cymru.[14] Câi'r meirch mwyaf poblogaidd fwyd am ddim a stabl fel y teithient o

---

[12] Mae'n werth cofio fod 50% o boblogaeth Cymru a drigai mewn ardaloedd gwledig yn gweithio yn y diwydiant amaeth yn 1951. Yr oedd gan ardal Tregaron, er enghraifft, boblogaeth o 5,384 yn y flwyddyn honno a 3,337 ohonynt (sef 52.5%) naill ai'n byw ar fferm neu'n ymwneud â'r diwydiant mewn rhyw ffordd neu'i gilydd. O'r 78 plwyf yng Ngheredigion yn 1951, dim ond 15 ohonynt a oedd â llai na 40% o'r trigolion yn gweithio yn y diwydiant amaeth. Amcangyfrifir bod oddeutu 18,000 yn gweithio ar ffermydd y sir yr adeg honno, ffigur a syrthiodd i 3,250 erbyn 1971.

[13] Gwir nad newyddbeth oedd allforio ceffylau, oblegid ceir cofnod i 16 march a thros 150 o gesig gael eu hallforio yn 1912 i'r Unol Daleithiau, Canada ac Awstralia. Hyd yn oed yn y dyddiau hynny talwyd £1,000 am farch 12 llaw, sef Greylight, o Fanyrafon, Llandeilo, a aeth i Awstralia. Gweler Wynne Davies, 'Merlod a Chobiau Cymreig', *Y Gwyddonydd*, Cyf. XIV, Rhif 3 a 4, (Medi/Rhagfyr 1976), t. 133 (132–3).

gwmpas y ffermydd. Byddai'r perchnogion yn hysbysebu'r meirch, gan nodi eu llinach a'u buddugoliaethau mewn sioeau ar gardiau i'w dosbarthu ymhlith ffermwyr y siroedd. O gofio nifer y cobiau a fridiwyd yng Nghymru ar droad yr ugeinfed ganrif, ychydig ohonynt a enillasai bremiwm yn ystod y cyfnod hwn a dim ond 114 o Adran C (13.2 llaw i 14.2 llaw) a 94 o feirch o Adran D (dros 14.2 llaw) a gofrestrwyd yn y *Welsh Stud Book* rhwng 1902 ac 1911.[15] Penderfynodd y Comisiwn Brenhinol ar Fridio Ceffylau, a gyfarfu yn 1888, y byddai'n sefydlu system premiwm ymhlith bridwyr i'w hannog i wella ansawdd a theithi eu meirch.[16] Cyflwynwyd Premiymau'r Frenhines

---

14 Mae Thomas Jones yn ei *Rhymney Memories* (Aberystwyth, 1990) yn sôn am ei dad-cu, Benjamin Jones o Langeitho, yn dilyn march: 'In the "season" Benjamin Jones travelled the shires as far as Hereford and Gloucester from farm to farm as groom with a stallion' (t. 34).

15 Wynne Davies, *The Welsh Cob* (London, 1998), t. 57.

16 Yn rhai o ardaloedd de Ceredigion ar ddiwedd y 19g, byddai boneddigion fel Syr Edward Webley-Parry-Pryse o Neuadd Tre-fawr, Llwyndafydd, a Morgan-Richardson o Neuadd Wilym, Llangoedmor, yn darparu meirch ar gyfer eu tenantiaid a'r ffermwyr lleol. Mewn ardaloedd eraill fel Castellnewydd Emlyn, byddai'r tymor yn cychwyn ddiwedd Ebrill gyda gorymdaith y meirch, ac yn Aberteifi, cynhelid yr hyn a elwir yn Sadwrn Barlys ar y Sadwrn olaf ym mis Ebrill. Rhoddai hyn gyfle i'r ffermwyr lleol ddewis eu meirch. Byddai perchnogion y meirch yn darparu 'cardiau meirch' yn dangos eu llinach a'u gwrhydri mewn gwahanol sioeau. Er mwyn gwella safon y stoc yn y cyffiniau, sefydlodd boneddigion yr ardal Gymdeithas Amaethyddol Dyffryn Teifi a Chymdeithas Feirch Dyffryn Teifi. Ar ôl 1949, rhannwyd y ceffylau fel a ganlyn yn ôl eu bridiau a'u maint:
Adran A: Y Ferlen Fynydd Gymreig na ddylai fod yn dalach na 12 llaw (121.9 cm); Adran B: Y Ferlen Gymreig; tebyg i'r ferlen Gymreig oedd yn fwy o faint ond dim mwy na 13.2 llaw (137.2 cm); Adran C: Merlen Gymreig o deip y còb. O'r un maint â'r ferlen Gymreig ond yn gryfach. Ni ddylent fod yn dalach na 13.2 llaw (137.2 cm); Adran D: Y Còb Cymreig. Fe'i nodweddir gan ei ddewrder, ei natur hydrin, ei ystwythder a'i ddygnwch. O ran taldra, y maent rhwng 14 llaw (142.2 cm) a 15 llaw (152.4 cm) ond ni chyfyngir ar eu taldra. Yr oedd Brenin Gwalia, er enghraifft, yn 14 llaw 2" a Mathrafal Brenin yn 14 llaw 1½. Gw. *The Welsh Stud Book*, Cyf. XXXIII (1949), t. 22.

gyntaf yn 1888, a daethant yn Bremiymau'r Brenin yn 1911. Y corff a ddyfarnai'r rhain oedd y Bwrdd Amaeth a Physgodfeydd. Ar gyfer merlod a borai'n wyllt ar y mynyddoedd yr oedd y rhain yn wreiddiol, ond yn 1912, cyflwynwyd premiymau i feirch eraill a wasanaethai ffermydd. Dyfernid pum premiwm i gobiau Cymreig, pedwar i ferlod mynydd Cymreig, chwech i feirch 'fell' a chwech i feirch y Fforest Newydd – cyfanswm o 21. Sefydlwyd pwyllgorau sirol i weinyddu a gweithredu'r system hon, ac i hysbysebu teithiau'r meirch, ac yr oedd gan bob march ei daith ei hun. Yn 1912, er enghraifft, dyrannwyd premiwm i ddau farch yng Ngheredigion. Erbyn 1923, yr oedd nifer y premiymau a ddyfarnwyd gan y Bwrdd yng Nghymru a Lloegr wedi cynyddu i 90, yn cynnwys 18 ar gyfer y cobiau Cymreig.

Yn 1928 dyfarnwyd tri phremiwm yr un i siroedd Ceredigion, Caerfyrddin, Morgannwg, Trefaldwyn, Penfro, Brycheiniog a Maesyfed ac un yr un i siroedd Dinbych a Meirionnydd. Un o'r bridwyr a gynrychiolai Geredigion y flwyddyn honno oedd David Rees, Bear's Hill Stud Farm. Y daith a roddwyd iddo ef oedd ardal Aberhonddu, gan fynd wedyn i gyfeiriad y Gelli Gandryll, Talgarth a Chrucywel. Dyfarnwyd premiwm i Frenin Gwalia yn flynyddol rhwng 1942 ac 1953 i deithio yng ngogledd Ceredigion. Parhaodd y gyfundrefn hon am weddill y ganrif, er i'r cymhorthdal a delid i berchnogion y meirch ostwng yn sylweddol, ac erbyn 1995, gwelwyd 23 o feirch yn cystadlu am chwe phremiwm ar gyfer de Cymru.

Mae'n debyg mai James Rees, ewythr John Roderick Rees, oedd yr olaf o'r dilynwyr meirch hyn a rhoes yntau'r gorau i'r gwaith yn 1963.[17] Ystyrid y gwaith yn anodd a gofynnai am ddycnwch a nerth corfforol i deithio hyd at 25 milltir y dydd ym mhob tywydd o fis Ebrill hyd fis Mehefin

---

17 Don Williams, 'The Stallion Man', *The Countryman*, Vol. 103, No. 4 (1998), t. 34 (34–6).

neu Orffennaf pan ddeuai'r 'tymor' neu'r 'sesn' i ben. Yn ystod y cyfnod hwn, byddai'r perchennog neu'r hwn a ofalai am y march i ffwrdd oddi cartref ac yn gorfod trefnu lluty ac ymborth iddo'i hun ac i'w farch. Ar ben hynny, ailbedolid y meirch bob rhyw bythefnos. Yn y tridegau, telid rhyw £4 am set o bedolau, a'r ffi am wasanaeth march oedd ychydig dros bunt. Er i'r ffioedd hyn gynyddu'n sylweddol ym mhumdegau'r ganrif ddiwethaf, eto nid ydynt i'w cymharu â'r swm mawr a delir heddiw am wasanaeth meirch.

Thomas Rees (1862–1951)

Mae cysylltiad teulu John Roderick Rees â'r còb Cymreig yn ymestyn yn ôl at ei dad-cu, Thomas Rees, a anwyd ar 31 Ionawr 1862 yn Sarnicol, Capel Cynon, Llandysul yng Ngheredigion. Dyma'r bwthyn hefyd lle y ganwyd Thomas Jacob Thomas ('Sarnicol') yn 1872, enillydd Cadair Eisteddfod Genedlaethol y Fenni yn 1913 ac awdur nifer o ysgrifau, telynegion, sonedau ac englynion. Yr oedd Thomas Rees yn un o ddeg plentyn – tair merch a saith bachgen – James a Mary Rees. Symudodd y teulu i Ddolau Llethi, Llannarth. Pan oedd yn wyth oed, dechreuodd fugeilio yn yr haf gan fanteisio ar ychydig ysgol yn Nhalgarreg yn ystod misoedd y gaeaf. Bu'n cydfugeilio ag Evan Pan Jones (1834–1922), sosialydd pybyr o brydydd propaganda a chenedlatholwr a oedd hefyd yn elyn anghymodlon i landlordiaid gorthrymus Cymru.[18] Ni ellir honni i wleidyddiaeth Pan Jones ddylanwadu fawr ddim ar Thomas Rees. Yn 1886, gwyddys i Thomas briodi â Rachel Davies, merch David a Catherine Davies, Vicarage, ger Capel Ficer, Mydroilyn. Ganwyd iddynt bump o blant, ond

---

18 Gw. E. G. Millward, 'Beirdd Ceredigion yn Oes Victoria', *Ceredigion: Cylchgrawn Cymdeithas Hynafiaethwyr Ceredigion*, Cyf. XI, Rhif 2 (1990), t. 185 (171–90).

tri bachgen a dyfodd i oedran gwŷr. Dechreuasant eu byd yn Ffosiwan, Mydroilyn, a symud yn ddiweddarach i Gefnfaes ger Capel Betws tua 1894, yna i fferm fwy, Cwmgwenyn, Llangeitho, lle y buont o 1897 hyd 1914 cyn symud i dyddyn Blaen-waun, Pen-uwch, ac aros yno hyd 1944. Symud wedyn i dyddyn bach, Bear's Hill, Pen-uwch, o 1944 hyd farw Thomas ar y 15fed o Ionawr 1951. Erbyn hynny, trigai gyda'i ŵyr a'i wyres gan y claddesid ei briod, Rachel, ar y 31ain o Fawrth 1936, ychydig wedi iddynt ddathlu eu priodas aur. Daearwyd gweddillion y ddau ym mynwent capel Gwynfil, Llangeitho.

Yn 1880, yn 18 oed, dechreuodd Thomas Rees gadw march, sef Bold Buck, mab i Cardigan Driver a oedd yn eiddo i bregethwr Undodaidd ym Maesymeillion, Llanybydder. Pan fu farw, felly, yn Ionawr 1951 yn 89 mlwydd oed, bu'n bridio cobiau Cymreig am ddeng mlynedd a thrigain. Cyn hir, yr oedd Thomas wedi ymserchu mewn cobyn chwech oed o'r enw Welsh Briton, a oedd yn eiddo i David Charles Jones, Abercefel, Llandysul. Gwerthodd Bold Buck er mwyn talu amdano. Yr oedd erbyn hynny'n was ym Mhant-moch, Pont-siân. Daeth Welsh Briton yn un o hoelion wyth y cobiau Cymreig.[19] Y pryd hwnnw, yr oedd bri ar drotian uchel a chyflym, a dwy funud, 18 eiliad a gymerai Welsh Briton i drotian milltir. Enillodd tri o'i blant y brif ras yn Alexandra Park yn Llundain dair blynedd yn olynol rhwng 1892 ac 1894. Fe'i marchogwyd gan joci lleol, David Davies, Port Llanis. Y march hwn a ddatblygodd yn gonglfaen i styd feirch y teulu Rees.[20] Pan ddaeth ei oes i ben ac yntau'n 21 oed, fe'i claddwyd yn naear Cwmgwenyn ynghyd â thri march còb arall o eiddo Thomas Rees.

Gorwedd chwe march arall o'i eiddo ym Mlaen-waun,

---

19 Wynne Davies, *The Welsh Cob*, t. 137. Gw. hefyd John Roderick Rees, 'Welsh Briton', *Welsh Cob Review*, No. 12 (April 1997), t. 9.
20 Ceir llun o'r march yn *Blwyddlyfr Cymdeithas y Merlod a'r Cobiau Cymreig* (1981), t. 112.

Pen-uwch, lle y symudodd y teulu yn 1914. Erbyn hynny, yr oedd gan Thomas Rees dri mab: Harry (1888–1931), James (1890–1965) a David (1892–1969), a hwy a'i cynorthwyai i ofalu am yn agos i ddeg ar hugain o feirch. Cofrestrodd ddau farch a dwy gaseg yng nghyfrol gyntaf y *Welsh Stud Book* yn 1902, sef llyfr achau Cymdeithas y Merlod a'r Cobiau Cymreig a sefydlwyd yn 1901. Yn wir, cadwodd Thomas Rees a cherddodd feirch còb Cymreig – drwy gydol ei oes gan ddechrau yn 1876 yn llanc pedair ar ddeg oed. Yn 80 oed, ailafaelodd am dymor arall pan ddilynodd ei gel du, Blaen-waun True Briton (ganed 1922), am dridiau bob wythnos yng nghanolbarth Ceredigion.[21]

Dilynodd y tri mab yr un gorchwyl â Thomas Rees. Bu David Rees (tad John Roderick Rees) yn cadw a dilyn march am hanner can mlynedd, James Rees am gyfnod tebyg, a Harry Rees o'i fachgendod hyd ei farw ifanc yn 1931. Byddai meirch Thomas Rees yn 'trafaelu' cyn belled â siroedd Morgannwg a Mynwy, ac ymlaen weithiau hyd Gaerloyw. King Briton (ganed 1889), o linach Briton Comet a True Briton a Welsh Briton, oedd y march cyntaf i Thomas Rees ei ddwyn dros Glawdd Offa. Cychwynnodd James Rees ar y gwaith yn 1907 yn sir Forgannwg gyda march o'r enw King Briton, a'i dymor olaf oedd 1963, gyda Meiarth Royal Eiddwen (ganed 1939). Yn 1942 lluniodd John Roderick Rees, ei ŵyr, gerdd gyfarch i Thomas Rees ar gyrraedd ohono ei ben-blwydd yn bedwar ugain oed. Ynddi, mae'n canu mawl i'w gyfraniad i gobiau'r sir:

---

21 Yr oedd True Briton yn dad i nifer o anifeiliaid adnabyddus, yn cynnwys Dewi Rosina, caseg a gychwynnodd y Derwen Stud enwog ym Mhennant, Ceredigion. Ef hefyd oedd tad Llanarth Firefly a roes gychwyn i'r Llanarth Stud. Gw. Teleri Bevan, *The Ladies of Blaenwern: The Story of the Dorian Trio and the Llanarth Welsh Cob Stud* (Tal-y-bont, 2010), tt. 45–6; Wynne Davies, *The Welsh Cob* (London, 1998), t. 166; Wynne Davies, *Welsh Ponies and Cobs* (London, 1985), tt. 398–9.

I ramant Còb y Cardi
　Y rhydd atgofus barch,
Oes gyfan bu'n ymgolli
　Ym mabinogi'r march:
A phwy fel ef â'i gof gyhyd
　Am linach y ceffylau i gyd?[22]

Yr oedd Thomas Rees yn un o aelodau cyntaf Cymdeithas y Merlod a'r Cobiau Cymreig,[23] ac ychydig flynyddoedd cyn ei farw fe'i gwnaed yn aelod anrhydeddus am oes o'r gymdeithas honno. Mae'n arwyddocaol hefyd i E. D. Jones, golygydd *Y Bywgraffiadur Cymreig 1951–1970* (1997), ofyn i John Roderick Rees am gofnod am Thomas Rees i'w gynnwys yn y gyfrol ac yn y fan honno sonnir bod cyfraniad Thomas Rees a'i feibion i'r còb Cymreig yn nodedig ar dri chyfrif:

(1) O'i feirch y tardd llinach hynaf cobiau cofrestredig hyd heddiw.

(2) Ni roddodd neb arall gynifer o flynyddoedd i ddilyn meirch còb a hynny ar adegau anodd a thlawd yn nauddegau a thridegau y ganrif ddiwethaf.

(3) Cyfyngodd y teulu eu diddordeb i'r un brid hwn o geffyl drwy'r blynyddoedd a hynny ar adegau pan oedd y mwyafrif o fridwyr yn coleddu bridiau estron fel y ceffylau Arabaidd, yr Hackneys, ac eraill, am eu bod yn talu'n well. Cydnabuwyd gan lawer na fuasai'r còb Cymreig wedi goroesi heb gyfraniad Thomas Rees.

Ar ei garreg fedd yng nghapel Gwynfil, Llangeitho, mae cwpled o waith T. Gwynn Jones:

---

[22] *Cerddi'r Ymylon*, tt. 72–3.
[23] Ar hanes y gymdeithas, gw. Nell Pennell, 'History of Our Society', *Blwyddlyfr Cymdeithas y Merlod a'r Cobiau Cymreig* (1967), tt. 23–6.

Tawel ynghanol pob tywydd
Dewr hyd ddiwedd y daith.[24]

David Rees (1892–1969)

Yr oedd David Rees, mab Thomas Rees, wedi cwblhau ei dymor cyntaf o ddilyn march, neu ganlyn stalwyn, cyn bod yn bedair ar ddeg oed. Enw'r march oedd Britonian ac aeth ag ef i sir Forgannwg a chafodd yno dymor llwyddiannus. Byddai David Rees yn marchogaeth merlen ac yn arwain y march, ac yn ddieithriad cariai hwnnw bwn (yn cynnwys bwyd a dillad am y cyfnod y byddid i ffwrdd). Teithid fel arfer oddeutu 20–25 milltir y dydd gan alw ar ffermydd ar y ffordd. Gwaith caled oedd hwn a olygai oriau hir, o wyth o'r gloch y bore fel arfer hyd tua naw neu ddeg y nos. Yn yr hen ddyddiau, byddai dau berson yn dilyn un march: y naill ar y blaen yn hel cwsmeriaid yn y ffermydd, a'r llall yn dilyn gan dywys y march. Roedd y drefn honno, er hynny, wedi gorffen cyn dyddiau David Rees, ac wrtho'i hunan y teithiai ef gan hel ei gwsmeriaid ei hun wrth fynd rhagddo. Fe wnaeth Titch, merlen fach 13 llaw, gario David Rees, a bwysai o gwmpas 18 stôn, am dros ugain mlynedd.[25] Parhâi'r tymor am ryw 13 wythnos, o ddechrau Mai hyd ddiwedd mis Gorffennaf.

Yn y siroedd Cymreiciaf, byddai'n aros y nos yn y ffermydd, a thystiai mai yn yr ardaloedd mynyddig y ceid y croeso a'r lletygarwch gorau. Pan groesai'r ffin i Loegr, mewn tafarn neu westy yr arhosai. Bu wrth y gwaith hwn am hanner can mlynedd. Wrth fynd ar deithiau o gwmpas siroedd Cymru yr oedd yn rhaid i berchennog march wrth ddawn siarad naturiol a ffraethineb er mwyn 'gwerthu'

---

24 John Roderick Rees, 'In the Beginning', *Blwyddlyfr Cymdeithas y Merlod a'r Cobiau Cymreig* (1981), t. 117 (111–17).

25 Ceir llun o David Rees ar gefn y ferlen hon yn *Blwyddlyfr Cymdeithas y Merlod a'r Cobiau Cymreig* (1962), t. 28.

gwasanaeth ei anifail. O ystyried hynny, mae sylw T. J. Davies o Lanfihangel-y-Creuddyn yng Ngheredigion yn ddadlennol wrth gymharu personoliaethau David a James ei frawd:

Dau wahanol iawn oedd Jim a Dai Rees; Jim yn fwrlwm o gleber a doniolwch, a chanddo ddawn y cyfarwydd, ac wrth gwrs 'roedd wedi teithio cymaint o Gymru ac wedi cwrdd â phob math o gymeriadau nes ei fod yn stôr ddihysbydd o storïau doniol a charlamus. Tawel, dywedwst braidd, oedd Dai Rees, efallai bod mwy o waelod iddo, ond ei unig gonsyrn oedd y 'ceffyl'; tendiai hwnnw â gofal anghyffredin.[26]

Un o feirch mwyaf llwyddiannus David Rees oedd High Stepping Gambler II (ganed 1902), ceffyl cryf o ryw 15 llaw o uchder.[27] Enillodd gynifer â 65 gwobr gyntaf mewn gwahanol sioeau ar hyd a lled y wlad,[28] ac ef oedd y march còb cyntaf i ennill Cwpan Tywysog Cymru a hynny o blith 36 o feirch yn y Sioe Genedlaethol a adwaenir heddiw fel Sioe Amaethyddol Frenhinol Cymru. Fe'i claddwyd yn 32 mlwydd oed yn 1933 mewn cae bach ger tŷ Bear's Hill.[29]

---

[26] *Pencawna* (Abertawe, 1979), t. 27.

[27] Perchennog cyntaf High Stepping Gambler II oedd hen ewythr i John Roderick Rees, sef Evan Davies, Pen-rhiw, Silian, ger Llanbedr Pont Steffan. Bu i Evan Davies werthu'r march wedyn i ewythr John, Henry Rees, ac yntau yn fuan wedyn i David Rees. Ceir ysgrif fer ar y march hwn gan John yn *Blwyddlyfr Cymdeithas y Merlod a'r Cobiau Cymreig* (1977), tt. 98–101. Gw. hefyd Wynne Davies, *Welsh Ponies and Cobs*, tt. 344–9.

[28] Yr oedd ym meddiant John Roderick Rees gengl ledr gyda 48 o dlysau pres wedi eu hysgythru yn cofnodi'r gwobrau a enillasai'r march rhwng 1907 ac 1919 a lle yr enillwyd hwy. Rhoddid y gengl o gwmpas y march pan eid ag ef i'r ffeiriau a'r sioeau i'w arddangos. Mae Pauline Taylor o Fridfa Llanarth yn cyfeirio at y 'stallion roller' hon mewn erthygl ar y cobiau Cymreig yn *Blwyddlyfr Cymdeithas y Merlod a'r Cobiau Cymreig* (1967), t. 18.

[29] John Roderick Rees, High Stepping Gambler, *The Welsh Cob Review*, 14 (April 1998), tt. 12–14.

Un arall o feirch David Rees i ennill Cwpan Tywysog Cymru oedd Mathrafal Brenin (1911–1928) a brynwyd ganddo yn 1921 am 290 gini yn St Albans, a hynny ar adeg o gyni ac argyfwng ariannol yn y byd amaethyddol.[30] Talodd ffydd a barn David Rees ar ei ganfed, gan i'r march hwn ennill Cwpan Tywysog Cymru yn 1924 ac 1925. Yna yn 1934, prynodd David Rees Brenin Gwalia, un o gobiau mwyaf enwog a gosgeiddig y ganrif ddiwethaf. Ganwyd y march hwn yn 1934 ar fferm Lloyd Rees, Tynewydd, Llandefalle, sir Frycheiniog. Pan nad oedd ond chwe mis oed fe'i prynwyd gan David Rees, gan gyrraedd Bear's Hill fin hwyr tywyll ar y 1af o Ragfyr 1934 a hynny ar ben-blwydd John yn bedair ar ddeg oed. Gwnaed trefniant rhwng Lloyd Rees, y perchennog, a David Rees i gyfarfod ym marchnad Aberhonddu fel y gellid trafod y pris ac er mwyn i David benderfynu a oedd y ceffyl ifanc yn arddangos addewid neu botensial fel march. Yr oedd David Rees yn chwilio am farch llwyddiannus gan i Mathrafal Brenin drigo o'r clefyd *anthrax* yn 1928, a High Stepping Gambler II yn 1933, a dim ond Gwalia Victor a oedd ar ôl i gynnal traddodiad y fridfa. Yr oedd Brenin Gwalia yn fab i Gwalia Victor (1924–1951) ac yn ŵyr i High Stepping Gambler II. Yn ôl tystiolaeth John, yr oedd o'r cychwyn yn farch rhwydd i'w arwain ac yn boblogaidd ymhlith cwsmeriaid. Dichon mai awr fawr Brenin Gwalia oedd honno pan enillodd y brif gystadleuaeth i feirch yn Sioe Frenhinol Cymru yng Nghaerfyrddin yn 1947. Ymhen blwyddyn wedyn, fe'i dewiswyd gan Gymdeithas y Merlod a'r Cobiau Cymreig i gynrychioli'r brid yn y White City yn Llundain. I ddyn ifanc o berfedd gwlad Ceredigion, bu ymweld â Llundain ac aros yno yn brofiad a wnaeth aros yn

---

30 Ceir lluniau o Mathrafal Brenin yn *Blwyddlyfr Cymdeithas y Merlod a'r Cobiau Cymreig* (1982), tt. 114–15. Am hanes a llwyddiannau Mathrafal Brenin gw. John Roderick Rees, 'Cover Story', *Welsh Cob Review*, No. 18 (April 2000), tt. 4–7.

glir yn y cof tra bu byw. Mewn llawysgrif o'i eiddo, mae'n cofio'r digwyddiad hanner can mlynedd yn gynharach:

Y flwyddyn oedd 1948, y lle y White City, a'r Sioe, Sioe Ryngwladol y Ceffylau. Y ceffyl oedd march Cob Cymreig enwog nhad a fi, sef Brenin Gwalia. Yr oedd wedi ei ddewis i gynrychioli meirch Cymru a chaseg Lloyd Meiarth [Bwlch-y-llan][31] i gynrychioli'r cesyg ... Nid cystadlu, ond dangos y brîd ar ei orau yn sgîl llwyddiannau'r gorffennol. Yn lorri Mr. Wm Morris, Llanilar yr aeth Nhad a fi a'r march. Arhosais i gyda'r ceffyl yr holl ffordd yng nghefn y lorri i weld y golygfeydd yn dirwyn rhwng estyll ochrau'r lorri. Rhyw 6 awr o daith y pryd hynny.

Cyrraedd ac i un o'r cabanau y tu ôl i'r White City oedd i fod yn westy gwellt i'r march a minnau am yr wythnos. Yr oedd yno gynrychiolwyr o 20 brîd o geffylau ysgafn a geid ym Mhrydain. Dilyn ein gilydd o gwmpas y cylch ddwywaith y dydd, unwaith yn y prynhawn ac yna yn y llifolau wedi'r nos. Yr holl amseru i'r funud. Cadwyd dau farch a wnai'r arddangosiad gorau yn ôl i'w dangos eu hunain wedi gwacau'r cylch, sef Brenin Gwalia a Coed Coch Madog.[32] Y fi oedd yn dangos y Brenin ac arferwn ddweud wrth blant yr ysgol

---

[31] Mae'n debyg mai cyfeirio a wneir yma at Meiarth Welsh Maid o eiddo David Lloyd a enillodd Gwpan Tywysog Cymru yn y Sioe Frenhinol yn 1947, 1949, 1950 ac 1955.

[32] Ganwyd y merlyn yn 1947. Er nad oedd ond 11 llaw 3 modfedd, yr oedd yn un o ferlod mynydd mwyaf poblogaidd a llwyddiannus y dydd. Fe'i bridiwyd gan Miss M. Brodrick, Cefn Coch, Abergele. Yn ôl Wynne Davies yn *Welsh Ponies and Cobs* (t. 157), yr oedd yn geffyl gwyn arbennig o hardd, gan ychwanegu na lwyddodd unrhyw farch arall o'i faint i'w guro drwy'r pumdegau: 'Between 1951 and 1962, Coed Coch Madog set up a record by winning the Royal Welsh Show Male Championship on no fewer than nine occasions' (tt. 158–9). Enillodd yn ystod ei oes 139 gwobr gyntaf, 63 pencampwriaeth, a 53 o gwpanau a medalau.

yn Nhregaron, lle'r oeddwn yn athro, a hynny'n wir i mi
redeg o gwmpas cylch y White City wrth ben y march
ddwywaith y dydd am wythnos, lle bu athletwyr gorau'r
byd yn eu tro. Hyn am wythnos gyfan.

Adre'n flinedig yr aeth John Roderick Rees a'i dad a Brenin
Gwalia hefyd ar ddiwedd yr wythnos. Yn dilyn hyn, yr oedd
y cylchgrawn *Farmer and Stockbreeder* am gyhoeddi llyfr
yn dangos goreuon anifeiliaid Prydain, yn cynnwys
ceffylau, gwartheg, defaid, moch ac yn y blaen i'w anfon yn
hysbyseb i 55 o wledydd tramor. Penderfynodd y
cylchgrawn gynnwys llun o Frenin Gwalia ond yn hytrach
na thynnu llun ohono yn y fan a'r lle yn Llundain,
anfonwyd ffotograffydd i lawr i Berth-lwyd, lle'r oedd y
teulu'n byw yr adeg honno, i ddarlunio'r march yn ei
gynefin. Ymddangosodd y llun mewn cyfrol o'r enw *Britain
Can Breed It* (1949), a bu'r gwreiddiol yn addurno pared
Bear's Hill dros y blynyddoedd.[33] Ymddangosiad olaf
Brenin Gwalia mewn cylch sioe oedd hwnnw yn
Llanymddyfri yn 1954 pan oedd yn ugain oed.

Mae'n werth nodi hefyd y defnyddid Brenin Gwalia gan
y teulu at waith harnais ar y fferm. Ef a ddefnyddid i aredig
a llyfnu'r tir, ac i gynaeafu'r gwair a'r ŷd. Mewn cyfres o
dribannau a gyfansoddodd John Roderick Rees yn 1959,
mae'r bardd yn dangos mor gyfarwydd ydoedd ef a'i dad â
defnyddio pâr o geffylau i aredig y tir:

> 'Rwy'n cofio arad Leion
> A'i chwysi barrau sebon,

---

33 J. P. Goodwin, ed., *Britain Can Breed It* (Watford, 1949), t. 75.
Mae'n sôn am nodweddion y còb Cymreig fel a ganlyn: 'Standing
about 14 hands high as a rule, of a wide range of colour, the Cob
has flinty bone, a mane of silky hair, and tufts of fine hair at the
heels. Its alert stance suggests an active disposition and its quick
starting and rapid continuous trotting fully bear out the
impression. It is finding growing recognition among overseas
governments'.

Yn hytir syth a'r dalar lân
Yn troi yn fân a chyson.[34]

Byddai Brenin Gwalia yn cyfebru o leiaf 100–150 o gesig yn flynyddol. Gan y byddai David Rees yn codi dros ddwy bunt am wasanaethu pob caseg, golygai hyn fod Brenin Gwalia yn cyfrannu'n sylweddol at incwm y tyddyn. Ef mewn gwirionedd oedd 'bara menyn' y teulu, a hebddo byddai'n ofynnol i David Rees fynd allan i weithio ar un o'r ffermydd lleol. Bu'n trafaelio o'r adeg pan oedd yn farch ifanc tair oed nes ei fod yn ugain oed, ac yn ôl David Rees mewn cyfweliad â Dyfed Evans yn *Y Cymro*: 'Doedd dim trechu ar y "Brenin" yn ei ddydd'.[35] Enillodd 65 o wobrau cyntaf mewn gwahanol sioeau gan gynnwys y bencampwriaeth yn Sioe Llanbedr Pont Steffan, un o'r mwyaf o'r sioeau yn ei dydd, wyth gwaith yn olynol. Cafodd David Rees gynnig llawer o arian am Frenin Gwalia gan brynwyr, ond gwrthod pob cynnig a wnâi o barch iddo. Daeth y march i derfyn ei rawd yn 1965 ac fe'i claddwyd yn Bear's Hill gyda'i dad-cu mewn cae cyfagos.

Aeth blwyddyn heibio cyn i David Rees ddod o hyd i farch arall i gymryd ei le. Dyma'r unig flwyddyn yn ei fywyd pan nad oedd ganddo farch yr ochr arall i wal y tŷ. Yn 1966, daeth Rhosfarch Frenin (ganed 1961), mab i Frenin Gwalia, y seithfed genhedlaeth o feirch yn nheulu'r Reesiaid. Prynwyd Rhosfarch Frenin oddi wrth Richard Tudor, Rhosfarch, Pennal, pan oedd yn bum mlwydd oed.

Bu David Rees farw ar 3 Gorffennaf 1969 yn 76 mlwydd oed a chafodd ei gladdu gyda'i wraig, Mary, ym mynwent capel Bethania. Penderfynodd John gadw'r march er ei brysurdeb ar y pryd fel athro yn Ysgol Uwchradd Tregaron. Yr oedd yn ymwybodol o'r traddodiad teuluol ac nid oedd am dorri'r llinyn cyswllt â'r cobiau a gychwynnwyd gan ei

---

34 *Cerddi'r Ymylon*, t. 88.
35 *Y Cymro* (18 Mai 1961), t. 1.

dad-cu yn 1880. Ni cheisiodd boblogeiddio'r march yn yr ystyr fasnachol; yr oedd yn fwy na digon iddo'i gadw yn y stabal a'i ddefnyddio pan fyddai rhywun yn gofyn am ei wasanaeth. Fe'i dangoswyd ddwywaith yn y Sioe Fawr yn Llanelwedd, a daeth yn drydydd mewn dosbarth lluosog yn 1971, ac yn ail yn 1973. Mewn erthygl a luniodd yn sgil trigo Rhosfarch Frenin yn 1989, mae'n amlwg fod y cythraul canu wedi codi ei ben yr adeg honno ym myd y meirch hefyd, oblegid medd John Roderick Rees:

> Whenever there is a stallion or mare of some significance (or a person for that matter) the demolishers invariably set in. Rhosfarch Frenin had his share. These trivial people should remember that walls sometimes have ears and that most often I knew the faces behind the masks of those that bore the poisoned chalice.
>
> It is so much more pleasant to remember friends who counted it a privilege to use his service down the years. There were many in Cardiganshire, some especially loyal in Carmarthenshire, a coterie of Glamorgan enthusiasts; indeed they came from all over England. I remember a Mr Beesley from Leicester making a round trip of 300 miles in a day because I did not 'keep' visiting mares.[36]

Ymhlith epil Rhosfarch Frenin yr oedd y march a enillodd Gwpan Tywysog Cymru yn y Sioe Frenhinol yn 1980, sef Ffos-las Flying Rocket o eiddo Heulwen Haf Jones, ac ŵyr iddo oedd Horeb Euros (ganed 1985) a fu'n fuddugol yn y Sioe Frenhinol yn 1993, eiddo Roderick Lloyd Rees, mab i John Roderick Rees, a oedd wedi sefydlu ei fridfa ei hun yn 1978 ym Mlaenffynnon, Horeb, Llandysul.

Nid oedd Roderick ond yn berchen ar ddau geffyl yn

---

36 *Blwyddlyfr Cymdeithas y Merlod a'r Cobiau Cymreig* (1990), t. 125.

unig pan gychwynnodd ei fridfa ei hun ar dyddyn ei fam yn Horeb. Canolbwyntiodd yntau fel gweddill teulu'r Reesiaid ar gynhyrchu meirch llwyddiannus yn hytrach nag ar gesig. Ei nod o'r cychwyn fu magu cobiau Cymreig traddodiadol, cryf eu hesgyrn a chwbl atebol i weithio ar y tir petai angen. Tuedd rhai bridwyr yw troi at gòb mwy ysgafn ac enillfawr drwy ei groesi â chaseg Hackney. Erbyn hyn y mae ganddo ryw 40 o geffylau ar y tyddyn, er ei fod yn rhentu lle arall hefyd gan iddo ef a Cathrine, ei wraig, sefydlu siop gwerthu bwyd anifeiliaid a nwyddau gwledig ym Mlaenffynnon.

Daw Cathrine Rees hithau o deulu o fridwyr cobiau nodedig. Roedd ei thad-cu, John Huw Davies, yn byw yn Fferm Bigni yn y Ferwig, ger tref Aberteifi, a byddai David Rees yn galw yno'n rheolaidd ar ei deithiau bob haf gyda Brenin Gwalia. Yn 1933, prynodd J. H. Davies gaseg flwydd oed o'r enw Verwig Bess i gynorthwyo gyda'r gwaith ar y fferm, yn arbennig adeg aredig a chywain cynhaeaf. Dyma'r gaseg a roes gychwyn i'r fridfa. Merch iddi oedd Eiddwen Ches (ganed 1944), a disgynnydd iddi oedd Teify Welsh Maid a enillodd bencampwriaeth y cobiau a Chwpan Tywysog Cymru yn Sioe Amaethyddol Frenhinol Cymru yn 1955. Beirniadodd J. H. Davies gystadlaethau'r cobiau Cymreig yn y Sioe Frenhinol yn 1968. Mab iddo ef oedd Meuryn, darlithydd amaethyddiaeth yng ngholeg Hartpury yn swydd Gaerloyw, ac yma y ganwyd Cathrine. Roedd Meuryn yntau'n fridiwr merlod o fri ac enillodd un ohonynt, Tinval Prince, wobr gyntaf yn y Sioe Frenhinol yn 1988. Yn dilyn marwolaeth annhymig Meuryn Davies yn 55 oed yn Hydref 1993, trosglwyddwyd ei ferlod i Fridfa Horeb.

Erbyn hyn y mae gan Roderick a Cathrine dri o blant i draddodi'r awenau iddynt ac i barhau'r traddodiad teuluol: Tirion Haf sydd yn canolbwyntio a disgleirio ym maes celf, Siôn Gwalia sydd bellach wedi bwrw ei brentisiaeth fel gof,

a Ffion Anna sydd yn gofnodydd llaeth i'r Gwasanaethau
Gwybodaeth Gwartheg. Mae'r tri erbyn hyn yn rhannu'r
cyfrifoldebau ar y tyddyn ac yn y siop. Dyma'r bumed
genhedlaeth o fridwyr cobiau yn y teulu Rees. Gallant yn
hawdd bellach ddisgwyl o leiaf 1000 gini am ebol o'r fridfa,
pob un ohonynt yng ngwaedoliaeth Brenin Gwalia, y
rhwymyn anweledig sy'n clymu'r cenedlaethau ynghyd.

O ddilyn hanes y teulu Rees, mae ei gyfraniad i barhad
a ffyniant y còb Cymreig yn amlwg. Nid hawdd dros y
blynyddoedd fu atal y còb fel brid rhag peidio â bod, a
mynd i ddifancoll yn wyneb poblogrwydd bridiau eraill. Yr
oedd bywoliaeth y teulu Rees yn dibynnu ar ansawdd a
llwyddiant eu meirch. Buasai angen gŵr o reddf a chraffter
arbennig i gynnal bridfa a lwyddai i ennill parch a ffydd y
cwsmer. Yr oedd angen gofal cyson a phorthiant da ar y
meirch a rhaid oedd iddynt ymddangos ar eu gorau mewn
ffair a marchnad, a hefyd adeg trafaelu; heb hynny, prin
fyddai'r cwsmeriaid. Wrth fynd â Brenin Gwalia ar ei
deithiau adeg y tymor, ni fyddai David Rees yn ei
farchogaeth, ond yn hytrach yn mynd â Bryn Arth Titch
(13 llaw) i'w gario, ond fel yr atgoffir ni gan ei fab: 'Never
did he ride her downhill; the skin under the saddle was
unmarked and her limbs were fit for another stint when
she died at 27'.[37] Dengys hyn ofal a chariad at anifail a fu
dan ei ofal ac a feithrinodd dros gyfnod hir. Yr oedd yn 'ŵr
march o frid'. Mae John Roderick Rees mewn anecdot am
High Stepping Gambler II yn sôn hefyd am hoffter y march
hwnnw o'i berchennog:

> Although kept indoors, he was allowed a few hours
> browsing and exercising on a fine day. On almost the
> last such occasion, he decided to lie down as dusk was
> approaching and we could not coax him to come in. My

---

[37] 'A Son's Tribute to his Father', *Blwyddlyfr Cymdeithas y Merlod a'r Cobiau Cymreig* (1970), t. 33 (32–4).

father was at a farm sale and we eagerly awaited his return. It was now dark. He came, lit a stable-lamp, went to the field gate and called 'Dere, Gambler bach' (Come, dear Gambler). Up he came straightaway and marched to his loose-box like a 2-year-old.[38]

Cadwyd meirch gan y teulu Rees am dros 130 o flynyddoedd a hynny mewn ardal a sir a ddaeth yn gyfystyr â ffyniant a pharhad y còb Cymreig traddodiadol. Gwelwyd fel y bu i'r teulu 'drafaelu march' o 1876 hyd i Frenin Gwalia fynd yn rhy hen yn 1955 i deithio milltiroedd lawer dros gyfnod o fisoedd. Yr oedd yn geffyl ugain oed erbyn hynny. Glynodd y teulu wrth y còb Cymreig pur a thraddodiadol heb gyflwyno bridiau eraill. Fel y dywedir gan John Roderick Rees mewn ysgrif deyrnged i'w dad: 'Even in the hackney heyday, Thomas Rees and his sons clung tenaciously to the native breed and beat the alien infiltrators, against the fashionable trend'.[39] Yr oedd ymhyfrydu fel hyn ym mhurdeb gwaedoliaeth yr ach yn rhywbeth a wnaethpwyd gan gywyddwyr yr Oesoedd Canol, ac yn eu traddodiad hwy gallai David Rees ddilyn achau llawer o feirch enwog ei ddydd. Soniodd ei fab am hyn yn ei deyrnged iddo:

On his hearth, in his later years, he was never lonely. People of like interest, through the length and breadth of the land called to enjoy an unrivalled feast of reminiscence and cob genealogy. Name any cob and he would reel off his antecedents to the fifth and sixth generations, with meticulous details, resolving the characteristics of present-day animals by delving into the byways of the blood. I was always amazed by his

---

[38] *Blwyddlyfr Cymdeithas y Merlod a'r Cobiau Cymreig* (1977), t. 101.
[39] 'A Son's Tribute to his Father', *Blwyddlyfr Cymdeithas y Merlod a'r Cobiau Cymreig* (1970), t. 32 (32–4).

unbelievably keen observation and most retentive memory in all matters connected with cob lore.[40]

Flynyddoedd yn ddiweddarach cyfansoddodd John Roderick Rees ddwy gerdd foliant i'w dad. Yn y soned a luniodd ar ddechrau wythdegau'r ganrif ddiwethaf y mae'n canolbwyntio'n bennaf ar waith arloesol David Rees ym myd y cobiau:

> Am hanner canrif weithgar teithio siroedd
> Yn fawr ei ofal am ei boni a'i farch,
> Yn weddus a thrwsiadus ar ei hyntoedd,
> Ym mhob rhyw hendre a hafod, ennill parch.[41]

Hwyrach fod yr ail gerdd fawl i'w dad yn ddarlun mwy cyflawn ohono fel dyn teulu, a'i hunan-barch a'i ofal o'r 'pethau bychain' neu'r manion ar ei dyddyn, a cheir ynddi ddarlun o'i ymddangosiad allanol a'i ofal tadol. Diddorol yw'r cyfeiriad at y defnydd ymarferol a wnaed gynt o'r 'hen ŵr', sef planhigyn nas gwelir nemor fyth bellach yng ngerddi'r wlad. *Artemisia Abrotanum* yw ei enw Lladin. Nodweddir ef gan ei arogl hyfryd. Mae gwyfynod a phryfetach yn casáu'r arogl ac er mwyn eu cadw hwy draw ar ei deithiau y byddai David Rees yn rhoddi sbrigyn yn lapel ei got. Byddai amryw yn gosod darn ohono mewn cypyrddau dillad i'w gwarchod rhag y pryfed. Eraill yn ei ddefnyddio yn y gegin i roi blas wrth goginio. Honnir ei fod hefyd yn llesol fel moddion ac fel te llysieuol.

Dyma gerdd sy'n bortread o dyddynnwr ac o wladwr bonheddig, o benteulu a ddysgodd ei werthoedd a'i safonau yn 'ysgol profiad'. Hon yn ddiau oedd un o gerddi olaf John Roderick Rees, ac mae'n disgrifio'r gwerthoedd ei fywyd:

---

40 'A Son's Tribute to his Father', t. 33.
41 *Cerddi John Roderick Rees*, t. 136.

Fy Nhad
(1892–1969)

Eleni byddai ef yn gant oed
pe na bai'r Angau wedi ei gipio
er chwarter canrif bron.
Efe oedd fy mhensynnwyr,
y sicr ei farn
a ddysgodd yn ysgol profiad –
ac nid ystrydeb yw honno –
y ffordd i droi ar groesffyrdd byw.
Yno y mae'r arbenigaeth
yn fywydol dreiddgar.

Balchder ei hunan-barch.
Pilyn trwsiadus a glân
hyd at y sbrigyn hen ŵr
a bliciai'r Brenin mor gyson
o lapel ei got.
Esgidiau cymen a thynnu'r careiau'n dynn,
coler a thei bob amser.
Ei wisg fel ei ymarweddiad
a chymhendod ei dai a'i dir
a graen cysurus ei bob anifail
yn gosmos o gyfanrwydd gwâr.
Gwladwr an-wladaidd
'yn feunyddiol fonheddig'.

Ffermwr â greddf tyddynnwr
a'i safon 'gwerth' yn uwch na'i raddfa 'bris'.
Uwch popeth, dyn ceffyl
fel ei dad a'i frodyr,
athrylith cynhaliol y còb
yn y blynyddoedd main

a pherffeithrwydd 'troi allan'
ei farch a'i boni
yn ddihareb.

Ei reddf artist
yn harddwch porthiannus, sidan
y got a'r siwrlen a'r mwng.
Rhan o'n llên gwerin
yw Brenin a Titch ac yntau
yn drindod ddifrychau
ar ffyrdd a buarthau gwlad.
Arwr ei lefydd aros
a'i enw'n perarogli yno.

Gofalai am y pethau bychain,
hoelen mewn astell,
crib ar gŵys,
calon mewn helem,
clwyd ar ei hechel –
dyluniad y dwylo.

Ef oedd angor ein haelwyd
pan oedd y cylch yn gyfan,
yn ddifyr ei chwedl ar drywydd
hen geffylau,
hen hanesion cefn gwlad
a'r mwg Ringer yn troelli'n sawrus
o'i bibell hamddenol.
Y mae ynof
ei anfarwoldeb.

Oblegid ymroddiad a llafur pobl fel David Rees ym Mhen-
uwch, fe wnaeth y còb Cymreig fel brid gynnydd sylweddol
yn ystod yr hanner can mlynedd diwethaf. Dengys yr

154

ymrestriadau yn *Welsh Stud Book* Cymdeithas y Merlod a'r Cobiau Cymreig mor boblogaidd yw'r brid erbyn hyn. Cynyddodd hefyd nifer y cobiau a ddaw i'r Sioe Fawr yn Llanelwedd ym mis Gorffennaf o 26 yn 1947 i 536 yn 1997. Uchafbwynt y sioe i amryw yw'r gystadleuaeth ddydd Mercher i'r meirch am Gwpan Tywysog Cymru. Mor addas eto yw geiriau Gerallt Gymro fod bryniau Cymru'n llawn ceffylau. Mae'n eironig i David Rees dderbyn gwahoddiad am y tro cyntaf yn ei fywyd i feirniadu cystadlaethau'r cobiau yn 1969 yn y Sioe Fawr; bu farw bythefnos cyn gallu cyflawni'r gwaith. Fel y gwelwyd, daeth anrhydedd debyg i'w fab yn 1980.

Mewn erthygl yn *Y Cymro* yn 1981, dywed y gohebydd: 'Mae Penuwch yn adnabyddus i berchnogion cobie Cymreig ledled y byd. Yr ardal o fewn pum milltir i Lyn Eiddwen ar gyrion Tregaron yw cartre'r còb'.[42] Dichon i natur laith a mynyddig y tir yno wneud y còb Cymreig yn anifail delfrydol i'w drin a'i drafod, yn y gwanwyn a'r haf, ac i rai tyddynwyr maes o law sylweddoli y gellid gwneud bywoliaeth o drafaelu meirch. Rhyfedd na lwyddodd neb i gofnodi hyd yma yn y Gymraeg rôl y còb Cymreig yn natblygiad amaethyddiaeth Ceredigion, ac fel y gwnaeth tyddynwyr y sir yn anad neb achub y brid rhag diflannu rhwng y ddau ryfel byd.

Er na wnaeth John Roderick Rees gyfraniad cyffelyb i fyd y còb Cymreig â'i dad a'i dad-cu o'i flaen, eto y mae'n amlwg ei fod yn awyddus i ddathlu holl ymroddiad a llafur eu blynyddoedd hwy yn sicrhau parhad y brid yng Nghymru. Unig blentyn ydoedd ar dyddyn anghysbell yng nghefn gwlad Ceredigion, a dichon mai'r ceffylau, y gwartheg, y cathod a'r cŵn ydoedd ei gyfeillion a'i gwmni cyn iddo gychwyn ei yrfa fel athro.

---

[42] *Y Cymro* (24 Mawrth 1981).

Bu i'r ceffyl chwarae rhan bwysig ac allweddol yn hanes y ddynolryw, a chaiff hynny ei adlewyrchu yn y diwylliant Celtaidd. Cyfeiriodd Gerallt Gymro at ansawdd uchel y ceffylau ar y ffermydd ym Mhowys yn dilyn mewnforio ceffylau o Sbaen gan Robert de Belesme, iarll Amwythig. Gwyddom fod gan Llywelyn ap Gruffudd (m. 1282) fridfa dda, ac i'r Gwyddelod brynu llawer o geffylau o Gymru adeg y Goncwest Normanaidd. Amlwg fod gan y ceffyl swyddogaeth allweddol ym mywyd Cymru yn yr Oesoedd Canol fel y dengys beirdd y cyfnod a'r casgliad Trioedd Ynys Prydein ac yn arbennig 'Trioedd y Meirch' a welir yn *Llyfr Du Caerfyrddin*. Y mae'r Mabinogion hwythau'n llawn disgrifiadau o wahanol geffylau. Yn y ddeuddegfed ganrif a'r drydedd ganrif ar ddeg, mae'r Beirdd Llys hefyd yn rhoddi lle blaenllaw i'r ceffylau yn eu cerddi mawl.

Gwelir gan hynny fod John Roderick Rees mewn olyniaeth urddasol a chyfoethog pan gân ei foliant i Frenin Gwalia a'i ragflaenwyr. Ymhyfryda yn ei ach a'i olyniaeth, ei degwch gwedd a'i fawredd ymhlith eraill. Y Brenin sydd yn ei gysylltu yntau â'i hynafiaid, gan ei fod yn cynrychioli parhad a ffyniant y gadwyn deuluol. Mor falch ydoedd o fod yn rhan o'r olyniaeth gyfoethog hon. Hawdd y gellid honni am John Roderick Rees, fel y dywedodd Morys Gethin am Tudur Aled: 'Cwyraidd ei fodd, carodd feirch'.

Pennod 4

Gwleidyddiaeth

Yr oedd ardal Pen-uwch, fel amryw o ardaloedd eraill yng ngogledd Ceredigion, yn drwyadl Ryddfrydol ei gwleidyddiaeth, ac yn ei hanfod, cyfatebai'r Blaid Ryddfrydol i'r Blaid Geidwadol yn Lloegr. Gwir i'r Blaid Lafur serennu yng Nghymru yn 1966 ac yn 1997, ond ni chollodd y Blaid Ryddfrydol ei dylanwad a'i hapêl yng Ngheredigion oherwydd ei chefndir radicalaidd a'i gwreiddiau dwfn yn hanes a diwylliant gwledig y sir. Gellir cymharu'r ymlyniad wrthi â ffyddlondeb trigolion de Cymru i'r Blaid Lafur. Mae'n werth edrych yn bur fanwl ar hynt a helynt y Blaid Ryddfrydol yng Ngheredigion am ddau reswm. Yn gyntaf, bu John Roderick Rees yn gefnogwr selog i'r blaid honno drwy gydol ei oes, fel ei dadau o'i flaen. Mae hefyd yn werth craffu ar y blaid er mwyn sylweddoli sut y llwyddodd, dros yr ugeinfed ganrif, i ymdreiddio'n ddwfn i wead y gymdeithas yng Ngheredigion a dylanwadu ar feddylfryd ei thrigolion. Nid rhyfedd gan hynny, pan ymunodd y Blaid Ryddfrydol â phlaid y Democratiaid Cymdeithasol yn 1987 gan fabwysiadu'r enw Rhyddfrydwyr Democrataidd, y gwrthwynebai pobl fel John Roderick Rees y cynllun, gan wrthod derbyn yr enw newydd. Rhyddfrydwr neu *Liberal* fu John Roderick Rees, heb awydd cymodi na chlymbleidio ag unrhyw blaid arall.

Yn etholiad 1906 y gwelwyd penllanw poblogrwydd y Blaid Ryddfrydol yng Nghymru. Y pryd hynny enillasant wyth ar hugain o seddau a gellid honni mai hi oedd 'the party of Wales and the vehicle for its growing national consciousness'.[1] Yr oedd y blaid yr adeg honno fel petai'n cynrychioli Cymru gyfan, oherwydd medrai uno radicaliaid uchelgeisiol o'r gogledd, fel David Lloyd George, a ffigurau pwysig o'r de, pobl fel William Abraham, yr undebwr, a'r cyfalafwr D. A. Thomas, Aelod Seneddol Merthyr o 1892 hyd 1920.[2] Yr oedd perthynas annileadwy rhwng Rhyddfrydiaeth, Cymreictod ac Anghydffurfiaeth gan y rhoddai'r blaid fynegiant i genedligrwydd pobl Cymru a'u hymgais am hunanlywodraeth, yn enwedig yn dilyn sefydlu Cymru Fydd yn 1886.[3] Ymneilltuwyr oedd y rhan fwyaf o'i chefnogwyr, fel yn wir ei harweinydd poblogaidd a charismataidd David Lloyd George, gŵr a ddaeth i chwarae rhan dyngedfennol yn y broses o lunio Ewrop newydd yn dilyn y Rhyfel Mawr. Wedi hynny gwelwyd trai sylweddol yn llwyddiant y Blaid Ryddfrydol, ac yn dilyn y glymblaid a ffurfiwyd gan Lloyd George â'r Torïaid wedi'r Rhyfel Mawr, bu hollt amlwg yn rhengoedd y blaid. Daeth yr rhwyg hwnnw yn amlwg yn etholiad Chwefror 1921 yng Ngheredigion pan welwyd cystadlu brwd rhwng W. Llewelyn Williams (1867–1922), ymgeisydd annibynnol Rhyddfrydwyr (Asquithaidd) Ceredigion,

---

1   Kenneth O. Morgan, 'The New Liberalism and the Challenge of Labour: The Welsh Experience, 1885–1929', *Welsh History Review*, Vol. 6, No. 3 (1973), t. 290.

2   R. Merfyn Jones, *Cymru 2000: Hanes Cymru yn yr Ugeinfed Ganrif* (Caerdydd, 1999), t. 152.

3   Gw. Kenneth O. Morgan, 'Twf Cenedlaetholdeb Fodern yng Nghymru 1800–1966', *Cof Cenedl: Ysgrifau ar Hanes Cymru*, 1 (Llandysul, 1986), tt. 149–78; Emily Charette, 'Framing Wales: The Parliament for Wales Campaign 1950–1956', *The Idiom of Dissent: Protest and Propaganda in Wales*, ed. T Robin Chapman (Llandysul, 2006), tt. 75–96; J. Graham Jones, 'Attitude of Political Parties towards the Welsh Language', *Let's Do Our Best for the Ancient Tongue: The Welsh Language in the Twentieth Century*, eds. Geraint H. Jenkins and Mari A. Williams (Cardiff, 2000), tt. 249–76.

bargyfreithiwr ac awdur,[4] ac Ernest Evans (1885–1965), cyn-ysgrifennydd preifat Lloyd George rhwng 1918 ac 1921, a safodd fel ymgeisydd y Glymblaid Ryddfrydol. Parodd y rhwyg yn rhengoedd y Rhyddfrydwyr ddrwgdeimlad ymhlith aelodau capeli Ceredigion, a hyd yn oed ymhlith teuluoedd y sir. Honnid bod trefydd yr arfordir o blaid clymblaid, a thrigolion ucheldir Ceredigion yn ei herbyn. Roedd y Methodistiaid a'r Annibynwyr o'i phlaid, a'r Bedyddwyr a'r Eglwyswyr hefyd.[5] Yn y pen draw, Llewelyn Williams a gollodd o 3,590 pleidlais.[6] Eto, yr oedd *The Welsh Outlook* yn mynnu bod Llewelyn Williams wedi gwneud yn 'remarkably well' a bod Lloyd George yn colli ei afael ar y Rhyddfrydwyr Cymreig.[7] Yn wir, llwyddodd ei radicaliaeth ef i ennyn teyrngarwch a gwrogaeth llawer o ardaloedd Ceredigion yn y cyfnod hwn cyn ei farw annhymig yn 55 mlwydd oed ychydig fisoedd cyn etholiad cyffredinol arall pan syrthiodd llywodraeth Lloyd George a'i glymblaid yn Hydref 1922.[8]

Yn yr etholiad nesaf, Rhys Hopkin Morris, y cyfeiriwyd ato yn y bennod gyntaf, bargyfreithiwr ac areithiwr

---

4   Gw. *Welsh Gazette* (20 January 1921) ar gysylltiad Llewelyn Williams ag ardaloedd fel Tregaron, Llangeitho a Llanbedr Pont Steffan.

5   J. Graham Jones, *David Lloyd George and Welsh Liberalism* (Llandysul, 2010), t. 241.

6   Kenneth O. Morgan, *Wales in British Politics 1868–1922* (Cardiff, 1963), t. 296. Ar yr etholiad ei hun, gweler ysgrif J. Graham Jones, 'Every vote for Llewelyn Williams is a vote against Lloyd George', *Journal of Liberal Democrat History*, No. 37 (Winter 2002–2003), tt. 3–9. Bu Ernest Evans yn cynrychioli Ceredigion yn y Llywodraeth o 1921 hyd 1923. Yna yn 1924 daeth A.S. dros Brifysgol Cymru, swydd a ddaliodd hyd 1942. Dychwelodd at y Gyfraith drachefn a bu'n farnwr o 1942 hyd 1957.

7   *Welsh Outlook*, Vol. 8, No. 3 (March 1921), t. 53 (51–3).

8   Brodor o Brownhill, Llansadwrn, yn nyffryn Tywi, sir Gaerfyrddin oedd William Llewelyn Williams. Yn Ionawr 1906, etholwyd ef yn A.S. Rhyddfrydol dros fwrdeistrefi Caerfyrddin a daliodd y sedd hyd oni ddiddymwyd hi yn 1918. Yr oedd yn Rhyddfrydwr traddodiadol a gwrthwynebai sosialaeth. Hyn a apeliai at John Roderick Rees, ynghyd â sêl Llewelyn Williams dros hawliau'r unigolyn, safiad a nodweddai'r hen Ryddfrydiaeth. Ni chredai Llewelyn Williams na

gwleidyddol huawdl, oedd yr ymgeisydd Rhyddfrydol annibynnol.[9] Unwaith eto, fodd bynnag, Ernest Evans a orfu, ond gyda mwyafrif o 515 yn unig o bleidleisiau y tro hwn. Yn 1923, galwodd Baldwin etholiad arall ac unwaith eto, safodd dau ymgeisydd Rhyddfrydol yng Ngheredigion. Y tro hwn, penderfynodd Iarll Lisburne sefyll fel ymgeisydd y Toriaid. Yr oedd, gan hynny, yn frwydr dri chornel. Rhys Hopkin Morris a orfu gyda mwyafrif o dros 5,000 o bleidleisiau. Yn dilyn y fuddugoliaeth hanesyddol hon, cafwyd cymod yn rhengoedd y Blaid Ryddfrydol yng Ngheredigion.[10]

John Roderick Rees ychwaith mewn cenedlaetholi'r tir ond yn hytrach mewn cynyddu nifer y rhydd-ddeiliaid. Yr oedd Llewelyn Williams, fel y tystia ei ysgrifau yn *'S Lawer Dydd*, yn caru 'hen ŷd y wlad', eu cwmni a'u diwylliant, eu harferion gwledig a'u chwedlau gwerin. Hyn a welai John Roderick Rees fel gogoniant y gŵr o Lansadwrn, nad anghofiodd ei wreiddiau ac a allai sôn am dair cenhedlaeth Dyffryn Tywi fel hyn: 'Y genhedlaeth gyntaf oedd cenhedlaeth Bili a Belo a chawl; yr ail oedd cenhedlaeth Mishtir a Mystres a broth; a'r drydedd yw cenhedlaeth Syr, a Madam a thê' (t. 16). Ar fywyd a gwaith W. Llewelyn Williams, gw. J. Graham Jones, 'The journalist as politician: W. Llewelyn Williams M.P. (1867–1922)', *Trafodion Cymdeithas Hynafiaethau Sir Gaerfyrddin*, Cyf. 37 (2002), tt. 79–98; Kenneth O. Morgan yn yr *Oxford Dictionary of National Biography*, Vol. 59 (London, 2004), tt. 333–5; J. Seymour Rees, 'William Llewelyn Williams (1867–1922)', *Heddiw*, Cyf. 4, Rhif 1 (Medi 1938), tt. 5–11.

9 Gw. John Graham Jones, 'Sir Rhys Hopkin Morris and Cardiganshire Politics, 1922–1932', *Ceredigion*, Cyf. XV, Rhif 2 (2006), tt. 73–104; T. J. Evans, *Sir Rhys Hopkin Morris: the Man and his Character* (Llandysul, 1958); Kenneth O. Morgan, *Modern Wales: Politics, Places and People* (Cardiff, 1995), tt. 216–50.

10 J. Graham Jones, 'Cardiganshire Politics, 1885–1974', *Cardiganshire County History*, 3, eds. Geraint Jenkins and Ieuan Gwynedd Jones (Cardiff, 1998), t. 415. Ystyrid Rhys Hopkin Morris yn arwr gan John Roderick Rees ar y sail iddo gynnal egwyddorion puraf Rhyddfrydiaeth draddodiadol. Yr oedd yn ddilynwr selog i Asquith ac ef oedd yr unig un a wrthwynebodd ethol Lloyd George yn arweinydd pan ddaeth dwy adain y blaid ynghyd drachefn yn 1930. Honnai John Roderick Rees na fynnai Hopkin Morris nac ystryw na chyfaddawd ac nid oedd ganddo lawer o amynedd gyda'r sawl oedd yn euog o hynny. Mewn llythyr dywedir gan John Roderick Rees wrth sôn amdano: 'Bydd ei enw'n annwyl ymhlith gwerin y tir yn siroedd Aberteifi a Chaerfyrddin ac fe'i hystyriwn ef, gyda Jo Grimond, fel un o wleidyddion mwyaf arbennig ein canrif ni.' Llythyr yn *Llais Llyfrau* (Gwanwyn 1981), t. 10.

Er bod gwreiddiau'r Blaid Lafur yn ymestyn yn ôl yn y sir i 1890,[11] ni wnaeth yr un ymgeisydd sefyll mewn etholiad cyffredinol yn enw'r blaid honno yng Ngheredigion tan yr etholiad yn Hydref 1931.[12] Ymddengys fod gan y blaid ganghennau yn llawer o bentrefi'r sir erbyn hynny, ond ni ellir honni ei bod wedi denu cefnogaeth gref tan ail hanner yr ugeinfed ganrif, a'r pryd hwnnw am gyfnod byr yn unig. Yr oedd ar sir wledig fel Ceredigion ofn 'Bolsiefigiaid a Chomiwnyddion y de'.[13] Wedi'r cyfan, fel y datganodd y *Cambrian News* yn 1935, 'It is but a short step from Socialism to Communism'.[14] Erbyn 1939, yr oedd gan y Blaid Lafur 600 o aelodau yng Ngheredigion. Ni bu ymgeisydd Plaid Cymru yn y sir tan etholiad 1959.[15] Honno oedd y flwyddyn y cyrhaeddodd y Blaid Ryddfrydol ei hisafbwynt yng Nghymru pan gafwyd ychydig o dan 79,000 o bleidleisiau, hynny yw, 5.3%, ond roedd hynny ddwywaith yn well nag isafbwynt y Rhyddfrydwyr ym Mhrydain yn 1951. Mae'n debyg, er hynny, mai yn ystod y cyfnod hwn, hyd at 1961, y gosodwyd y sylfeini ym Mhrydain, gan gynnwys Cymru, ar gyfer datblygiad Rhyddfrydiaeth newydd y dyfodol. Paratowyd y ffordd i'r Rhyddfrydwyr ddychwelyd fel plaid

---

11 H. C. Jones, 'The Labour Party in Cardiganshire 1918–1966', *Ceredigion*, Cyf. IX, Rhif 2 (1981), tt. 150–61.

12 Sefydlwyd y Blaid Lafur yng Ngheredigion gyntaf yn Llanbedr Pont Steffan yn 1919; ar hanes y Blaid Llafur yng Ngheredigion, gw. Howard C. Jones, 'The Labour Party in Cardiganshire, 1918–66', *Ceredigion*, Cyf. IX, Rhif 2 (1988), tt. 150–61; Duncan Tanner, Chris Williams and Deian Hopkin (eds.), *The Labour Party in Wales, 1900–2000* (Cardiff, 2000).

13 J. Graham Jones, 'Wales since 1900', *Wales: An Illustrated History*, ed. Prys Morgan (Stroud, 2005), t. 262.

14 Dyfynnir gan J. Graham Jones yn *Cardiganshire County History 3*, t. 418.

15 Gw. John Graham Jones, 'Sir Rhys Hopkin Morris and Cardiganshire Politics, 1922–1932', *Ceredigion*, Cyf. XV, Rhif 2 (2006), tt. 73–104; T. J. Evans, *Sir Rhys Hopkin Morris: The Man and his Character*; Kenneth O. Morgan, *Modern Wales: Politics, Places and People* (Cardiff, 1995), tt. 216–50.

genedlaethol erbyn diwedd yr ugeinfed ganrif.[16]

Er i'r Rhyddfrydwyr ddal y sedd am 99 o flynyddoedd, yn 1966 llwyddodd Elystan Morgan, yr ymgeisydd Llafur, i ennill sedd Ceredigion gyda mwyafrif o 511 o bleidleisiau.[17] Roedd ganddo gysylltiadau agos â'r sir ac roedd hyn yn fantais bendant iddo. Yr oedd Harold Wilson yn hwylio ar frig y don a'i boblogrwydd ef a'r Blaid Lafur wedi ymledu drwy'r wlad. Gallodd Elystan Morgan ychwanegu 1,263 at ei fwyafrif yn etholiad Mehefin 1970. Pan ddaeth etholiad Chwefror 1974, yr oedd y Rhyddfrydwyr wedi sicrhau ymgeisydd lleol hynod o boblogaidd ymhlith amaethwyr y sir, sef Geraint Howells (1925–2004). Brodor o Bonterwyd ydoedd a addysgwyd yn Ysgol Ardwyn, Aberystwyth. Bu'n gynhorydd sir o 1952 hyd 1974 ac yn un o bileri bywyd diwylliannol bro ei febyd.[18] Enillodd yr etholiad yn rhwydd gyda 2,476 o fwyafrif, ac ailetholwyd ef drachefn yn Hydref 1974, a thair gwaith wedi hynny. Collodd, yn y pen draw, i ymgeisydd Plaid Cymru, Cynog Dafis, yn 1992 ac fe'i dyrchafwyd i Dŷ'r Arglwyddi. Daliodd Plaid Cymru ei gafael ar y sedd tan 2005, pan ddychwelodd Ceredigion at ei gwreiddiau ac ethol Mark Williams, yr ymgeisydd Rhyddfrydol, i'r sedd. Yn etholiad cyffredinol 2017, enillodd ymgeisydd Plaid Cymru, Ben Lake, etholaeth Ceredigion ac yna yn etholiad cyffredinol 2019, cadwodd ei sedd gyda 15,208 o bleidleisiau, sef 38 y cant o'r bleidlais gyffredinol. Ef yw'r

---

[16] Emlyn Hooson, *Deffro neu Ddiwedd? Rhyddfrydiaeth yng Nghymru yn Ail Ran yr Ugeinfed Ganrif* (Aberystwyth, 1994), t. 3.

[17] Gw. J. Graham Jones, 'The Cardiganshire Election of 1966', *Llafur*, Vol. 9, No. 1 (2004), tt. 95–106. Am esboniadau posibl am y fuddugoliaeth, gw. Elystan Morgan, *Elystan: Atgofion Oes* (Tal-y-bont, 2012), tt. 141–4; J. Graham Jones, 'D. Elystan Morgan and Cardiganshire Politics', *Cylchgrawn Hanes Cymru*, Cyf. 22, Rhif 4 (Rhagfyr 2005), tt. 730–61.

[18] Ar yrfa wleidyddol Geraint Howells a'i gyfraniad i'w blaid, gw. J. Graham Jones, 'Geraint Wyn Howells, Lord Geraint of Ponterwyd (1925–2004)', *Ceredigion*, Cyf. XVIII, Rhif 2 (2014), tt. 139–64.

Aelod Seneddol ieuengaf yng Nghymru. Mae'n Gymro Cymraeg ac yn hanu o Lanbedr Pont Steffan.

Yr oedd Geraint Howells yn gyfaill personol i John Roderick Rees a lluniodd gerdd iddo yn dilyn colli ei sedd yng Ngheredigion yn 1992. Dyfynnir hi gan ei bod yn enghraifft eto o'r pwyslais cyson a roddai'r bardd ar wraidd amaethyddol yn y gymuned wledig:

> Geraint Howells (A.S. 1974–1992)
>
> Tarddodd o bridd mynyddig Ceredigion,
> gŵr cynefin â'r gwellaif a chyrn yr arad,
> ac yn nhragwyddoldeb y gymuned wledig
> hanfodol bwysicach yw gwreiddiau na siarad.[19]

I lawer a anwyd yn nechrau'r ganrif ddiwethaf, y Blaid Ryddfrydol a roddai'r parch dyladwy i'w ffordd o fyw, i'w crefydd, i'w haddysg ac i'w hawydd i lwyddo yn y byd yn wyneb pob caledi. Bu gan y Blaid Ryddfrydol ran allweddol yn Rhyfeloedd y Degwm, yn yr ymgyrch i ddatgysylltu'r Eglwys, ac yn y mudiad Cymru Fydd. Teimlai John Roderick Rees yn gryf na ddylid newid yr enw *Liberal* ar y blaid, gan ei fod, meddai, yn dyngedfennol bwysig, beth bynnag a ddywedodd Shakespeare am y rhosyn. Dywedodd ymhellach:

> Y mae'r enw *Liberal* ynddo'i hun yn gwarantu ffyddlondeb miliynau y lliwiwyd eu golygwedd wleidyddol gan draddodiad eu hil mewn dyddiau fu. I'r gwellt yr aeth pob erthyl o *New Party* na thyfodd o wraidd.[20]

---

[19] *Cerddi Newydd 1983–1991*, t. 73.
[20] *Barn*, 322 (Tachwedd 1989), t. 4.

Gan rai sylwebyddion coleddir y gred bod pawb yng Nghymru yn gwrthwynebu pob dim y safai Margaret Thatcher drosto, ond nid yw'r ystadegau'n cadarnhau'r ddamcaniaeth hon o bell ffordd. Yn ystod yr wythdegau fel yn 2015 a 2019, gwelwyd cynnydd ym mhleidlais y Ceidwadwyr yng Nghymru. Dengys canlyniadau etholiad cyffredinol 1983 faint y gefnogaeth i blaid Margaret Thatcher: Llafur 20, Ceidwadwyr 14, Plaid Cymru 2, Rhyddfrydwyr 2.[21] Yn wir, wedi'r etholiad hwnnw, gellid teithio o Fôn i Fynwy heb groesi etholaeth unrhyw blaid ac eithrio'r Torïaid. Er cymaint llwyddiant mudiadau ar y chwith fel y Blaid Lafur a Phlaid Cymru yng Nghymru yn ystod ail hanner yr ugeinfed ganrif, rhaid cydnabod yr un pryd lwyddiannau pendant y Blaid Geidwadol hefyd. Ychydig o sylw a roddwyd i'r blaid honno gan sylwebwyr a haneswyr Cymru. Bu ganddi ei chadarnleoedd fel y pleidiau eraill yn y wlad, ac er na lwyddodd i ennill seddau yn 1906 nac yn 1997, eto cafodd gefnogaeth gyson o ryw 20–30% o'r pleidleisiau mewn etholiadau oddi ar ddauddegau'r ganrif ddiwethaf. Yn 1979, enillodd y Blaid Geidwadol un ar ddeg o seddau ac yn 1983, fel y gwelwyd uchod, llwyddodd i gipio pedair ar ddeg o seddau, gan gynnwys Ynys Môn, etholaeth nad oedd wedi ethol Ceidwadwr er dechreuadau'r system etholiadol yn 1832.

I lawer yng Nghymru, serch hynny, nid oedd y Blaid Geidwadol ond yn cynrychioli buddiannau'r Saeson, y tirfeddianwyr a'r byddigions ariannog, a thueddid i anwybyddu'r ddelwedd fwy Cymreig ei naws a fabwysiadodd o ganol y 1970au ymlaen. Bu i'r ddelwedd newydd hon agor y drws i ystod llawer mwy dosbarth canol ac ehangach ei orwelion. Er hynny, pan welai John Roderick Rees unrhyw rinwedd ym mholisïau'r

---

21 Rhwng 1979 ac 1983 yr oedd ffigurau'r di-waith wedi cynyddu o 8.5% yn 1979 i 16.7% yn 1983. Collwyd cymaint â 130,000 o swyddi yng Nghymru yn ystod y tair blynedd honno yn unig.

Ceidwadwyr fe'i condemniwyd yn hallt gan sylwebyddion y wasg yng Nghymru a chan unigolion hefyd.

Mewn llythyrau ac mewn erthyglau beirniadol, ymddangosai yn ei dyb ef fel pe na bai hawl ganddo i leisio ei farn ac i gefnogi Margaret Thatcher. Barnai John Roderick Rees iddi bron â datblygu'n gonfensiwn, yn ddewis difeddwl, i'r dosbarth canol Cymraeg gefnogi cenedlaetholdeb.[22] Drwgdybiai'r cenedlaetholwyr y gwrthgilwyr neu'r sawl a oedd yn 'wahanol' am eu bod yn meddwl yn nhermau Prydeindod, yn hytrach nag am Gymru fel gwlad sosialaidd ddatganoledig. Rhaid bod yn Bleidiwr uniongred, neu fod yn golledig ac yn amddifad o unrhyw rinwedd egwyddorol a Chymreig. I rai, ymddangosai'r Blaid Ryddfrydol yn hen ffasiwn ac amherthnasol mwy, a'i dilynwyr yn perthyn i'r gorffennol. 'Cardiganshire Liberals are born to the faith,' ebe P. J. Madgwick, sydd yn awgrymu pwysigrwydd yr uned deuluol a dylanwad yr aelwyd ar yr unigolyn yng Ngheredigion.

Os oedd y Blaid Lafur yn blaid y gweithiwr a'r proletariad, a'r Blaid Geidwadol yn blaid y cyfoethog a'r bonheddig, yr oedd y Blaid Ryddfrydol yn sefyll dros werthoedd traddodiadol wledig Ceredigion. Sonnir am wleidyddiaeth Ceredigion fel 'politics of connection, of neighbourliness and acquaintance, family and kinship'.[23] Ceir bod perthynas pobl a pharch at draddodiad, ac at le, yn ganolog i hyn. Drwy gydol y ganrif ddiwethaf daliai Rhyddfrydiaeth Ceredigion i gadarnhau perthynas â chymuned benodol, â'r gorffennol ac â ffordd arbennig o fyw ac o feddwl; swyddogaeth debyg sydd gan y Blaid Lafur yn ne diwydiannol Cymru.[24]

---

22 Gweler P. J. Magdwick, *The Politics of Rural Wales* (London, 1973), t. 111.
23 *The Politics of Rural Wales*, t. 228.
24 K. O. Morgan, *Wales in British Politics, 1868–1922* (Cardiff, 1963), t. 240.

Ar un adeg, gallodd y *Cambrian News* gyhoeddi: 'the true Liberals' faith was part of their religious faith.'[25] Er nad yw hyn mor ddilys hwyrach erbyn heddiw gan nad oes ond ychydig dros hanner o boblogaeth y sir yn honni eu bod yn perthyn i'r ffydd Gristnogol,[26] eto yr un yw'r credoau a'r gwerthoedd sylfaenol ymhlith llawer o drigolion yr ardaloedd gwledig o fewn y sir. Ychydig bellach, er hynny, sydd yn fodlon arddel perthynas nac unrhyw wir ddiddordeb ychwaith mewn unrhyw blaid wleidyddol. Yr oedd John Roderick Rees yn eithriad yn hyn o beth. Credai ef mewn siarad yn agored am ei ddaliadau gwleidyddol a byddai'n croesawu ymateb yr un mor blaen i'w sylwadau. Tuedd rhai o'i feirniaid oedd troi'r drafodaeth a'r ddadl wleidyddol yn ymosodiadau personol.[27] Petai'n cefnogi plaid arall, yn ei dyb ef ei hun, dichon na fuasai'r ymateb mor negyddol.

Un o'r materion a brociodd John Roderick Rees i leisio barn gyhoeddus yn groyw ar y cyfryngau o blaid polisïau Margaret Thatcher oedd Streic y Glowyr. Yn wir, y mae llawer o haneswyr wedi cyflwyno Streic y Glowyr fel brwydr rhwng yr NUM a Margaret Thatcher. Yn y pen draw bu'n rhaid i'r glowyr ddychwelyd i'w gwaith, ond profwyd cyfnod hir a cholledus o streicio cyn hynny. Erbyn diwedd Hydref 1985, gwelwyd cau pump o lofeydd gan adael Glofa'r Tŵr yn yr Hirwaun fel yr unig un oedd ar ôl yn ne Cymru. Dyma fenter gydweithredol hynod lwyddiannus y gallai unrhyw blaid ac economi fod yn falch ohoni.

Am flynyddoedd wedyn, roedd Streic y Glowyr yn

---

25 *Cambrian News* (28 April 1933).
26 Yn ôl cyfrifiad 2011, 57.9% o Gristnogion a drigai yng Ngheredigion. Y ganran dros Gymru gyfan oedd 57.6%. Wedi dweud hynny, dim ond ym Mlaenau Gwent y ceir canran lai o Gristnogion (sef 49.9%) nag yng Ngheredigion.
27 Enghraifft o hyn yw adolygiad Gwynn ap Gwilym, 'Chwerwder a Mawl', *Barn*, Rhif 358 (Tachwedd 1992), t. 42.

ennyn ymateb emosiynol a phersonol ymhlith llawer o drigolion de Cymru a'r tu hwnt. Gwelid Margaret Thatcher fel yr un a laddodd y diwydiant mwyaf ffyniannus yng Nghymru ar un adeg, ac fel yr un hefyd a roddodd derfyn ar ffordd o fyw ac ar draddodiad hir y glowyr yng Nghymru. Does ryfedd i gerdd John Roderick Rees yn moli Margaret Thatcher ennyn dig a chwerwedd cynifer o bobl nad oeddynt yn Geidwadwyr nac yn Rhyddfrydwyr ceidwadol. O ganlyniad i'w safiad, ystyrid John Roderick Rees yn rhywun 'naïf', 'unllygeidiog', 'gwrth-genedlaethol', 'gwrth-sosialaidd', 'trwyadl werinaidd' a 'gwrth-ddeallusol', hynny yw, fel gŵr a âi'n groes i bob dim y mae cenedlaetholwyr a 'deallusion' Cymru heddiw yn honni eu bod. Roedd wedi bradychu'r sefydliad Cymraeg drwy gefnogi cenadwri Margaret Thatcher i ddad-ddiwydiannu, er cymaint oedd oblygiadau hynny i'r gwahanol gymunedau diwydiannol yn ne Cymru.

Yn ôl John Roderick Rees, yr oedd y glowyr wedi elwa'n sylweddol drwy fynd ar streic o ganol y saithdegau ymlaen. Yn 1972 cawsant 20% ychwanegol o gyflog, a oedd yn fwy na dwbl yr hyn a gynigiwyd iddynt yn wreiddiol. Yr oedd yn fuddugoliaeth fawr i'r glowyr ac yn ffordd o ddial ar lywodraeth y Torïaid am yr hyn a ddigwyddodd yn 1926 pan gollasant eu brwydr am ragor o gyflog.[28] Erbyn 1973, er hynny, yr oedd anesmwythyd drachefn ymhlith y glowyr a hwythau'n gofyn am godiad cyflog. Gorfodwyd etholiad ac er i lywodraeth Edward Heath golli, enillodd y Blaid Dorïaidd sedd ychwanegol yng Nghymru. Rhoes y llywodraeth Lafur newydd godiad cyflog o 25% i'r glowyr yn 1974, ond roedd y diwydiant yn crebachu'n sylweddol erbyn hynny o ganlyniad i gystadleuaeth o wledydd tramor.

---

[28] Gwir i 50 o byllau de Cymru gau rhwng 1954 ac 1964, a rhwng 1964 ac 1970 caewyd 40 drachefn ynghyd â phedwar allan o chwech yng ngogledd Cymru. Pymtheg miliwn o dunelli oedd cyfanswm cynnyrch glo Cymru yn 1970 o'i gymharu â 23 miliwn yn 1948.

Cyflogid tua 32,000 o bobl yn y diwydiant glo yng
Nghymru yn 1974 mewn 50 o lofeydd, o'i gymharu â
108,000 mewn 164 o lofeydd yn 1950 a 270,000 yn 1920.[29]
Rhwng 1973 ac 1983 gostyngodd nifer y glowyr yng
Nghymru o 34,000 i 25,000. Cynyddodd mewnforio glo
deirgwaith yn ystod y saithdegau, ac yn anorfod, caeodd
llawer o'r glofeydd.[30] Eto i gyd, dangosodd buddugol-
iaethau'r glowyr yn 1972 ac 1974 rym yr undebau llafur a
sut y gallent ddymchwel llywodraeth y dydd. Yn ystod 1979
yn unig, gwnaeth cynifer â 328,000 o weithwyr gymryd
rhan mewn streiciau yng Nghymru. Dyma'r flwyddyn a
esgorodd ar yr enwog 'winter of discontent'.[31] Erbyn yr
adeg honno teimlai llawer fod gan yr undebau ormod o
bŵer a gormod o ddylanwad ar lywodraeth y wlad. Collwyd
cannoedd o swyddi mewn diwydiannau, ac yn enwedig yn
y diwydiant dur yng Nghymru.[32] Rhwng 1978 ac 1982,
collodd y diwydiant hwnnw gymaint â 176,939 o swyddi.[33]
Cododd nifer y di-waith i'r hyn a fu yn y tridegau ac yn
1986 roedd yn 13.7% o'r gweithlu.

Ar ddechrau'r wythdegau dim ond pedwar o'r 28 pwll
glo yng Nghymru a wnâi elw o unrhyw fath. Oblegid
cystadleuaeth dramor, gostyngiadau mewn prisiau byd-
eang, lleihad yn y galw, gorgynhyrchu a chostau uchel,
cyhoeddodd y llywodraeth eu bod am gau 20 o lofeydd ym

---

29 Dennis Thomas, 'Economi Cymru 1945–1995', *Cof Cenedl:
    Ysgrifau ar Hanes Cymru*, XI, gol. Geraint H. Jenkins (Llandysul,
    1996), t. 157 (147–79).

30 Michael Thomas, *The Death of an Industry: South Wales Mining
    and its Decline* (Singapore, 2004), t. 169.

31 Ben Curtis, 'The Calm before the Storm? The South Wales Miners
    versus the Thatcher Government, 1979–1983', *Llafur*, Vol. 10, No.
    2 (2009), t. 119 (117–40).

32 Yn 1962, cyflogid 18,000 o weithwyr yng ngweithiau dur Port Talbot
    yn unig; erbyn 1984, yr oedd y ffigwr hwnnw wedi gostwng i 4,800.

33 Gwnaeth meysydd glo de Cymru golled ariannol o £61 miliwn
    rhwng 1979 ac 1980, a rhwng 1980 ac 1981 cynyddodd y golled i
    £72.5 miliwn er i'w cynnyrch gynyddu 4.5% y flwyddyn honno.
    Syrthiodd prisiau glo dros y byd i gyd yn y cyfnod hwn. Erbyn
    1982, dim ond glofeydd Deep Navigation a'r Betws a wnâi elw.

Mhrydain, a golygai hynny golli 20,000 o swyddi. Yn dilyn y datganiad hwn, penderfynodd yr NUM gynnal streic genedlaethol. Erbyn Rhagfyr 1981, yr oedd Arthur Scargill wedi ei ethol yn llywydd cenedlaethol yr NUM a'i ddylanwad ef yn drwm ar benderfyniadau'r undeb. Yr oedd Scargill yn meddu ar ddaliadau asgell chwith eithafol ac yn awyddus i gynnal streic, er bod llawer o'r aelodau'n amheus o weithred o'r fath o gofio'r hinsawdd economaidd ar y pryd. Ym Mawrth 1984, dim ond deg glofa yn ne Cymru a bleidleisiodd dros weithredu'n ddiwydiannol ond yr oedd gweddill glowyr Prydain yn awyddus i weithredu argymhellion Scargill, a dyma'r streic yn cychwyn.[34] Yr oedd gwrthwynebu'r streic yn golygu gwrthwynebu'r undeb a chyd-weithwyr, felly yr oedd yn haws derbyn penderfyniad Scargill. Dwysaodd y streic ac er i deuluoedd y glowyr brofi tlodi a chaledi dybryd, ar ôl wyth mis dim ond 19 o lowyr yn ne Cymru oedd wedi dychwelyd i'w gwaith.

Pan ddaeth y streic i ben ym Mawrth 1985, dim ond 1,500 o lowyr de Cymru allan o gyfanswm o 20,000 o weithwyr a wnaeth 'dorri'r streic'. Wedi blwyddyn o weithredu diwydiannol, yr oedd yn rhyddhad i amryw deuluoedd allu byw bywyd normal unwaith eto. Wedi dweud hynny, parhau i fynd ar i waered, a hynny ar garlam, a wnaeth y diwydiant glo yng Nghymru, ac o fewn deunaw mis i ddychwelyd i'r gwaith, yr oedd deuddeg o lofeydd de Cymru wedi eu cau. Erbyn 1987, nid oedd ond 10,000 o lowyr yn gweithio yng nglofeydd de Cymru. Yn 1990, nid oedd ond chwe glofa ar ôl, a llai na 3,000 o weithwyr ynddynt.[35] Yr oedd 27,000 o weithwyr yn y diwydiant pan

---

34 Martin Johnes, *Wales Since 1939* (Manchester, 2012), t. 261; H. Francis and G. Rees, 'No surrender in the Valleys: the 1984–5 miners' strike in South Wales', *Llafur*, Vol. 5, No. 2 (1989), tt. 41–71; J. Parker, *Thatcherism and the Fall of Coal* (Oxford, 2000).

35 Marilyn Thomas, 'Colliery Closure and the Miner's Experience of Redundancy', *Contemporary Wales*, No. 4 (1991), t. 45 (45–66).

ddaethai Margaret Thatcher i rym yn 1979. Barn Martin Johnes yw nad Margaret Thatcher a wnaeth gau pyllau glo yng Nghymru ond, yn hytrach, gystadleuaeth gan olew a nwy:

> Thatcher's government simply applied the final blow to an industry that had long been in terminal decline ... The strike was however the last gasp of an old kind of politicized working-class solidarity. Never again would a trade union try or even contemplate taking on the whole state.[36]

Barn John Roderick Rees ar y llaw arall oedd mai hunanoldeb a thrachwant Arthur Scargill a oedd y tu ôl i'r streic a'i fod yn ŵr a roddai ei fuddiannau personol ac uchelgeisiol ei hun o flaen y llafurlu gan gamarwain ei aelodau i streicio, yn groes i'w hewyllys:

> Yn nydd y gwrthryfel rhoes ddewrfin atalfa
> Ar ruthr Gadara Scargiliaeth goch;
> Hi a ddiddymodd lywodraeth picedi;
> Atal dylif afreswm y strydoedd croch.
>
> Diolch am ferch y groser o Grantham,
> Pan aeth hi'n draed moch ar Callaghan a Heath;
> Tarianodd yr unigolyn rhag bwliganiaeth
> Undebau hunanol yn cyweirio eu nyth.[37]

Dylid cofio na chefnogwyd Scargill ond gan weithwyr deg o'r 28 pwll ym maes glo'r de i ddechrau. Dadleuai Scargill mai brwydr ydoedd am einioes y cymunedau glofaol, a'i obaith yn y pen draw oedd gorchfygu llywodraeth Geidwadol y dydd a thrwy hynny wireddu ei freuddwydion

---

36 *Wales Since 1939*, t. 267.
37 'Margaret Thatcher'. *Cerddi Newydd 1983-1991*, t. 57.

gwleidyddol. Yr oedd y protestio a'r picedu wrth fodd calon Scargill, ac yntau'n gweld y cyfan fel ffordd o ddymchwel y llywodraeth. Yr oedd gan Emlyn Williams, llywydd glowyr y de, amheuaeth ynglŷn â phersonoliaeth a thactegau Scargill, ond i John nid oedd technegau Scargill yn ddim ond enghreifftiau o agwedd filwriaethus yr undebau llafur yn gyffredinol yn ystod yr wythdegau.[38]

Er bod diweithdra'n cynyddu a ffigurau'r dirwasgiad yn awgrymu argyfwng economaidd, eto hawliai'r undebau llafur gyflogau uwch o hyd i gyfiawnhau eu bodolaeth. Yr oedd y safiad hwn, yn ôl John Roderick Rees, yn anghyfrifol, yn hunanol, yn wrthddemocrataidd ac yn amlygu tueddiadau comiwnyddol peryglus rhai o'r arweinwyr mwyaf milwriaethus. Yr oedd y streic, yn ôl Scargill, yn costio £300,000 yr wythnos ac er mwyn cynnal yr NUM dros gyfnod hir ac anodd y streic, cafodd Scargill yn gyfrinachol gymorth ariannol gan yr Undeb Sofietaidd a chan y Cyrnol Gaddafi yn Lybia. Gan fod Gaddafi wedi bod yn arfogi'r IRA, yr oedd Scargill yn gobeithio y byddai'n cyfrannu o leiaf un filiwn i goffrau'r NUM, ond yn ôl y sôn, cafodd swm dipyn yn llai, sef £163,000. Derbyniwyd cyfraniad o $1.1 miliwn arall gan yr Undeb Sofietaidd.[39]

Cyhoeddodd John Roderick Rees ei gerddi i 'Margaret Thatcher', a 'Moliant i Ronald Reagan', gan wybod y byddai'n anochel yn tramgwyddo'r Cymry a oedd â'u llach ar y ddau wleidydd hyn. Hyd yn oed yn y ffilm *The Iron Lady* gan Phyllida Lloyd ac Abi Morgan, a ryddhawyd yn 2012 ac sy'n seiliedig ar fywyd Margaret Thatcher, gyda Meryl Streep yn chwarae'r brif ran, caiff ei phortreadu fel gwraig unig, gymysglyd ac annynol bron:

---

[38] Ar y streic o safbwynt y glowyr, gw. Hywel Francis, *History on our side: Wales and the 1984–85 Miners' Strike* (Ferryside, 2009), tt. 44–53.

[39] Christopher Andrew, *The Defence of the Realm: The Authorized History of MI5* (London, 2009), tt. 679–80; Francis Beckett and David Hencke, *Marching to the Fault Line: The 1984, Miners' Strike and the Death of Industrial Britain* (London, 2009), tt. 175, 185.

She is sometimes written about in tones that suggest she is a criminal on a par with Hitler ... There are websites that claim to be organising parties to celebrate her death. In short, she is treated by large sections of the media, and by a comparatively smaller section of society, as though she deserves nothing but contempt and obloquy for her defeat of socialism.[40]

Does dim amheuaeth na fu i Margaret Thatcher gael ei hystyried, yn anterth ei grym, yn arweinydd mytholegol bron, yn arbennig ymhlith y rheini a geisiai eu gwella eu hunain a dod ymlaen yn y byd. Fe'i dilornwyd yn fustlaidd yn dilyn etholiad Mehefin 1987 gan awduron a berthynai i'r adain chwith, gan gynnwys Julian Barnes, Dennis Potter, David Hare, Alan Bennett a'r cyfarwyddwr theatr Jonathan Miller, a'i disgrifiodd fel rhywun 'loathsome, repulsive in almost every way'. Fel y dywedwyd gan un awdur, nid oedd yn ddigon i'w chasáu, yr oeddem yn *mwynhau* ei chasáu. Cafwyd caneuon iddi gan artistiaid fel Elvis Costello a'r grŵp The Exploited yn ei chollfarnu, ac fe'i beirniadwyd gan Doctor Who ac Adrian Mole hyd yn oed, yn ôl Charles Moore a luniodd gofiant iddi yn 2015.[41] Troes ei chollfarnu'n ddiwylliant, bron, ymhlith awduron y West End. Ond yr hyn a barodd dristwch i John Roderick Rees oedd i Brifysgol Rhydychen, sef *alma mater* Margaret Thatcher ei hun, yn 1985 wrthod dyfarnu iddi radd er anrhydedd. Dadlau dros degwch a gwrthrychedd a wnâi John Roderick Rees, gan synnu nas cafwyd hyd yn oed mewn sefydliad mor urddasol â Phrifysgol Rhydychen. Dyma oedd ei sylwadau yn *Barn* yn 1989:

---

[40] *Daily Mail* (14 December 2011), t. 26.
[41] *The Authorised Biography, Volume Two: Everything She Wants* (London, 2015).

Amlwg yw rhagfarn a chasineb rhan helaeth o garfan y cyfryngau ym Mhrydain ac yng Nghymru at Mrs Thatcher. Rhyfedd ac ofnadwy yw bod rhai o bysgod mawr hunanbwysig ein llyn bach yn ei henllibio nid yn unig mewn trafodaeth wleidyddol ond mewn rhaglenni a fwriadwyd i fod yn amhleidiol ac mewn 'barddoniaeth' genedlaethol hyd yn oed.[42]

Nid oes gan wleidyddion cyfoes ychwaith gydymdeimlad â strategaethau llywodraethu Margaret Thatcher, ond yn hytrach fe'i portreadir fel person negyddol a dideimlad a ddinistriodd hygrededd y blaid Dorïaidd. Mae Nick Clegg yn ei disgrifio, er enghraifft, yn ei hunangofiant fel 'the Boadicea of the Conservative Party'[43] a fu'n llwyddiannus 'because she told a story of past failure – trade-union domination, Labour recklessness, national decline – to which she was the only compelling answer'.[44] Onid dyna wna'r pleidiau oll adeg etholiadau a chynadleddau gwleidyddol?

Crybwyllodd John Roderick Rees safonau dwbl y cyfryngau wrth gymharu Prydain â gweddill y byd. Soniodd fel y rhoddid pwyslais cyson ar lygru tir a dŵr ac awyr ym Mhrydain, er mai rhyw fyr-grybwyll achlysurol a geid yn achos chwydfa'r simneiau a gwenwyn y dŵr y tu hwnt i'r Llen Haearn. Ychwanega:

Mae'n fy synnu sut y mae'r darlledwyr hynny sy'n sosialaidd/genedlaethol eu gwleidyddiaeth yn barod i wasanaethu cwmnïau annibynnol, cyfalafol Prydeinig – am dâl, wrth gwrs – mewn rhaglenni adloniadol, addysgol a chrefyddol.[45]

---

[42] *Barn*, Rhif 322 (Tachwedd, 1989), t. 5.
[43] *Politics Between the Extremes* (London, 2016), t. 175.
[44] *Politics Between the Extremes*, t. 18.
[45] 'Ym Marn John Roderick Rees', *Barn*, Rhif 329 (Mehefin 1990), t. 6.

Yr oedd yr un mor ddeifiol ei feirniadaeth ar y rhai a gâi nawdd parod y wladwriaeth Brydeinig drwy Gyngor y Celfyddydau, y rhan fwyaf ohonynt yn genedlaetholwyr 'o ran enw', ond yn gwbl barod i ddilorni'r llaw a'u bwydai. Oblegid golygwedd adain chwith y wasg Saesneg, croesawodd John ddyfodiad Eddy Shah a Rupert Murdoch i'r maes newyddiadurol er mwyn ffrwyno'r rhai a ystyriai'n eithafwyr undebol, ac a geisiai rwystro papurau newydd rhag cyhoeddi newyddion neu farn na fyddai'n cydweddu â'u daliadau hwy.[46] Ystyriai Shah a Murdoch fel arloeswyr democratiaeth a fyddai'n rhyddhau'r wasg o grafangau eithafwyr sosialaidd. Gwelai'r undebau llafur yn galw am arian ac yn hunanol farus eu natur. Yr oedd agwedd yr undebau llafur yn yr wythdegau yn ymylu ar fod yn anfoesol i John Roderick Rees. Fel y pwysleisiai'n gyson, ni fu'n aelod o blaid wleidyddol, ond mynnai ddadlau dros degwch a gwrthrychedd cyfryngol.

Yr hyn a apeliai ato oedd safiad cadarn Margaret Thatcher yn erbyn sosialaeth ac eithafiaeth yr undebau llafur.[47] Honnai i Margaret Thatcher roi hwb i sofraniaeth y farchnad rydd[48] ac i lwybr democratiaeth gartref drwy ffrwyno Scargiliaeth adeg Streic y Glowyr yn 1984–5, a chyda chymorth yr Arlywydd Reagan iddi greu'r hinsawdd

---

[46] Daeth Shah i amlygrwydd cenedlaethol, wrth gwrs, pan heriodd yr undebau ynglŷn â *working practices* a gwnaeth ei safiad weddnewid amodau gwaith yn Stryd y Fflyd. Lansiodd *Today* yn 1986, ac ef oedd ei gadeirydd a'i brif weithredwr hyd 1988 pan ddaeth i ben. Lansiodd y *Post* hefyd yn 1988, ond marwanedig oedd hwnnw, gan iddo ddod i ben ei rawd ymhen ychydig fisoedd. Yr hyn a apeliai at John Roderick Rees oedd dewrder Shah wrth fynd benben â'r undebau a oedd yn rheoli'r wlad ar y pryd.

[47] 'The strike proved one vital thing,' ebe Robin Harris. 'It showed that no union or group of unions could ever again make the country ungovernable'. *Not for Turning: The Life of Margaret Thatcher* (London, 2013), t. 440.

[48] Theori Margaret Thatcher, wrth gwrs, oedd fod y farchnad yn gwobrwyo'r hwn sydd yn haeddu ei wobrwyo, ac na ellir herio'r farchnad: 'There is no way one can buck the market,' ebe hi.

priodol i Gorbachev ac arweinyddion y Dwyrain ddymchwel y Llen Haearn.

Penseiri Glasnost a Perestroika

Uchafbwynt y bartneriaeth agos rhwng Ronald Reagan a Margaret Thatcher am gyfnod o wyth mlynedd oedd y newid dramatig a fu yn agwedd yr Undeb Sofietaidd a arweiniodd at ddymchwel Mur Berlin yn 1989. Yn dilyn hyn gwelwyd cwymp annisgwyl yr Undeb Sofietaidd, digwyddiad dramatig yr oedd Reagan a Mrs Thatcher wedi ei ddeisyfu cyhyd, a diau fod eu strategaeth wedi chwarae rhan bwysig yn y datblygiad.

Yn dilyn marwolaeth Leonid Brezhnev yn Nhachwedd 1982, cysylltodd llywodraeth Prydain â Moscow i geisio trafodaethau a chydweithrediad posibl. Yr oedd Gorbachev, yn debyg i Thatcher, yn garismataidd, yn egnïol ac yn barod i wynebu newid yn yr hen drefn o weithredu. Hoffai siarad a dadlau ac yr oedd yn berfformiwr naturiol ar lwyfan. O'i gymharu â'i ragflaenwyr ffurfiol, parchus a hunanbwysig, yr oedd ef yn amyneddgar, yn rhesymol ac yn decach. Roedd yn barod i oddef argyhoeddiadau gwleidyddol gwahanol i un y Blaid Gomiwnyddol. Daeth ag wynebau newydd i'w lywodraeth: 'people with human faces instead of stone-faced sphinxes.'[49] Yn Chwefror 1984 ymwelodd Mrs Thatcher â Hwngari er mwyn ceisio trafodaeth ar y sefyllfa y tu hwnt i'r Llen Haearn. Croesawodd yr arweinydd, János Kádár, ddiddordeb newydd Mrs Thatcher yn Nwyrain Ewrop. Adeg angladd olynydd Brezhnev, Andropov Yuri, y mis hwnnw y cyfarfu Thatcher gyntaf â Mikhail Gorbachev: 'I spotted him,' meddai yn ei hunangofiant, 'because I was looking for someone like him.'[50] Y Rhagfyr canlynol ymwelodd Gorbachev â Phrydain. Yr hyn a apeliai

---

[49] John Miller, *Mikhail Gorbachev and the End of Soviet Power* (Chippenham, 1993), t. 55.

at Mrs Thatcher oedd hunanhyder Gorbachev a'i barodrwydd i drafod materion gwleidyddol a dadleuol heb orfod cadw at agenda parod: 'he did not seem in the least uneasy about entering into controversial areas of high politics'.[51] Ar yr un pryd yr oedd Reagan a Gorbachev wedi dechrau cyfarfod a bu cyfres o uwchgynadleddau rhwng 1985 ac 1988 a arweiniodd at doriadau sylweddol yn yr arfogaeth niwclear.

Yn Hydref 1986 cynhaliwyd uwchgynhadledd yn Reykjavik a chytunwyd mewn egwyddor i ostwng nifer yr arfau strategol a'r arfau pellter canolig. Yna, ym Mehefin 1988, ymwelodd yr Arlywydd Reagan â Moscow – yr ymweliad cyntaf gan arlywydd Americanaidd ers pedair blynedd ar ddeg. Unwaith eto, yn dilyn yr ymweliad gwelwyd symud pendant at leihau nifer yr arfau strategol. Yr oedd yn amlwg erbyn hynny na welodd y Gorllewin erioed gomiwnydd fel Gorbachev, ac ymddengys ei fod yn llawer mwy poblogaidd yn y Gorllewin nag yn ei wlad ei hun. Yn Rhagfyr 1987 croesawyd yr arweinydd Sofietaidd i Washington; ef oedd yr arweinydd cyntaf o'r Kremlin i deithio yno er Leonid Brezhnev yn 1973. Yr un flwyddyn hefyd, bu Margaret Thatcher ar daith arbennig o lwyddiannus yn yr Undeb Sofietaidd a threuliodd dros un awr ar ddeg yng nghwmni'r Arlywydd Gorbachev. Yr oedd perthynas agos Reagan a Mrs Thatcher, er hynny, wedi colli iddi gefnogaeth llawer iawn o arweinwyr Ewrop. Yr hyn a edmygai John Roderick Rees a llawer o sylwebyddion eraill, fodd bynnag, oedd ei dewrder a'i hyder i fynd i'r afael â'r Undeb Sofietaidd. Iddo ef, hi a Ronald Reagan a feddai

---

50 *Mikhail Gorbachev and the End of Soviet Power*, t. 452. Gw. hefyd sylwadau Peter Temple-Morris yn *Across the Floor: A Life in Dissenting Politics* (London & New York, 2015), am y modd y croesawodd Margaret Thatcher agwedd gadarnhaol ac adeiladol Gorbachev tuag at wleidyddiaeth y Gorllewin; yr oedd yn berson, meddai, 'we can do business with' (t. 130).

51 *The Downing Street Years* (London, 1993), t. 461.

ar y weledigaeth a'r gwroldeb i wrthwynebu safiad haearnaidd y Sofietiaid, ac oni bai amdanynt hwy credai y byddai'r wal yn sefyll o hyd drwy ganol Berlin. Ysgubodd y chwyldro drwy Ddwyrain Ewrop mor gyflym gan ddwyn ymaith y ddelwedd o gomiwnyddion anghymodlon, didostur na fyddent yn fodlon ildio i'r Gorllewinwyr.

Nid oedd gan Mrs Thatcher lawer o ymddiriedaeth yn arweinwyr Ewrop, yn enwedig yn Helmut Kohl o'r Almaen ac yn François Mitterrand o Ffrainc, ac nid oes arwydd bod gan John Roderick Rees ychwaith farn wahanol ynglŷn â rhai o bolisïau tramor arweinwyr Ewrop. Sylweddolai, er hynny, fod Gorbachev yn fodernydd a oedd am weld comiwnyddiaeth yn gweithredu'n amgenach yn y byd modern. Yn ei hunangofiant bu i Mikhail Gorbachev hefyd gydnabod cyfraniad Mrs Thatcher:

> One must admit that in a number of cases she was able to substantiate her charges with facts, which eventually led us to review and criticise some of our own approaches·[52]

Gall fod yn wir, fel yr awgrymodd John Roderick Rees fwy nag unwaith, mai Mrs Thatcher a ddarbwyllodd Gorbachev na fedrai'r Undeb Sofietaidd ennill y ras arfogi ac mai ofer fyddai ceisio perswadio Reagan i ildio Star Wars. I John, ffolineb oedd peidio â chydnabod cyfraniad Mrs Thatcher ar lwyfan gwleidyddol y byd, a dyma farn llawer o sylwebyddion eraill hefyd:

> Undoubtedly she played a role in the events which led to the sudden ending of the Cold War in 1989–91. She

---

[52] *Mikhail Gorbachev: Memoirs* (London, 1996), t. 548. Gw. hefyd sylwadau ar natur y berthynas rhwng Thatcher a Gorbachev yn Robin Harris, *Not for Turning: The Life of Margaret Thatcher*, tt. 226–8; Graham Stewart, *Bang!: A History of Britain in the 1980s* (London, 2013), tt. 216–17; Jonathan Aitken, *Margaret Thatcher: Power and Personality* (London, 2013), tt. 474–97.

was visible, articulate and clear-sighted, and is entitled to share the credit for a consummation for which she had devoutly wished.[53]

Yn ei gerdd i Margaret Thatcher, tebyg yw casgliadau John Roderick Rees:

> Naïf yw dilorni Thatcher a Reagan
> Fel pennau bach adolesent y delweddau poer,
> Ac anghofio mai hwy ill dau oedd penseiri
> Glasnost, Perestroika a meirioli y rhyfel oer.[54]

Cydnabyddai John Roderick Rees gryfder gwleidyddol Margaret Thatcher a'r modd y llwyddodd i weddnewid y Blaid Dorïaidd a oedd i bob pwrpas wedi colli cysylltiad â'r cyhoedd erbyn iddi hi ddod yn arweinydd. Yn y dyddiau cyn-Thatcheraidd magwyd y rhan fwyaf o'r aelodau gan *nannies* a *matrons* a'i câi'n anodd trosglwyddo unrhyw rym gwleidyddol i ferched. Llwyddodd hi, er hynny, i oresgyn eu hagwedd awdurdodol a thrahaus. Daeth yn un o brif arweinyddion y Gorllewin, ac yn ôl John Roderick Rees, yn un o'r dewraf a'r mwyaf grymus o brif weinidogion yr ugeinfed ganrif. Barnai mai dau brif weinidog a'i rhagflaenodd a oedd o'r un calibr â hi, sef Lloyd George a Winston Churchill.

Mewn cerdd foliant i Ronald Reagan, y mae'n sôn amdano fel gwyliwr o dŵr gweriniaeth yr ugeinfed ganrif sydd yn gwarchod, o gaer ei reolaeth, dynged dyn. Ei gymwynas ef, medd y bardd, yw arwain y gorthrymedig yn Nwyrain Ewrop i'w rhyddid:

---

53 John Campbell, *Margaret Thatcher: Volume 2, The Iron Lady* (London, 2003), t 300.
54 *Cerddi Newydd 1983–1991*, tt. 57–8. Ar effaith y Rhyfel Oer ar Gymru, gw. Martin Johnes, 'Wales and the Cold War', *Llafur*, Vol. 10, No. 4 (2011), tt. 2–15; Paul Addison and Harriet Jones (eds.), *A Companion to Contemporary Britain, 1939–2000* (Oxford, 2005), tt. 23–41.

... eilun i'r rhai a ddaeth allan o'r cystudd mawr,
a hualau'r gwersylloedd didostur yn nwyrain Ewrob
a welodd ar gant y gorllewin oleuni gwawr.

Gwell yw tarian y sêr na thramp y catrodau
a thrallwyso gwaed cenedlaethau i estron ffos;
bys-a-bawd y gwyddonydd yn diffodd fflamau
canhwyllau gwib rocedi y niwclear nos.[55]

Gwelwyd yn barod na lwyddodd unrhyw un o'r prif bleidiau
gwleidyddol i ddianc yn llwyr rhag beirniadaeth John
Roderick Rees. Ni wnaeth ei ymlymiad oes wrth
Ryddfrydiaeth ychwaith ei atal rhag beirniadu rhai o
arweinyddion y Blaid Ryddfrydol yn ail hanner yr ugeinfed
ganrif. Gwrthwynebai unrhyw glymbleidio rhwng pleidiau.
Hybu rhyddfrydiaeth ac nid sosialaeth oedd nod amgen y
rhai a fu'n pleidleisio i'r Blaid Ryddfrydol o genhedlaeth i
genhedlaeth, ac ni welai ei bod yn iawn i'r Rhyddfrydwyr
gynnal breichiau James Callaghan a'i lywodraeth yn 1977.
Roedd hefyd yn feirniadol o Roy Jenkins am ei barodrwydd i
ymuno â'r Rhyddfrydwyr a ffurfio clymblaid Lib/SDP. Yr
oedd David Steel, ar y llaw arall, o'r farn y gallai dealltwriaeth
o'r fath greu apêl etholiadol ehangach gyda dwy blaid
gyfochrog. Atgoffwyd y Blaid Ryddfrydol gan John Roderick
Rees fod bywgraffydd Asquith wedi pwysleisio'r angen am
un blaid, a chredai y dylid gwrando ar y farn honno. Onid
llwybr difancoll, gofynnodd, fyddai ffordd y glymblaid?

---

[55] *Cerddi Newydd 1983–1991*, t. 51. Mae Martin Johnes yn nodi yn ei
erthygl 'Wales and the Cold War' y cynhaliwyd arolwg yn 1982 a
ddatguddiodd fod cymaint â 70% o bobl Prydain yn ofni rhyfel
niwclear, a 38% yn sicr fod rhyfel o'r fath yn anochel (t. 12). Hyn
sydd yn esbonio cymaint o ryddhad ydoedd i bobl fel John
Roderick Rees fod y cwmwl hwnnw a fu'n eu bygwth am dros
ddeugain mlynedd yn araf ddiflannu dros y gorwel, diolch, meddir,
i bobl fel Thatcher, Reagan a Gorbachev. Ychydig o gefnogaeth a
gafodd mudiad fel CND yn ardaloedd gwledig Cymru – fe'i
cysylltid yn bennaf â'r mewnfudwyr; gw. Martin Johnes, *Wales
Since 1939*, pennod 13, tt. 385–411.

Un arall o arwyr John Roderick Rees oedd Lloyd George. Unwaith eto, dyma ŵr a oedd yn llym ei gondemniad o sosialaeth. Hoff gan John oedd sôn am araith Lloyd George a soniai am sosialaeth fel tywod yr anialwch yn cloi pob peiriant, yn rhwystr i bob cynnydd bywydol ac yn ddifaol i ryddid yr unigolyn. Yr hyn a hoffai yn Lloyd George oedd ei amharodrwydd i gyfaddawdu ynghylch ei egwyddorion yn y tridegau pan ffurfiwyd y llywodraeth genedlaethol yr oedd ef yn wrthwynebydd mor ffyrnig iddi, gan arwain ei blaid fach o chwe aelod seneddol. Edmygai agwedd ddigymrodedd gwleidydd fel Jo Grimond hefyd, a chas ganddo fuasai unrhyw ymgais at fwhwman neu din-droi o gwmpas ei ddaliadau.

Ar y llaw arall, credai fod David Steel yn llawer rhy chwannog i gynnal llywodraeth James Callaghan yn hytrach na glynu'n ddiwyro wrth ei ddaliadau Rhyddfrydol.[56] Gellir cymharu ei agwedd at gyfaddawdu rhwng dwy blaid ag eiddo Asquith, yn hyn o beth. Fel y dywedodd Malcolm Muggeridge un tro am wleidyddion diplomataidd a hyblyg: 'By tolerating everything, they stand for nothing'. Hynny yw, mynnai nad oedd goddefgarwch yn rhinwedd ynddo'i hun.[57] I Ryddfrydwr ceidwadol fel John Roderick Rees nid oedd tynnu nyth cacwn i'w ben yn rhwystr yn y byd. Fel y gellir dychmygu, gofid iddo fu gweld ei sir enedigol yn troi'n sedd i Lafur yn 1966, ac yr oedd wrth ei fodd pan

---

[56] Gweler ar y 'Lib-Lab pact' hwn erthygl J. Graham Jones, 'Cledwyn Hughes and the Formulation of the Lib-Lab pact of March 1977', *Llafur*, Vol. 11, No. 2 (2013), tt. 119–37; David Torrance, *David Steel: Rising Hope to Elder Statesman* (London, 2012), tt. 90–1.

[57] Mae'n siŵr y byddai wedi gwrthwynebu penderfyniad Kirsty Williams, unig Aelod Cynulliad y Democratiaid Rhyddfrydol, i droi'n weinidog Llafur yn y senedd yng Nghaerdydd yn dilyn etholiad 2016. Gwell ganddo fyddai ei gweld yn parhau'n llais ymosodol ar feinciau'r gwrthbleidiau yn hytrach nag aberthu ei rhyddid i leisio barn annibynnol ac unigol ei phlaid ar lawr y Cynulliad. Derbyniodd aelod Brycheiniog a Maesyfed swydd ym Mai 2016 yng Nghabinet Carwyn Jones fel Ysgrifennydd Addysg gan roi'r gorau i'w swydd fel arweinydd ei phlaid yng Nghymru.

adfeddiannodd y ffermwr o Geredigion, Geraint Howells, y sedd yn etholiad Chwefror 1974 gyda mwyafrif o 2,476 o bleidleisiau. Fel y gwelwyd eisoes, enillodd Geraint Howells bedwar etholiad wedi hynny, cyn ildio'r sedd i Blaid Cymru yn 1992.[58] Cefnogai yntau fel John Ryddfrydiaeth traddodiad Lloyd George ac ni fodlonodd ar alw'r blaid wrth enw newydd pan drodd, yn swyddogol, yn Blaid y Democratiaid Rhyddfrydol.

Nid ataliodd cefndir a chymeriad gwledig John Roderick Rees ef rhag sylweddoli mai ffenomenau cyffredinol a rhyngwladol a oedd yn wynebu bywyd gwledig Ceredigion ar derfyn yr ugeinfed ganrif. Oblegid ei syniadau gwleidyddol cafodd John ei ddrwgdybio a'i ddilorni gan nifer o'i gyfoeswyr, ond gwrthryfelwr ydoedd a oedd yn barod i groesi cleddyfau â'r Sefydliad yn ogystal â rhai oedd â daliadau asgell chwith. Roedd llawer ohonynt yn genedlaetholwyr brwd ac yn lladmeryddion sosialaeth gan i Blaid Cymru ddatgan yn 1981 fod sicrhau 'gwladwriaeth sosialaidd ddatganoledig' i Gymru yn amcan sylfaenol ganddi.

Gellir deall yr elyniaeth hanesyddol at y Torïaid yng Nghymru ac roedd hynny'n un o'r rhesymau pam y cafwyd adwaith llwythol yn erbyn Margaret Thatcher.

Gyda diflaniad y diwydiannau dur a glo, nid oedd yr ymdeimlad cyffredinol o 'ni' a 'nhw' mor amlwg, ond anodd, onid amhosibl, ydoedd i'r Blaid Dorïaidd ennill cefnogaeth ymhlith trigolion y tiroedd hyn. Yr hyn a gynddeiriogai amryw o'r ardaloedd mwyaf diwydiannol yn ne Cymru oedd bod rhai o siroedd eraill Cymru yn barod i gefnogi Margaret Thatcher. Erbyn yr wythdegau, er hynny,

---

58 Blaenoriaethau Geraint Howells fel gwleidydd oedd economi a diwylliant cefn gwlad Cymru, yr iaith Gymraeg a datganoli. Bu'n arweinydd y Rhyddfrydwyr yng Nghymru o 1979 hyd 1988. Yn 1992, dyrchafwyd ef yn arglwydd am oes (yr Arglwydd Geraint o Bonterwyd). Bu'n ddirprwy-lefarydd Tŷ'r Arglwyddi rhwng 1994 ac 1999.

yr oedd yng Nghymru gymdeithas ôl-ddiwydiannol fwy hyderus a oedd yn barod i gefnu ar y Blaid Lafur mewn rhai ardaloedd, fel y dengys etholiad cyffredinol 1983 pan syrthiodd y bleidlais Gymreig i 38%, a oedd yn llai nag a gawsai yn yr un etholiad cyffredinol er 1918.

Gwelodd rhai a feddai ar ddelfrydau'r Chwith bolisïau Mrs Thatcher a'i chred yn llwyddiant y farchnad rydd fel cyfle i unigolion ac i gwmnïoedd mawrion fel BP ym Mhrydain, Hitachi yn Japan, Siemens yn yr Almaen, ymelwa a chreu cymdeithas ranedig, anghyfiawn ac ansefydlog. Gwelent fod ei pholisïau yn apelio at yr unigolyn hunanol ac yn mynd yn groes i greu cymdeithas gyfiawn ac unedig. Honnai eraill, a John Roderick Rees yn eu plith, fod egwyddorion cychwynnol y Chwith, sef tegwch, teyrngarwch i'r ddynoliaeth, cydraddoldeb, a chyd-ddibyniaeth, wedi troi'n ormesol ac yn eithafol, ac wedi peri i bobl ddymuno dymchwel sylfeini democratiaeth a llywodraeth y dydd.

Dichon fod y Cymry erbyn hyn yn fwy ymwybodol o'u cenedligrwydd nag mewn unrhyw gyfnod yn ystod y can mlynedd diwethaf. Dengys gwaith John Roderick Rees, er hynny, yn fwy nag odid yr un arall o feirdd Cymru, mor gymhleth yw'r hunaniaeth Gymreig a chenedligrwydd Cymru erbyn hyn. Ni all neb sydd yn byw yng Nghymru bellach daflu o'r neilltu bob sosialydd, pob ceidwadwr, pob brenhinwr, pob un sy'n cefnogi'r *status quo* Prydeinig. Dangosodd sefydlu Llywodraeth y Cynulliad gymaint y newid a fu yng Nghymru rhwng 1979 ac 1997, ac wedi hynny bu i bob plaid fel ei gilydd dderbyn y Cynulliad fel lefel gyfreithiol o lywodraeth yng Nghymru. Tanseiliwyd y ffiniau seicolegol rhwng Cymru a'r byd a rhwng gwahanol ranbarthau o fewn y wlad – rhwng tref a gwlad, de a gogledd, rhwng y Cymro Cymraeg a'r Cymro di-Gymraeg.

Daeth Cymru yn fwy o 'coherent nation'.[59] Nid un math o Gymro sydd yn byw yng Nghymru, ac mae'n ofynnol cydnabod hynny yn ôl John Roderick Rees.

---

[59] *Wales Since 1939*, t. 446.

Capel y Methodistiaid Calfinaidd, Bethania

I GOFIO'N ANNWYL
— AM —
JANE MARY WALTERS
BEAR'S HILL, PENUWCH
1894 — 1981.
A FU MEGIS MAM I JACK
AM 58 MLYNEDD.
Gwŷs ei heinioes gwasanaeth.

Carreg fedd Jane Walters ym mynwent Bethania

Pennod 5

Crefydd

Cyflwyniad

Bu John Roderick Rees yn ffyddlon i'w enwadaeth gydag Eglwys Bresbyteraidd Cymru drwy ei oes. Mynychodd ei hoedfaon a'i chymdeithasau yn gymharol ddi-dor. Loes iddo erbyn y diwedd oedd gweld y dirywiad mewn crefydd enwadol a'r duedd ymhlith ei enwad i gau capeli'r fro. Nid oedd i'w gapel ym Methania ar ddechrau 2020 ond enwau deng aelod ar y llyfrau, a dim ond rhyw bedwar ohonynt hwy a fynychai oedfa. Ffurfiwyd cytundeb anffurfiol rhwng aelodau Bethania a Phen-uwch i gynnal gwasanaeth yn y naill gapel neu'r llall bob Sul. Ar gyfartaledd, serch hynny, nid oes mwy nag wyth aelod yn mynychu'r gwasanaethau cydenwadol hyn. Mae'r proffwyd Jeremeia'n sôn am yr 'henwr yn llawn o ddyddiau', ac yn ôl un o swyddogion capel Bethania heddiw, mae'r gweddill ffyddlon hwythau hefyd 'yn llawn o ddyddiau'. Broc môr y penllanw lle nad oes ond atgofion 'yn chwyddo byth i'r lan'.

Mynegodd John farn ar nifer o bynciau'n ymwneud â daliadau'r diwinyddion cyfoes ac adweithiodd iddynt. Mae awgrym o'i anesmwythyd yn y pennill isod a luniodd yn wythdegau'r ganrif ddiwethaf:

Er nad yw'n siŵr bod yna Geidwad
na chwaith yn siŵr bod Atgyfodiad,
yn ei goleg, elwa'n helaeth
ar borfeydd gwelltog uwch-feirniadaeth.[1]

Yr oedd crefydd yn rhan annatod a ffurfiannol o'r gymuned wâr, wledig a gysylltir â chymeriadau fel John Roderick Rees yn y ganrif ddiwethaf. Buasai'n ffordd o fyw, a dyna paham yr oedd rhagrith a ffug-barchusrwydd yn anathema iddo:

Bu'n casglu'n ddiwyd i drysorfa
gorthrymedig Kampuchea
heb dorri gair â'r dyn drws nesa'.[2]

Cymerai ei ddaliadau crefyddol yn gwbl o ddifrif ac am hynny cwestiynai ei gredo a'r hyn a safai drosto yn gyson hyd y diwedd. Ni ellir ystyried ei sylwadau a'i feddylfryd crefyddol yn gyflawn heb yn gyntaf fwrw golwg ar y darlun cyflawn yng Ngheredigion ac yng Nghymru yn ystod yr ugeinfed ganrif. Dyma ganrif a welodd y Gymraeg ac Ymneilltuaeth o dan warchae a'u dyfodol ar ddechrau'r mileniwm newydd yn ansicr.

Yn canlyn y Diwygiad a gychwynnodd yng Ngheredigion yn 1904 cynyddodd aelodaeth mewn capeli o 463,000 yn 1903 i 549,000 yn 1905. Erbyn hyn yr oedd Evan Roberts wedi datblygu'n ffigur cenedlaethol drwy Gymru. O gyfrif mynychwyr y capeli a'r eglwysi yn 1910, amcangyfrifir y mynychid lle o addoliad gan o leiaf 743,361 o drigolion Cymru – nifer sylweddol o gofio mai 1,864,696 oedd poblogaeth y wlad ar y pryd. Gwelir, gan hynny, fod 40% o'r boblogaeth yn mynychu moddion gras. Yr oedd effaith y

---

1 'Felna Ma' Hi (2)', *Cerddi Newydd 1983–1991*, t. 63.
2 'Felna Ma' Hi (1)', *Cerddi Newydd 1983–1991*, t. 60.

Diwygiad wedi pylu rywfaint erbyn 1914, ac mewn canlyniad, gwelwyd gostyngiad o ryw 26,000 yn aelodaeth y capeli a'r eglwysi.

Yn 1904 profasai Ceredigion ddirywiad mawr yn ei phoblogaeth. Rhwng 1871 a 1911 yr oedd nifer ei thrigolion wedi gostwng o 73,000 i 59,000, amryw ohonynt wedi ymsefydlu yn ardaloedd diwydiannol a glofaol sir Forgannwg. Yn wir, erbyn 1891, yr oedd cynifer â 14,737 o Gardis yn byw yn y sir honno, ychydig yn fwy na chwarter poblogaeth Ceredigion.[3] Yn yr ardaloedd arfordirol, sef Ceinewydd, Blaenannerch ac Aber-porth yr effeithiodd y Diwygiad fwyaf gan anadlu bywyd newydd i lawer capel yn yr ardaloedd hyn.

Nid oedd Diwygiad 1904–5, a gysylltir ag Evan Roberts yn bennaf, yn ffenomen newydd yng Ngheredigion gan fod rhai o'r trigolion yn cofio diwygiad 1859 a gychwynnodd yn Nhre'r-ddôl yng ngogledd Ceredigion ac a fu'n gyfrifol am boblogeiddio a sefydlu Anghydffurfiaeth ar hyd a lled y sir a thu hwnt gan ychwanegu rhyw 110,000 at ei haelodau yng Nghymru. Yr oedd Ceredigion yn 1904–5 yn sir arbennig o fywiog yn grefyddol a'r Methodistiaid Calfinaidd oedd yr enwad mwyaf llwyddiannus ymhlith yr Anghydffurfwyr gyda 13,014 o gymunwyr a 20,201 o ddilynwyr neu gefnogwyr. Yr oedd 61.8% o boblogaeth Ceredigion yn gymunwyr yn 1905.[4] Yr un pryd, yr oedd y cyfartaledd a fynychai'r Ysgol Sul yn y sir yn 67% o'i gymharu â 27% ym Maesyfed, er enghraifft.[5]

---

3 Poblogaeth Ceredigion ar y pryd oedd 62,630. Hanner can mlynedd yn ddiweddarach yn 1931, nid oedd cyfanswm y boblogaeth ond yn 55,184 a'r nifer yn dal i ostwng yn flynyddol gan gyrraedd 51,000 yn 1939. Yr oedd y trai hwn yn golled erchyll i Anghydffurfiaeth yn y sir. Gwelwyd cynnydd bychan yn dilyn y mewnfudo o Loegr yn bennaf gan gyrraedd 54,882 yn 1971.

4 Hyn i'w gymharu â 27.7% yn sir y Fflint a Maldwyn 27.2%.

5 R. Tudur Jones, *Ffydd ac Argyfwng Cenedl: Cristnogaeth a Diwylliant yng Nghymru 1890–1914*, Cyf. II (Abertawe, 1982), t. 89.

Yn anochel, cafodd y gostyngiad yn y boblogaeth effaith andwyol ar gapeli ac eglwysi Ceredigion. Adeiladwyd rhai capeli yn arbennig mewn trefydd fel Aberystwyth ac Aberteifi yn y gobaith o weld cynnydd yn eu cynulleidfaoedd. Er hynny, yr oedd gan yr Anghydffurfwyr gynifer â 288 o gapeli yn y sir yn 1906, gyda digon o le ynddynt i 75,901 o bobl.[6] Yr oedd yr Annibynwyr yn unig wedi adeiladu 13 o gapeli o fewn Ceredigion rhwng 1851 a 1906 gyda 10,832 o aelodau a 6,327 o wrandawyr ar ddechrau'r ugeinfed ganrif. Cafwyd cynnydd hefyd yn nifer yr eglwysi: o 63 yn 1851, a rhwng 1850 a 1872, sefydlwyd 25 arall, deunaw ohonynt yng ngogledd y sir. Erbyn 1905, yr oedd nifer yr eglwysi yn 95 gyda 47 ohonynt yng ngogledd Ceredigion a'r gweddill yn y de, gyda chyfanswm o 13,014 o gymunwyr a 20,021 o ddilynwyr neu wrandawyr.

Fel y nodwyd yn barod, gwelwyd cynnydd arwyddocaol yng nghynulleidfaoedd capeli pob enwad o fewn Ceredigion yn canlyn Diwygiad 1904–5. Profwyd twf sylweddol yr adeg honno o ryw 10% yn nifer aelodau'r Methodistiaid Calfinaidd yn unig, cynnydd nas gwelwyd ei debyg fyth wedyn. O 1926 ymlaen, pan gafwyd y nifer uchaf erioed o fynychwyr sef 189,727, trai araf a'i dilynodd hyd y 1960au a'r 1970au.[7] Mor gynnar â 1939 hyd yn oed yr oedd arwyddion o'r dirywiad yn ymddangos yng Ngheredigion. Yn y flwyddyn honno, er enghraifft, y gwerthwyd capel y Wesleaid yn nhref Aberteifi a'i droi'n siop y Cooperative. Yn y dref honno hefyd yn 1976, gwerthwyd capel Saesneg enwad yr Annibynwyr i'r Swyddfa Gymreig a'i dymchwelodd er mwyn darparu mynediad ehangach i un o strydoedd y dref.

Nid encilio sydyn o'r capeli a'r eglwysi a gaed yn ystod y

---

6 44,193 oedd y ffigur hwn yn 1851.
7 Yng Nghymru'n gyffredinol, yr oedd 536,000 o gymunwyr yn y capeli Anghydffurfiol yn 1926; erbyn 1939 yr oedd y nifer wedi gostwng i 510,600 ac i 370,000 erbyn 1955, sef un allan o bob saith o'r boblogaeth.

ganrif ddiwethaf, ond yn hytrach enciliad araf a chyson mewn aelodau o fyd yr ysbryd i'r byd seciwlar. Yr oedd erbyn hyn barodrwydd i gysylltu crefydd a diwinyddiaeth â phroblemau cymdeithasol a gwleidyddol. Yr oedd yna awydd am gymdeithas fwy dynol a chyfiawn, yn arbennig ar ôl yr Ail Ryfel Byd. Ni chafwyd yng Ngheredigion wrthdystio radicalaidd fel a gaed yn rhai o siroedd eraill Cymru. Yr oedd ei thrigolion yn rhy geidwadol a chymedrol eu safbwynt i fynegi barn fel a wnaed yn yr ardaloedd mwyaf diwydiannol. Parhawyd i addoli'n gyson drwy Geredigion drwy gydol yr ugeinfed ganrif, a hyd yn oed yn 1980, yr oedd gan y tri chapel Presbyteraidd Cymraeg yn Aberystwyth, er enghraifft, gymaint â 1,896 o aelodau a chynifer â 2,620 o aelodau'n mynychu addoldai'r dref. Yn y wlad, er hynny, brwydr gyson fu cynnal a chadw mangre o addoliad.

Yn 1971, honnodd 77% o boblogaeth Ceredigion eu bod yn mynychu lle o addoliad, ond o'r ganran honno, cyfaddefodd 10% ohonynt nad oeddynt nemor fyth yn mynychu. Ar y llaw arall, honnwyd gan 27% y mynychent o leiaf unwaith yr wythnos; 15% unwaith y mis, a 15% lai nag unwaith y mis. O'r rheini a fynychai, dengys y canrannau isod yr enwadau a fynychid ganddynt:

	%
Eglwys yng Nghymru	28
Presbyteriaid a'r Methodistiaid Calfinaidd	21
Annibynwyr	14
Bedyddwyr	5
Undodiaid	4
Methodistiaid Wesleaidd	2
Catholigion	2
Eraill (yn cynnwys Bedyddwyr Saesneg)	2[8]

---

[8] P. J. Madgwick, *The Politics of Rural Wales: A Study of Cardiganshire* (London, 1973), t. 67.

Yn 1971, gwelir fod 48% o'r addolwyr yn Anghydffurfwyr. Ym Mhrydain yn gyffredinol, roedd y ganran yn llawer is, sef 22%.

Erbyn 1985, yn ôl Chris Williams, 'Wales was no longer a Christian country'.[9] Hynny yw, nid oedd mwyafrif y boblogaeth bellach yn mynychu lle o addoliad gan fod llai nag un o bob pump o'r trigolion yn aelod o gapel neu eglwys a dim ond un allan o wyth a fynychai'n rheolaidd. O'r rheini a fynychai, yr oedd 62% ohonynt yn ferched a dim ond 38% yn ddynion. Yr oedd traean o'r mynychwyr dros eu 65 oed, a dwy ran o dair dros 40 oed. O ran cymhariaeth, yn 1876 yr oedd 75 o gapeli yn perthyn i Henaduriaeth Dwyrain Morgannwg. Erbyn 1920, yr oedd nifer y capeli wedi codi i 118 gyda 64 o weinidogion arnynt. Erbyn 2003, 12 o gapeli'n unig a oedd ar ôl yn y rhanbarth a dau weinidog yn gyfrifol amdanynt.

Yn niwedd yr ugeinfed ganrif, bu'r gwrthgiliad crefyddol yn rhyfeddol o sydyn gan ddylanwadu'n drwm ar y gymdeithas ddiwylliannol yng Nghymru. Collwyd adnabyddiaeth o ddulliau ac o eirfa'r capel ac nid yw'r union reswm am y chwalfa yn glir hyd heddiw.[10] Trosglwyddwyd yr argyhoeddiad o un genhedlaeth i'r llall yn llwyddiannus nes cyrraedd newidiadau carlamus yr ugeinfed ganrif.

Yng Nghymru yn gyffredinol yn yr un cyfnod o safbwynt gwleidyddol, collodd y Blaid Ryddfrydol ei grym ac fe gymerwyd ei lle mewn llawer ardal gan y Blaid Lafur. Erbyn y 1930au a'r 1940au brau ac annelwig ddigon oedd y cysylltiad bellach, yn arbennig yn yr ardaloedd diwydiannol, rhwng Cymreictod, yr iaith ac ymlyniad crefyddol. Yng Ngheredigion, ar y llaw arall, y mae'r cyswllt rhwng y tri'n dal i fodoli i raddau, yn arbennig ymhlith y

---

9   *The People of Wales*, eds. Gareth Elwyn Jones and Dai Smith (Llandysul, 1999), t. 228.

10 M. Wynn Thomas, *In the Shadow of the Pulpit: Literature and Nonconformist Wales* (Cardiff, 2010).

rheini a anwyd ac a fagwyd yn yr ardaloedd gwledig o fewn y sir. Yr oedd cymdeithas er hynny'n Seisnigo ac yn seciwlareiddio, yr iaith Gymraeg a'i diwylliant yn edwino.[11] Gwelid crefydd y capel gan rai fel rhywbeth hynafol, gorthrymus a Phiwritanaidd ac yn gwbl amherthnasol i fywyd canol yr ugeinfed ganrif. Prin y gellid honni erbyn hyn fod yr hunaniaeth Gymraeg ynghlwm wrth grefydd anghydffurfiol ac felly'n cael ei dehongli gan weinidogion a diwinyddion yn hytrach na chan wleidyddion.

Ystyrid Ceredigion yn un o siroedd mwyaf crefyddol y wlad ar un adeg yn hanes Cymru, ond erbyn diwedd yr ugeinfed ganrif, fel y gwelwyd, yr oedd traean o'r boblogaeth yn honni nad oeddynt yn Gristnogion. Er i ymron 70% o'r trigolion ddatgan yng Ngheredigion eu bod yn Gristnogion yn 2001, yr oedd y ganran yn is na'r un gyffredinol ar gyfer Cymru a Lloegr, sef 71.8%. Erbyn 2011, dengys ffigurau'r Cyfrifiad i nifer y rheini a honnai eu bod yn Gristionogion yng Ngheredigion, syrthio i 57.9%, sef 43,981 allan o boblogaeth o 75,922.

O gofio fod 74% o drigolion Ceredigion yn mynychu man o addoliad yn 1906, oddeutu ganrif ynghynt, y mae'r lleihad yng nghrefydd gyfundrefnol y sir yn amlwg. Mynychid yr Ysgol Sul gan 12,194 o Fethodistiaid Calfinaidd Ceredigion yn 1905, ond bu i'r ffigur hwnnw syrthio i 2,371 erbyn 1973. Cyffelyb yw'r sefyllfa yn hanes cymunwyr yr enwad hwnnw hefyd yn y sir: yr oedd 13,272 ohonynt yn 1906, a 8,055 yn 1973. Erbyn 1989, agorid y tafarndai ar y Sul yng Ngheredigion; gwnaethpwyd hynny yn 1982 yn sir Gaerfyrddin, ac yn 1996 yng Ngwynedd. Byddai yfed ar y Sul rai blynyddoedd ynghynt yn erbyn holl egwyddorion yr Anghydffurfwyr a oedd wedi gwneud safiad pendant dros genedlaethau yn erbyn y *booze* neu'r ddiod feddwol a'i heffaith ar gymdeithas.

---

[11] R. Ifor Parry, *Ymneilltuaeth* (Llandysul, 1962), t. 175.

Mae gan John Roderick Rees gerdd sydd yn adlewyrchu'r sefyllfa yn ymron y rhan fwyaf o gapeli Ceredigion erbyn hyn, sef 'Sul o Ragfyr: Bethania 1987'. Does yma ond broc môr y penllanw gynt:

> Llond côr o gynulleidfa
> yn ddotiau disberod hyd y llawr
> fel map o boblogaeth ucheldir,
> demograffi'r diwedd;
> y gwres oddi fry
> yn y barrau trydan
> heb gyrraedd ein traed oer.[12]

Crefydd John Roderick Rees

Ganwyd a magwyd John Roderick Rees i goleddu'r syniad traddodiadol am y Beibl, ei fod air am air yn ddatguddiad uniongyrchol oddi wrth Dduw. Heb amheuaeth, bu effaith y gwyddorau naturiol a beirniadaeth Feiblaidd yn chwyldroadol, a thrawsnewidiwyd yn llwyr y sefyllfa ddiwinyddol yng Nghymru fel ym mhob gwlad arall.[13] Codwyd am y tro cyntaf gwestiynau dyrys am darddiad dyn, natur Person Crist, yr ymgnawdoliad, yr atgyfodiad, ac yn y blaen. Daethpwyd â'r syniad o esblygiad i amlygrwydd a arweiniodd at ymchwiliadau hanesyddol a gwyddonol. Priodwyd y syniad o esblygiad â'r syniad o fewnfodolaeth Duw er mwyn dangos mai Gallu Dwyfol mewnfodol a nodweddai ddatblygiad popeth.

Tuedd y feirniadaeth Feiblaidd hefyd, fel y dengys gwaith David Adams ddiwedd y bedwaredd ganrif ar bymtheg, oedd ymwrthod â'r syniad o bechod gwreiddiol, sef y gred fod pechod Adda'n cael ei drosglwyddo i'w

---

12 'Sul o Ragfyr: Bethania 1987', *Cerddi Newydd 1983–1991*, t. 68
13 Glyn Richards, *Datblygiad Rhyddfrydiaeth Ddiwinyddol ymhlith yr Annibynwyr* (Abertawe, 1957), t. 9.

hiliogaeth. Mewn ysgrif o'i eiddo yn *Barn*, mae John Roderick Rees yn gwbl sicr ei farn ar y mater hwn:

> Mae'n debyg ei bod yn hen-ffasiwn i sôn am *bechod gwreiddiol*. Rhowch iddo'r enw a fynnoch ond y mae e'n bod.[14]

Hynny yw, mae'r tueddiadau drwg mewn person yn cael eu trosglwyddo o'r naill genhedlaeth i'r llall. Mae pechod yn ffenomen naturiol ym mhawb, yn rhan o ddatblygiad dyn o'r cychwyn cyntaf. Mae pechod yn anocheladwy yn rhan o fywyd pob dydd. Ni all John Roderick Rees ond cadarnhau'r syniad hwn ac ymwrthod ag athrawiaeth y Rhyddfrydwyr diwinyddol fod dyn yn gyfrifol am ei bechod ei hun.

Uniongred oedd John Roderick Rees hefyd yn ei gred yn atgyfodiad corfforol Crist. Yr un oedd y corff a atgyfododd ar fore'r trydydd dydd â'r corff a fu farw ar Galfaria. Er i Foderniaeth Ryddfrydol encilio o dan gwmwl yn fuan wedi'r Rhyfel Byd Cyntaf, mae'n amlwg nas anghofiwyd gan bobl fel John a gafodd eu magu cyn i'w syniadaeth bylu o'r tir. Ychydig ar ôl Moderniaeth ddiwinyddol a ymwrthodai ag anffaeledigrwydd y Beibl, daeth beirniadaeth Feiblaidd i aros a hynny'n bennaf i gwrdd ag angen yr oes. Cred John oedd i'r beirniaid roddi gormod o sylw i ddeallusrwydd allanol, hynny yw, i'r Iesu hanes, yn hytrach na chanolbwyntio ar yr argyhoeddiad mewnol, unigol a phersonol. Gwendid y Modernwyr i John Roderick Rees oedd nad oeddynt yn sylweddoli pa mor ffaeledig a chyfyngedig yw'r rheswm dynol, heb iddynt werthfawrogi bod 'Dirgelwch yn graidd ein cread ac yn hanfod crefydd'. Mae'n debyg mai'r hyn sydd gan John Roderick Rees mewn golwg yma yw fod gan Dduw gyfrinach, hynny yw, ei

---

14 'Does gennyf ond dy allu mawr', *Barn*, Rhif 333 (Hydref 1990), tt. 4–5.

arfaeth gudd nad yw'n hysbys i'r bod meidrol. I'r cyfeiriad hwn, y mae'n dyfynnu Robert Browning o 'Andrea del Sarto' (1855), 'Ah, but a man's reach should exceed his grasp, Or what's a heaven for?' Â John Roderick Rees ymlaen i sôn fod ym mywyd pob un ohonom ryw argyfyngau ac achlysuron pan deimlasom ryw 'fraich dragwyddol'[15] oddi tanom. Dyma'r goleuni mewnol a ddaw i'r tywyllwch ar lwybr bywyd. Diau y gallai anffyddiwr neu agnostig, meddai, ddadlau mai ymateb seicolegol, dynol yw hyn, cysur y funud, carthen i ymesmwytho arni mewn 'dydd o g'ledi'. Ond y mae gan gredadun yr un warant i'w gred ag sydd gan yr amheuwr yntau. Yr oedd John o'r farn fod awdurdod gan y ffwndamentalwyr a rhyddid yn eiddo'r rhyddfrydwyr. Iddo ef, yr oedd yn amodol i'r Cristion feddu ar gred sylfaenol ac os oedd iddo ryddid, rhyddid o fewn terfynau ydoedd. Rhaid i'r credadun wrth ffiniau ac ymwrthod â phenrhyddid beirniadaeth Feiblaidd. Ymwrthodai hefyd â'r duedd i ddirymu'r goruwchnaturiol ac i alegoreiddio'r gwyrthiau. Tybiasai John Roderick Rees mai hanfod credo Gristnogol oedd derbyn posibilrwydd digwyddiadau na fyddai'n debygol mewn arbrofion gwyddonol. Dywed ymhellach:

> Os ydych yn rhesymoli pob gwyrth nid yw ymyrraeth y byd arall yn bod. Ac, atolwg, pwy sydd i ddweud pa gymalau sydd i'w symboleiddio a pha rai i'w derbyn yn llythrennol? ... Duw yn ddyn?; ie, ond Duw yn Dduw, hefyd, os oes carn o gwbl i gredo grefyddol.

Yn ôl John Roderick Rees hefyd, seithug y duedd i resymoli popeth i lefel deall y person cyffredin ac nid yw Moderniaeth a beirniadaeth Feiblaidd wedi poblogeiddio

---

15 Cymh. adnod yn Deut. 33.27 lle y sonnir am y 'breichiau tragwyddol'.

crefydd a llanw capeli ond yn hytrach eu gwacáu a cholli diddordeb yr ifanc.

Arfer arall ymysg yr anghydffurfwyr diweddar nas hoffid gan John Roderick Rees oedd y duedd i boliticeiddio Cristnogaeth 'a'r gwleidydda hwnnw yn marchog yn unllygeidiog yn aml'. I'r perwyl hwnnw, mae'n sôn am sylw Malcolm Muggeridge, athronydd a meddyliwr yr oedd ganddo feddwl mawr ohono, fod yna duedd ymhlith crefyddwyr cyfoes i ystyried Crist fel yr Aelod Seneddol dros 'Battersea (South)'. Gwir i nifer o Sosialwyr yn hanner cyntaf yr ugeinfed ganrif, yn eu cais i wella amgylchiadau dyn, ddefnyddio crefydd yn achlysurol fel ymgorfforiad o'r ddelfryd sosialaidd. Yr un oedd nod foesegol ac ymarferol y naill a'r llall: ceisio profi y rhoesai crefydd fynegiant i ddelfrydau'r mudiad llafur.[16] Hoffai rhai Sosialwyr er hynny weld sosialaeth yn disodli crefydd.

Ni hoffai John ychwaith y duedd i bregethu cenedlaetholdeb o'r pulpud fel petai Crist wedi ei anfon i'r ddaear i achub yr iaith ac yn llawforwyn i ddelfrydau'r cenedlaetholwyr. Gallai dderbyn fod llawer o genedlaetholwyr amlwg yr ugeinfed ganrif yn Gristnogion o argyhoeddiad, ond beirniadol oedd o'r eglwysi yng Nghymru a ymgyrchai dros hunanlywodraeth. Bu tuedd i gyferbynnu cenedlaetholdeb a chrefydd fel dwy ideoleg ar wahân, gyda'r naill yn perthyn i'r ugeinfed ganrif a thrwy hynny'n seciwlar, a'r llall yn nodwedd o gymdeithasau cynfodern ac ysbrydol.[17] Drwy hynny, barn John Roderick Rees oedd y dylid cadw gwleidyddiaeth a syniadau gwleidyddol allan o'r pulpud. Swyddogaeth pregethwr, meddai, oedd egluro egwyddorion y ffydd Gristnogol yn eu

---

[16] Robert Pope, *Building Jerusalem: Nonconformity, Labour and the Social Question in Wales, 1906–1939* (Cardiff, 1998), t. 29.

[17] A. D. Smith, *Chosen Peoples: Sacred Sources of National Identity* (Oxford, 2003), t. 9; Dafydd Tudur, 'Cenedlaetholdeb a Christnogaeth Michael D. Jones', *Diwinyddiaeth*, Rhif LX (2009), t. 39 (37–52).

perthynas â chwestiynau dyrys cymdeithas yn hytrach na phregethu gwleidyddiaeth plaid. Ni fuasai'n gwarafun i neb gefnogi'n agored yr ymdrechion i symud tuag at ffurfiannau cymdeithasol, economaidd a gwleidyddol sydd yn fwy cydnaws â dysgeidiaeth Iesu Grist fel y'i ceir yn y Testament Newydd.

Barn Alwyn D. Rees hefyd oedd mai nod amgen Protestaniaeth o'i chychwyn oedd peidio ag ymyrryd â'r bywyd cymdeithasol ond yn hytrach canolbwyntio ar achub eneidiau.[18] Cyffelyb oedd dysgeidiaeth diwinyddion fel y Protestant Karl Barth (1886–1968) a Reinhold Niebuhr (1892–1971) gan iddynt wadu unrhyw fan-cyswllt rhwng yr Efengyl a chymdeithas.[19] I Pennar Davies ac R. Tudur Jones, er enghraifft, ewyllys Duw yw pob daioni, tegwch a thangnefedd, ac y mae'r frwydr dros Gymru i sicrhau rhyddid cyfrifol yn rhan o'r frwydr fyd-eang dros y ddynoliaeth. Aethpwyd cyn belled â dadlau y dylai'r capeli eu huniaethu eu hunain â threfn a hyd yn oed â phlaid arbennig.

Yn ôl yr Athro J. R. Jones, dylai pob Cristion ddod allan yn agored o blaid y weriniaeth sosialaidd, a sefyll lle y safodd Iesu gyda'r gorthrymedig yn erbyn y gorthrymwr.[20] Hawdd dadlau hefyd, wrth gwrs, i'r anghydffurfwyr bleidleisio'n gyson dros y Rhyddfrydwyr a phan ddaeth y Sosialwyr i'r maes ni chawsant ffyrnicach gwrthwynebiad na chan y capeli. Er hynny deil llawer, fel y gwnâi John Roderick Rees, nad priodol i eglwys na chapel ar unrhyw gyfrif eu clymu eu hunain wrth unrhyw blaid wleidyddol gan nad ydynt yn bod yn eu hanfod i wasanaethu mudiad penodol na phlaid. Tuedd plaid yw defnyddio crefydd i foddhau pobl a chymdeithas. Swyddogaeth gyntaf yr

---

[18] *Adfeilion* (Llandybïe, 1943), tt. 41–6.
[19] Gw. Dewi Eirug Davies, *Diwinyddiaeth yng Nghymru 1927–1977* t. 275.
[20] *Diwinyddiaeth yng Nghymru 1927–1977* (Llandysul, 1984), t. 275.

Eglwys yw bod yn Eglwys, a'i theyrngarwch i Grist yn blaenori pob teyrngarwch i gymdeithas, cenedl, a holl drefniadau dyn. Diau fod yr Eglwys i wasanaethu cymdeithas, ac o reidrwydd yn gwasanaethu'r byd, ond nid ar delerau'r byd.[21]

Er y defnyddiai John Roderick Rees gyfeiriadaeth Feiblaidd fel arf rethregol yn ei ysgrifau mwyaf gwleidyddol eu natur, eto cadw'r ddwy ideoleg ar wahân a fynnai, yn arbennig mewn addoldy. Nid lle i bregethu a gwyntyllu argyhoeddiadau gwleidyddol oedd y pulpud, ond man i bregethu'r efengyl. Yn yr unfed ganrif ar bymtheg nid oedd gwahaniaeth sylfaenol rhwng crefydd a gwleidyddiaeth. Roedd y brenin neu'r frenhines yn deall ei fodolaeth neu ei bodolaeth yn nhermau'r drefn ddwyfol ac felly gallai reoli fel y mynnai. Wrth sefydlu eglwys wladol, y syniad oedd sicrhau un genedl gydag un ddefod ac un litwrgi. Yr oedd unffurfiaeth debyg yn apelio at John Roderick Rees, er mai Ymneilltuwr ydoedd a frwydrodd yn erbyn unffurfiaeth o'r fath.

Fel y Methodistiaid Wesleaidd, yr oedd John Roderick Rees yn gwrthod y syniad o etholedigaeth, ac yn coleddu'r athrawiaeth fod iachawdwriaeth o fewn cyrraedd pawb, mai ar y dyn ei hun y dibynna a dderbyn ef hi ai peidio. Y gred sylfaenol yw i Iesu farw dros bawb ac am hynny ei bod yn bosibl i bawb gael eu hachub ond iddynt gredu. Gellir syrthio oddi wrth ras a chael maddeuant drachefn fel y syrth dyn i'r baw ar ôl ymolchi.

Rhywbeth arall a gorddai ddyfroedd John Roderick Rees oedd yr hyn a elwir yn gyffredinol yn Ddiwinyddiaeth Rhyddhad a gysylltir yn bennaf â De America ac a ddaeth i amlygrwydd gyntaf ddiwedd chwedegau'r ugeinfed ganrif. Mewn cynhadledd o esgobion a gyfarfu yng Ngholombia

---

21 Gwilym Bowyer, *Yr Eglwys Wedi'r Rhyfel* (Dinbych, 1945), t. 22.

yn 1968 y cwestiynwyd union arwyddocâd cyfiawnder cymdeithasol yn ail hanner yr ugeinfed ganrif. Yn y gynhadledd honno hefyd y sylweddolwyd yr angen am astudiaeth feirniadol o'r gyfundrefn economaidd a gwleidyddol. Yn Ebrill 1972, cyfarfu pedwar cant o Gristnogion De America yn ninas Santiago, Chile, i drafod y sefyllfa gan alw eu hunain yn Gristnogion o blaid Sosialaeth. Y nod oedd sefydlu cymdeithas sosialaidd a gâi ei dehongli mewn termau o gariad at y gorthrymedig ac a fyddai'n ailystyried ei hagwedd o gariad at y gorthrymedig mewn cymdeithas. Eu bwriad oedd trawsnewid cymdeithas De America, yn arbennig bywyd y werin a'r gweithwyr, a'i gwneud yn llawer mwy cyfiawn a gwâr. Cred Diwinyddion Rhyddhad fod dyn yn rhan o greadigaeth Duw ond bod ei dynged ynghlwm wrth amgylchiadau economaidd a diwylliannol ei oes a'i amgylchfyd. Materolwr ydyw gan hynny. Mae dyn yn rhan o hanes a'i dynged yw llunio hanes: y mae ganddo'r gallu i fod yn oddrych ac yn wrthrych hanes. Mae i gymdeithas ei chyfoethogion a'i thlodion, eithr nod y Diwinyddion Rhyddhad yw tynnu sylw at y tlodion di-waith sydd yn byw mewn slymiau ar gyrion dinasoedd fel Rio de Janeiro a bod yn rhaid diwygio'r drefn gyfalafol yn llwyr os am ryddhau'r tlodion o'u gormes. I gyflawni'r nod a chreu cymdeithas gyfiawn, awgrymir gan amryw o'r Diwinyddion Rhyddhad y patrwm Marcsaidd gan sefyll o fewn y gorlan eglwysig.[22]

Cred llawer fel John Roderick Rees yw na all y fath ymlyniad tactegol wrth Farcsiaeth ond arwain y Cristion at gyfaddawdu a bradychu egwyddorion sylfaenol ei ffydd. Mae'r athroniaeth Farcsaidd, wedi'r cyfan, yn gwrthod bodolaeth Duw ac yn gwrthod pob crefydd arall o ran hynny. Beirniadaeth John Roderick Rees ar Ddiwinyddiaeth Rhyddhad oedd iddi gyfystyru'r Efengyl â

---

[22] David Protheroe Davies, 'Dadansoddiad Marcsaidd a Diwinyddiaeth Rhyddhad', *Efrydiau Athronyddol*, Cyf. XLVII (1984), t. 38 (28–41).

gwleidyddiaeth ac â grwpiau lobïo sosialaidd. Nid yw namyn dehongliad adain chwith o'r Efengyl a chais i weithredu'n wleidyddol yn enw'r Efengyl honno.

Cafwyd gwrthdaro parhaus ymhlith yr ymneilltuwyr yng Nghymru yn ystod y ganrif ddiwethaf. Cloriannwyd a beirniadwyd gwahanol dueddiadau diwinyddol y cyfnod ac adlewyrchwyd y gwrthdaro a gaed rhwng y Ffwndamentalwyr a'r Moderniaid, rhwng yr eglwyswyr a'r ymneilltuwyr, a rhwng heddychwyr a chefnogwyr rhyfel, ceidwadaeth a rhyddfrydiaeth. Cwestiynwyd awdurdod y Beibl, dilysrwydd gwyrthiau ac yn y blaen, ond i rai, ac yn eu plith, John Roderick Rees, ystyrid yr athrawiaeth Gristnogol fel cyfundrefn osodedig y dylid ei hamddiffyn yn hytrach nag fel athrawiaeth a aiff drwy broses o ddatblygiad parhaus. Rhaid gan hynny ei hailddiffinio a'i haddasu yng ngoleuni'r byd sydd ohoni. I lawer er hynny ni ellir profi bodolaeth Duw, dim ond mynegi'r profiad ohono. Mae llawer o gynnwys yr Ysgrythurau'n annealladwy, ond gŵyr y Cristion eu bod yn wir wrth ystyried eu profiad ohonynt. Wedi'r cyfan, ffydd Iesu oedd sail yr Efengyl, yn hytrach na ffydd yn Iesu.

Ni ddylai dyn ychwaith, yn ôl John Roderick Rees, ofyn am brawf digwestiwn a gwrthrychol o allanolion ei ffydd; mae'r profiad goddrychol yn ddigon o brawf iddo. Ei athrawiaeth ef oedd mai mewnol yw pob argyhoeddiad, yn hytrach na'i fod yn tarddu o wybodaeth wyddonol. Nid oes dim yn amhosibl i Dduw: 'Nid eich meddyliau chwi yw fy meddyliau i'.[23] Iawn yw arfer rheswm ond y 'mae yna ryw ddirgelion, rhy ddyrys ŷnt i ddyn'. Gorffen ei ysgrif yn *Barn* drwy faentumio:

Wedi'r holl ddiwinyddiaeth, y cymhwyso a'r esbonio, nid oes gan y doethaf ond y goleuni mewnol, y

---

[23] Camddyfynnir yr adnod yma. Dylai ddarllen fel a ganlyn: 'Canys nid fy meddyliau i yw eich meddyliau chwi'. (Eseia 55:8)

dirgelwch terfynol yn 'llusern i'w droed ac yn llewyrch i'w lwybr'.[24]

I'r perwyl hwn gellir dyfynnu geiriau bardd cyfoes arall o argyhoeddiad Cristnogol dwfn, Gwyn Thomas, rhywun oedd yn rhannu gwele digaeth gyffelyb i'r hyn a hawliwyd gan John Roderick Rees:

> Gwir fod yn ein Beibl ni lawer o rwdlan a degymu mintys, ac y mae'n wir fod y datguddiad ynddo yn un sy'n rhoi inni amcan am Dduw sy'n datblygu ac yn newid, ond yr un peth y mae'n ei wneud, yn anad dim efallai, ydi rhoi inni rywbeth na allaf fi mo'i ddisgrifio'n well na 'dirnadaeth o dragwyddoldeb' ... Trwy gyffelybiaethau, trwy drosiadau, yn aml (ond nid bob amser), y mae crefydd yn llefaru am ddirgelion a rhyfeddod Duw.[25]

Dengys gweithiau John Roderick Rees ei fod yn ddarllenwr cyson o'r Beibl a hynny o'i ddyddiau cynnar ymlaen. Gellir casglu gan hynny ei fod yn derbyn y Beibl fel testun awdurdodol yr Eglwys Gristnogol trwy gydol y canrifoedd a'i fod yn parhau'n awdurdodol a chanolog ym mywyd y credadun hyd y dydd heddiw. Nid dogfen hanesyddol yn unig mo'r Beibl i John Roderick Rees ond gwaith sydd yn berthnasol i fywyd Cristion ym mhob oes. Pennaf rhinwedd y Beibl iddo oedd ei fod yn ei orfodi i feddwl ac ystyried oblygiadau'r ffydd Gristnogol, er ei fod yr un pryd yn ymwybodol na cheir ynddo ateb i'w holl gwestiynau.

Bu John Roderick Rees yn gadarn ei ffydd drwy gydol ei oes, fel y gwelwyd, ac yn aelod o gapel Methodistaidd

---

[24] Dyfynnu o'i gof a wnâi John Roderick Rees y mae'n amlwg; mae'r adnod yn darllen, 'Llusern yw dy air i'm traed, a llewyrch i'm llwybr'. (Salm 119:105)

[25] *Llyfr Gwyn* (Tal-y-bont, 2015), t. 30.

Bethania ond erbyn y diwedd oni welai yntau gyfrolau
bywyd ddoe:

> Ar silffoedd y llechwedd . . .
> Yn awr yn trawsblannu
> Calonnau aillt sydd yn y babell hon.[26]

---

[26] 'Llygaid', *Canu Newydd 1983–1991*, tt. 14–15.

*John Roderick Rees a'i ddwy Goron Genedlaethol
ar aelwyd Bear's Hill*

Pennod 6

Tair cyfrol: tri chyfnod

Nod y bennod hon yw rhoi sylw i gynnyrch barddol John Roderick Rees gan fanylu ar y tair cyfrol a gyhoeddwyd ganddo rhwng 1959 a 1992. Y cyfrolau hyn a ddeil i lefaru ar ei ran o hyd ac ar ran ei bobl a'i blwyf.

Bardd yn perthyn i'w gyfnod ydoedd John Roderick Rees yn yr ystyr mai ei arwyr oedd beirdd rhamantaidd a synhwyrus ddechrau'r ugeinfed ganrif: John Morris-Jones, W. J. Gruffydd, R. Williams Parry a T. H. Parry-Williams. Er cymaint y gwerthfawrogai ac y mwynheai feirdd Cymraeg fel T. Rowland Hughes, Eifion Wyn, Wil Ifan, Crwys, Caradog Prichard ac eraill, y ddau fardd a apeliai fwyaf ato oedd T. H. Parry-Williams a W. J. Gruffydd, dau o feibion Arfon – y naill o Ryd-ddu a'r llall o Landdeiniolen.

Disgybl traddodiad telynegol y mesurau rhyddion oedd John Roderick Rees, yn hytrach na'r traddodiad dyfnach ei wreiddiau, sef y canu caeth. Erbyn dechrau ail hanner y ganrif ddiwethaf ac yn arbennig y chwedegau, yr oedd John, fel llawer o feirdd eraill y dydd, yn chwilio am gyfrwng mynegiant a fedrai roddi darlun mwy cyflawn o'r newidiadau cymdeithasol a diwylliannol a oedd ar droed. Sylweddolid erbyn hynny fod traddodiad y delyneg yng Nghymru yn dwyn adlais byd a bywyd gwahanol iawn i'r hyn a geid yn dilyn yr Ail Ryfel Byd. Perthyn y delyneg i gymdeithas sicr ei chredoau a chadarn a gwâr ei seiliau. Yr oedd ymwrthod â'r delyneg draddodiadol a'r hen ddulliau o gyfleu'n rhan o'r agwedd newydd ar fywyd a ofynnai am ddull newydd o fynegiant. Mynegir y safbwynt hwn yn glir gan Alun Llywelyn-Williams mewn soned o'i eiddo, 'Bardd y Byd sydd Ohoni':

> clafycha'r iaith a draethai'n cynnar lên,
> oblegid hysbys mwy nad craig mo'r Graig.[1]

Yr oedd bywyd yn newid ar garlam, ffordd o fyw gyfarwydd yn diflannu, y diwylliant Cymreig, traddodiadol yn colli ei arwyddocâd ac estroniaid yn dylifo i gefn gwlad Ceredigion fel i ardaloedd gwledig eraill Cymru. Y mae'r tair cyfrol a drafodir isod yn tystio i'r newidiadau a drawsnewidiodd hinsawdd y bywyd cyfoes ac a ddymchwelodd sefydlogrwydd cenedlaethau o breswylio yn y broydd gwledig yng Ngheredigion.

Cerddi'r Ymylon (1959)

Cyn dechrau ar ei swydd newydd yn yr Ysgol Uwchradd yn Nhregaron yn 1957, daeth i John Roderick Rees newydd da arall. Enillasai'r wobr gyntaf am gyfrol o gerddi gwreiddiol heb eu cyhoeddi o'r blaen yn Eisteddfod Genedlaethol Cymru Sir Fôn. Ei wobr oedd £25, sef gwobr goffa Pedr Hir. J. M. Edwards oedd y beirniad. Nod y gystadleuaeth, mae'n debyg, oedd ysgogi a galluogi beirdd i loffa ynghyd bigion o'u cerddi gorau o wahanol gyfnodau a rhoddi dyddiadau wrthynt. Gallai'r darllenydd wedyn olrhain twf y bardd mewn arddull a safon. Tuedd barod cystadleuaeth o'r fath yn y gorffennol fu denu beirdd i gasglu'r cwbl neu unrhyw

---

1   *Y Golau yn y Gwyll: Casgliad o Gerddi gan Alun Llywelyn-Williams* (Dinbych, 1979), t. 53.

beth parod at law heb fwrw golwg feirniadol dros bob cerdd yn unigol.

Dichon mai cryfder cyfrol John Roderick Rees oedd iddi greu ei hundod celfyddydol ei hun o ran cynnwys ac arddull. Daeth 21 cyfrol i'r gystadleuaeth a chwech ohonynt yn cyrraedd y dosbarth cyntaf. Wrth feirniadu cyfrol 'Rhodri', ymgais John Roderick Rees, honnir gan J. M. Edwards fod i'r bardd lais newydd ac er mai ffrwyth 'bardd gwlad' yw'r cerddi, y mae'r awdur â'i draed yn gadarn ar y ddaear ac yn 'llwyr gyfarwydd â bywyd yr ucheldiroedd a'i gymeriadau, bro'r crindir cyndyn, y fawnog, y preiddiau a'r tai unnos.'[2] Mewn gair, y mae gan y bardd wybodaeth fanwl o'r hen fywyd Cymreig gynt yng nghefn gwlad Ceredigion ac ymwybyddiaeth o'r hyn a erys ohono yn ail hanner yr ugeinfed ganrif. Pwysleisia'r beirniad mor amlweddog yw John Roderick Rees fel bardd; er y gwêl enghreifftiau lluosog ohono yn cyflawni ei ddyletswyddau brodorol, mae yn y gyfrol hefyd, meddir, faich arall i'r canu, sef yr ymdeimlad â thynged gwareiddiad a'r datblygiad dinistriol sy'n cyd-fynd â bywyd diwydiannol yr oes fodern. Mae'n dwyn ei feirniadaeth i ben drwy roddi amlinelliad o'i resymau dros wobrwyo 'Rhodri':

Argyhoeddwyd fi ynglŷn â **Rhodri** o'r dechrau ac nid yw'n anodd gennyf roi fy rhesymau dros ei farnu'n orau a llawn deilwng o'i wobr. Ni chefais i ddim gymaint wrth fy modd mewn cystadleuaeth ers tro byd. Mewn oes a duedda i orgyhoedduso gwerthoedd trefol ac academaidd, bydd yn iechyd i lawer cylch ddod ar draws

---

2   *Cyfansoddiadau a Beirniadaethau Eisteddfod Genedlaethol Cymru Sir Fôn 1957*, gol. Thomas Roberts, t. 88. Mae Harri Gwynn mewn adolygiad ar *Cerddi'r Ymylon* yn anghytuno â J. M. Edwards mai bardd gwlad yw John Roderick Rees: 'Y mae'n rhaid imi anghytuno a dal unwaith eto nad yw cymryd y bywyd gwledig yn faes prydyddiaeth yn gwneud bardd yn Fardd Gwlad, hyd yn oed pan ddangosir yn ei ganu fod ganddo brofiad neu wybodaeth drylwyr o'r bywyd gwledig.' Gw. *Y Cymro* (24 Medi 1959), t. 4.

y cerddi hyn sy'n cario gyda hwy naws bywyd gwlad a'i hen gymeriadau, – a hyd yn oed iddynt gael eu hatgofio bod y fath fywyd a'i ddiwylliant yn bod o gwbl, – y gwreiddyn byw. Ac os yw'r bardd hwn yn gynnyrch y cyfryw ddiwylliant, a hynny sydd wir yn ôl pob argoel, yna peth da yw cael ein tywys fel hyn at ein hen ffynhonnell yn nyddiau dylanwadau gwrthwynebol. ... Ac os oes angen rhagor, mae ynni ac arwyddocâd yn ei waith am fod ei wreiddiau ym mywyd a thraddodiadau pobl y mae wedi dysgu eu hadnabod yn dda. Gobeithio y caiff carwyr llên y cyfle ar unwaith i ddarllen a mwynhau cynnwys y gyfrol newydd a chrefftus hon. Dyma farddoniaeth Cymru.[3]

Cynnwys y casgliad a anfonwyd i'r Eisteddfod Genedlaethol oedd cerddi a gyfansoddwyd rhwng 1951 a 1957, y rhan fwyaf ohonynt ar gyfer cystadlaethau mewn gwahanol eisteddfodau. Dyma'r cyfnod y daeth John Roderick Rees i amlygrwydd fel bardd yng ngorllewin Cymru. Mewn saith mlynedd o gystadlu rhwng 1951 a 1958, enillodd 23 cadair ac un goron.

Erbyn cyhoeddi cerddi'r gyfrol fuddugol gan Gymdeithas Lyfrau Ceredigion yn 1959, yr oedd John Roderick Rees wedi rhoi'r gorau i gystadlu mewn eisteddfodau gwledig gan benderfynu bellach canolbwyntio ar brif wobrau'r Eisteddfod Genedlaethol.

Cynnwys *Cerddi'r Ymylon* gyfres o ganiadau byrion; tair neu bedair o gerddi hwy a thair soned; tua 64 o gerddi a chwe englyn. Anfonasai 50 ohonynt i'r gystadleuaeth 'cyfrol o gerddi gwreiddiol' yn Eisteddfod Genedlaethol Môn. Ychwanegir yn y gyfrol gyhoeddedig yn ogystal gerddi a gyfansoddwyd rhwng 1940 a 1950 a oedd wedi ymddangos mewn gwahanol bapurau a chylchgronau, a

---

[3]   *Cyfansoddiadau a Beirniadaethau Eisteddfod Genedlaethol Cymru Sir Fôn 1957*, t. 9.

dwy gerdd a gyfansoddwyd rhwng 1957 a 1959, un ohonynt a luniwyd ar gais y BBC i Gareth Jones, actor ifanc a fu farw ar 6 Mehefin 1958, yn 33 mlwydd oed, mewn stiwdio ym Manceinion.[4] Un gerdd yn unig a ddyddir yn y tridegau, a rhyw saith o'r pedwardegau. Perthyn traean o'r cerddi i'r blynyddoedd 1954, 1955 a 1956 pan adawsai'r coleg yn Aberystwyth a chychwyn ar ei gyfnod yn athro cynradd yn Ysgol Gymraeg Aberystwyth. Ni pherthyn ond rhyw bedair cerdd i'r cyfnod 1957–59 pan oedd yn dechrau ei swydd yn bennaeth y Gymraeg yn Ysgol Uwchradd Tregaron. Diau iddo ganolbwyntio ei holl egnïon creadigol yr adeg honno ar ei waith yn yr ysgol.

Pan aethai John Roderick Rees ati i loffa *Cerddi'r Ymylon* a phenderfynu beth i'w gynnwys, yr oedd yn benderfynol o gynnwys popeth a gwnaeth ei ddymuniad yn gwbl glir i'r cyhoeddwyr o'r cychwyn cyntaf. Er i feirniad cystadleuaeth cyfrol o gerddi gwreiddiol Eisteddfod Genedlaethol Môn nodi gwendidau yn rhai cerddi, ac y dylid osgoi llinellau amhersain fel 'I enllyn cyndyn y werin cy'd',[5] mae awdur y gyfrol yn penderfynu anwybyddu barn y beirniad a chynnwys pob cerdd yn ei ffurf wreiddiol. Dengys hyn, ymhlith pethau eraill hwyrach, yr hyder a feddai erbyn hynny yn ei chwaeth lenyddol ei hun. Mae'n arwyddocaol hefyd na ddiarddelwyd yr un gerdd o'r gyfrol wreiddiol pan gyhoeddwyd *Cerddi John Roderick Rees* ymhen chwarter canrif arall. Cynhwysai'r gyfrol hon holl gynnyrch barddol y

---

4   Ganwyd Gareth Jones yn Llanbedr Pont Steffan yn 1925, ond treuliodd rai blynyddoedd yn Arfryn, Lledrod, lle yr oedd ei dad yn brifathro'r ysgol leol. Addysgwyd ef yn Ysgol Sir Tregaron ac yng Ngholeg Prifysgol Cymru, Aberystwyth. Ystyrid ef yn un o brif actorion ei ddydd a bu'n actio yn Stratford gydag actorion eraill fel Michael Redgrave, Peggy Ashcroft a Marius Goring. Chwaraeodd ran Butcher Beynon a Mr Waldo yn y cynhyrchiad llwyfan gwreiddiol o *Under Milk Wood* yng Nghaeredin gyntaf yn 1956 ac yna yn y New Theatre yn Llundain. Rhyw dair wythnos cyn ei farw yr oedd yn actio rhan yn y ddrama *Brad* gan Saunders Lewis ar y radio. Gw. *Cambrian News* (5 February 2009), t. 24; *Welsh Gazette* (4 December 1958).

5   'Y Winllan', *Cerddi'r Ymylon*, t. 35.

bardd hyd at 1984. Dengys yr ohebiaeth rhyngddo ac ysgrifennydd Cymdeithas Lyfrau Ceredigion, Dafydd Jenkins, fod ganddo hefyd farn bendant parthed diwyg y gyfrol a'i fod am gynnwys llun ohono'i hun ar ddechrau'r llyfr.[6] Nid hawdd y cydsyniodd â'r syniad o osod llun bach yn unig o'r awdur ar y clawr cefn.

Gellir casglu iddo ddewis y teitl *Cerddi'r Ymylon* ar y sail na pherthynai i un garfan o feirdd neu 'glic' arbennig. Fel y dywed mewn llythyr at Harri Gwynn yn diolch iddo am ei adolygiad o *Cerddi'r Ymylon* yn *Y Cymro*:

> Fel y dywedsoch chi yn gofiadwy mewn sgwrs radio, gwell gennyf feirniadu 'jam' yn ôl ei flas, yn hytrach nag ar gyfrif y 'label' sydd arno![7]

Yn yr adolygiad y cyfeirir ato uchod, gofyn Harri Gwynn:

> Paham *Ymylon*? A'i er mwyn cysylltu a'r "tir ymyl", y *marginal land*, y mae ei ffermwyr yn ei drin? I'r gwrthwyneb, y mae ei weledigaeth yn weledigaeth ar fywyd ac yn cael ei mynegi mewn dull eang ei hapel trwy sumbolau sy'n ei diriaethu i unrhyw un nas magwyd mewn inciwbator mewn seler slym.[8]

Gan fod cartref y bardd hefyd ar ymyl dau blwyf a rhwng pentrefi Pen-uwch a Bethania, a'i bod yn fro rhwng môr a mynydd, diau bod y teitl yn gweddu i'r dyn a'r cynnwys.

Lluniwyd clawr y gyfrol gan Euros Edwards, mab J. M. Edwards. Mewn llythyr at ysgrifennydd Cymdeithas Lyfrau Ceredigion, honnir ganddo iddo lunio'r cynllun ar sail syniad gan ei dad nad erys amrannau'r awen ar agor yn

---

6 LlGC, Papurau Cymdeithas Lyfrau Ceredigion, llsgr. Rhif 9.
7 LlGC, Papurau Harri Gwynn, P2/5. (1952–1984).
8 *Y Cymro* (24 Medi 1959), t. 4.
9 LlGC, Llythyr gan Euros Edwards at Dafydd Jenkins ym Mhapurau Cymdeithas Lyfrau Ceredigion 1951–1993.

hir ar dir nac ar fôr.[9] Anfonwyd y cynllun at John Roderick Rees ac ymatebodd yntau gyda'r troad:

> Yn wir y mae [cynllun y clawr] yn anghyffredin a ffres ac yr wyf yn ei hoffi. Buom ni ein tri yma [ei dad, Jane ac yntau] yn pasio barn arno a chytuno ei fod yn dda. Felly, os yw yn eich plesio chwi, derbyniaf i ef.[10]

Argraffwyd 750 copi o'r gyfrol mewn clawr meddal a 250 mewn clawr caled. Er na chafwyd adolygiadau niferus yng nghylchgronau Cymraeg y dydd, llwyddodd *Cerddi'r Ymylon* i werthu pob copi clawr caled o fewn ychydig wythnosau, a llwyddodd John Roderick Rees i werthu llawer o gopïau ei hun yn ei ardal, fel y bu'n rhaid iddo ymbil ar i'r argraffwasg yn Llandysul anfon rhagor o gopïau i'r siopau lleol. Cymaint oedd y galw am y gyfrol fel y gwerthwyd pob copi ohoni mewn byr o dro, ac anfonodd yr awdur lythyr at Gymdeithas Lyfrau Ceredigion yn gofyn iddynt ailargraffu. Oherwydd cost uchel y gwaith hwnnw, y mil gwreiddiol yn unig a argraffwyd.

Er i John Roderick Rees barhau i lenydda yn gyfnodol o tua 1940 ymlaen, mae'n amlwg mai ei gyfnod mwyaf toreithiog fel bardd oedd hanner cyntaf pumdegau'r ugeinfed ganrif. Dyma'r cyfnod y dechreuodd gystadlu am gadeiriau a llawryfon eisteddfodol, ac ymddengys mai i destunau eisteddfod y lluniodd ymron y cyfan o gynnyrch *Cerddi'r Ymylon*. Daliai'r delyneg yn ei bri ac yr oedd y cyfrwng yn addas i'r hyn a ystyriai John Roderick Rees oedd hanfod barddoniaeth. Yr oedd yn gynnil ar ddelw Heine, awgrymog ddiaddurn, a gorau oll os oes iddi ganolbwynt ac uchafbwynt. Fel cystadleuydd eisteddfodol, rhoesai bwyslais ar destunoldeb ac ymgais at roi gwedd newydd ac annisgwyl ar destun cyfarwydd fel y gwnaethai ef ei hun yn

---

10 LlGC, Llythyr gan John Roderick Rees at Dafydd Jenkins, dyddiedig 21 Mai 1959, ym Mhapurau Cymdeithas Lyfrau Ceredigion 1951–1993.

nifer o gerddi'r gyfrol. Mae telyneg 'Y Wennol' yn enghraifft o hyn:

> I dorri ias gaeafau,
>   Bu'r wennol yn ei thro
> Yn gwau brethynnau cartref
>   O wlân cynhesaf bro.
>
> Ond heddiw lle bu tyrru
>   Am gorn o wlanen rad,
> Nid erys gwehydd mwyach
>   I ddarpar cysur gwlad.
>
> Er dyfod adar alltud
>   I'r bondo, megis cynt,
> Mi wn na eilw'r gwanwyn
>   Ei wennol ef o'i hynt.[11]

Enillodd y delyneg uchod wobr gyntaf o dan J. Kitchener Davies yn Eisteddfod Talgarreg yn 1940. Mae'r un ddelwedd ganolog yn rhoddi i'r delyneg unoliaeth ac y mae yma hefyd ymgais at strwythur pendant sydd yn sicrhau datblygiad thematig. Cerdd ddiriaeth ac uniongyrchol heb ynddi ddim i aflonyddu a chymylu'r 'dŵr awenyddol'.

Cerdd ar thema gyffelyb yw telyneg agoriadol y gyfrol, 'Calan Mai', a'r pwyslais eto ar y dweud cynnil, diwastraff ond cynhwysfawr. Arwyddocaol yma yw defnydd y bardd o ffurfiau cywasgedig y berfau presennol afreolaidd a hefyd o'r dibynnol presennol yn y llinell, 'Pan yrro'r blewyn cynnar':

---

11   *Cerddi'r Ymylon*, t. 83.

Fe sonia'r dysgedigion
   Am brennau bedw tal,
Lle cadwai'n teidiau meirwon
   Anniwair garnifal.

Ar drothwy haf; ond claear
   Yw Siâms i ias y cnawd
Pan yrro'r blewyn cynnar
   Ei big drwy'r gramen dlawd;

Ac ni ŵyr am ollyngdod
   Gŵyl Fai y cymoedd glo,
A'r dincod nad yw'n darfod
   Ar ddannedd to ar do:

Ond wedi'r hirlwm oediog,
   Fe edwyn yntau'r awr
Y derfydd rhythu boliog
   Dros gôr y beudy mawr.[12]

Cerdd, mae'n wir, sydd ar ganol traddodiad y delyneg ac yn cynnwys cwpled clo a all fod erbyn hyn yn bur ddieithr i'r dulliau modern o fwydo anifeiliaid dros y gaeaf. Cychwynnir drwy sôn am y Calan Mai sydd yn dwyn i gof yr ŵyl Geltaidd a gynhelid ddechrau'r haf ac a gysylltid â bywyd yn yr awyr agored ac yn anad dim â serch, fel y dengys barddoniaeth Dafydd ap Gwilym. Torrid y fedwen haf, fel yr awgryma'r bardd, er mwyn dawnsio o'i chylch. Ond chwarae â'r gorffennol yw hyn gan nad oes gan y bywyd cyfoes nemor ddim cysylltiad â'r traddodiad carnifalaidd hwn bellach. Mae'r dygwyl yn farw ac eithrio yng ngwaith y 'dysgedigion'. O fynd i lawr i'r cymoedd glo nid oes gan y gwladwr ddim cyswllt uniongyrchol mwy â

---

12 *Cerddi'r Ymylon*, t. 11.

gwanwyn ei fro mebyd nac â'i orffennol ychwaith. Rhoddir i Galan Mai yn y pennill clo ei ystyr fywiol, adnewyddol a chyfannol pan lasa'r ddaear ar ddiwedd hirlwm y gaeaf ac y daw'n adeg eto i ollwng y gwartheg disgwylgar allan o gaethiwed y beudy i'r borfa a'r awyr iach.

Cyflwynwyd y gyfrol gan y bardd 'I Matilda, fy Nhad, Jane ac er cof am fy Mam'. Pan benderfynodd loffa ei holl gynnyrch llenyddol at ei gilydd yn 1984, cynhwysodd y cyfan o gynnyrch *Cerddi'r Ymylon* heb newid dim arnynt. Yn ei ragair i'r gyfrol hon, y mae John Roderick Rees yn dyfynnu barn rhai adolygwyr ar *Cerddi'r Ymylon*:

DEWI MORGAN: 'Gwaith dyn o gydymdeimlad llydan a dwfn ac o natur hael a bonheddig.'

JOHN ROBERTS: 'Gobeithiaf y deil y bardd hwn i ganu yng nghywair *Cerddi'r Ymylon* yn hir i'r dyfodol.'

EIRIAN DAVIES: 'Ac y *mae'n* fardd mawr ... Ni welodd John Roderick Rees hyd yn hyn goron y Genedlaethol. Ond fe all hynny ddigwydd yn rhwydd un o'r blynyddoedd nesa. O leia, mae wedi digwydd droeon i salach beirdd.'

D. MACHRETH ELLIS: 'Cefais i yn bersonol fwynhad o'r mwyaf ac nid oes ond chwanegu ei bod yn gaffaeliad sylweddol i farddoniaeth delynegol Cymru canol yr ugeinfed ganrif.'

ARFON (yn y *Western Mail*): 'Ni chafodd y gyfrol hon y sylw dyladwy yn y Wasg. Mae yn hen bryd ... cipio'r Bardd yng Nghymru o grafangau'r Glicyddiaeth blwyfol.'

LLYWELYN PHILLIPS: 'Llinell fer yw hoff fesur y bardd, a'i gamp yw ei feistrolaeth lwyr arni. Y mae myfyrdod mawr y tu ôl i bob un ohonynt a dyma'i gyfrinach a'i orchest.'

Dyma'r cyfnod pan oedd y bardd modern yn derbyn fod yn rhaid i farddoniaeth bellach wrth yr astrus a'r argraffiadol a'i bod yn bryd ymwrthod â thraddodiadaeth y bardd gwlad a'r bywyd gwledig.[13] Nid cais sydd yn *Cerddi'r Ymylon* i ddweud yr hyn nas dywedwyd o'r blaen mewn dull a ystyrir yn newydd neu o leiaf trwy gyfrwng iaith newydd, nac ychwaith i chwalu'r cyfarwydd er mwyn creu argraffiadau ar y synhwyrau. Yn hytrach, bodlonir ar y lleddf a'r cyfarwydd, ar yr hysbys a'r atgofus, gwaith y gallai darllenwyr ardal Pen-uwch a Bethania ymuniaethu ag ef a'i werthfawrogi. Nid yw'r gyfrol, serch hynny, yn dynodi uchafbwynt John Roderick Rees fel bardd, ond o'r tair cyfrol a gyhoeddodd, hon yw'r fwyaf gwastad ei safon a mwyaf eang ei ffrâm gysyniadol o ran themâu. Ni luniodd ragorach telynegion wedi cyhoeddi'r gyfrol hon; gan hynny, yr oedd yn garreg filltir bwysig yn ei hanes.

Dichon bod 'Y Critig a'r Bardd' yn rhagdybio unrhyw feirniadaeth negyddol o du'r beirniaid a'r adolygwyr yn y 'byd sydd ohoni':

> Paham 'rwyt ti'n mynnu canu
>   Yn dy acen wledig, ddof,
> A mydru'r gwres a'r rhamant
>   A fu yma er cyn cof?

Mae'r ateb sy'n cloi'r gerdd yn datgan yn blaen ei faniffesto llenyddol: 'Mi fynnaf gerdd i'm gwreiddiau / Mor newydd-hen â'r salm.'[14]

---

13 Am arolwg o'r sefyllfa lenyddol yng Nghymru yn ystod y 1950au, gw. Robin Chapman, 'Ystyried y 1950au: Arbrawf mewn cyfnodi llenyddol', *Llên Cymru*, Cyf. 35 (2012), tt. 54–67; R. M. Jones, *Llenyddiaeth Gymraeg 1936–1972* (Llandybïe, 1975); J. M. Edwards, 'Rhai sylwadau ar farddoniaeth ddiweddar', *Ysgrifau Beirniadol VIII*, gol. J. E. Caerwyn Williams (Dinbych, 1974), tt. 261–76.

14 *Cerddi John Roderick Rees*, t. 114. Cynhwysir y gerdd hon ynghyd ag 'Y Fflam', 'Cywain' a 'Mynydd' yn *Awen Aberteifi*, gol. Emlyn Evans (Llandybïe, 1961), tt. 83–6.

Cerddi John Roderick Rees (1984)

Yn dilyn marwolaeth Jane Walters yn 1981, yr oedd gan John Roderick Rees fwy o amser i ganolbwyntio ar lenydda unwaith yn rhagor wedi cyfnod hir o dawedogrwydd. Prin iddo lunio nemor ddim barddoniaeth yn ystod y saith mlynedd y bu'n gwarchod ei fam faeth a phan fu hi farw, penderfynodd nad oedd am ddychwelyd i ddysgu ac yntau bellach dros ei drigain oed. Wedi dros saith mlynedd o fod yn gaeth i'r aelwyd ac o weini bedair awr ar hugain y dydd, yr oedd ei ddwylo'n rhydd i wneud yr hyn a fynnai â'i amser. Dyma'r tro cyntaf iddo, serch hynny, orfod wynebu bywyd ar ei ben ei hun, ac o ddychwelyd adref a chael y drws ynghlo, y tŷ yn wag a'r aelwyd yn oer. Ni bu ar unrhyw adeg yn ei fywyd yn byw yn Bear's Hill heb gwmni a thân ar yr aelwyd. Yr oedd gwacter y tŷ yn llethol ar adegau a'r unigrwydd bellach o wynebu bywyd heb y ddau a'i magodd ac a ddarparodd gaer glyd a chynnes iddo beth bynnag fo'r hin.

Dyma'r adeg y penderfynodd loffa ei holl gynnyrch barddol ynghyd gan y tybiai ar y pryd, yn dilyn mudandod o flynyddoedd, na fyddai'n cystadlu nac yn llunio dim byd o bwys parhaol fyth eto. Y nod oedd casglu popeth o dan yr un to fel petai, neu'n sicr o fewn cloriau un gyfrol ac y byddai hynny'n glo terfynol ar ei yrfa lenyddol. Troes at Gymdeithas Lyfrau Ceredigion unwaith yn rhagor i drefnu'r cyhoeddi ac ymddangosodd y gyfrol ar y farchnad yn 1984. Argraffwyd hi gan Wasg Gomer ac ar y clawr y mae llun du a gwyn o Bear's Hill. Cynhwysir hefyd y tro hwn, yn wahanol i'r gyfrol flaenorol, lun o'r awdur o fewn y cloriau.

Syrth y gyfrol yn dair rhan a phenderfyniad yr awdur yn ddiau y byddai'n ymatal rhag unrhyw chwynnu na golygu'r cerddi a gyhoeddwyd eisoes naill ai yn *Cerddi'r Ymylon* neu ynteu mewn cylchgrawn. Cynnwys y rhan gyntaf bymtheg o gerddi a luniwyd gan y bardd o 1937, pan oedd yn yr ysgol, hyd at ddiwedd yr Ail Ryfel Byd. Ymddengys iddo benderfynu peidio â'u cynnwys yn *Cerddi'r Ymylon* am wahanol resymau, ac ymddangosant ar y cyfan yn dreuliedig ac yn nodweddiadol o ganu telynegol rhamantaidd beirdd y cyfnod, yn arbennig Eifion Wyn, Crwys, Wil Ifan a'u cyffelyb. Perthyn y ddwy soned agoriadol, y naill i'w gyfnod yn yr ysgol, a'r llall, 'Dafad', i'r un cyfnod, a hi oedd y gyntaf o'i waith i ymddangos mewn llyfr, sef *Beirdd y Babell* (1939).[15] Mae'n amlwg mai'r soned Shakespearaidd oedd ei hoff gyfrwng yn y dyddiau cynnar oblegid allan o'r 15 cerdd, y mae traean ohonynt ar y mesur hwnnw, ac nid rhyfedd hynny o gofio mor boblogaidd y soned yng ngwaith beirdd y cyfnod fel T. H. Parry-Williams, R. Williams Parry a W. J. Gruffydd. Gan mai cynnyrch ieuenctid yw'r cerddi hyn, maent yn adlewyrchu ffasiwn y cyfnod o leoli ansoddair o flaen berf neu enw, a gwneir hynny'n gyson ym mhob un o'r cerddi, e.e. 'ei wallgofus nwyd', 'feddwol rin', 'newydd nerth', 'corwyntoedd cethin', 'rhwyllog ffenestri', 'diffaith dir', ac yn y blaen.

Nid oes raid ond dyfynnu un o'r telynegion i synhwyro fel y rhoddid y meddwl telynegol ar waith yn hanner cyntaf yr ugeinfed ganrif. Y bardd yn sylwebydd ar y bywyd gwledig ac ar wlith y bore a chân yr aderyn du. Byd natur oedd ffynhonnell awen yr oes, ac y mae sŵn awelon Argoed, Broseliawnd a'r Lôn Goed yn cyniwair yn llawer o'r cerddi. Dyma'r fan lle y caiff yr enaid lonydd i ymglywed â rhyw bwerau cyfriniol amgenach:

---

[15] *Beirdd y Babell*, gol. Dewi Emrys [D. Emrys James] (Wrecsam, 1939), t. 104.

Y Deryn Du

Hidlodd win ei alaw foethus
Fore gwlithog, dros y berth;
Gwybu'r gainc â'r blagur culaf
Feddwol rin y newydd nerth.

Daeth yr hwyrgan lond yr awel,
Llon a hael i'r llwyni hir;
Weithiau'n oedi'n lleddf ei nodyn –
Cofio Rhagfyr yn y tir.

Sobred, ddwysed yw ei ddiwyg,
Gerddor eurllais gwyll a gwawr;
Eto gwelaf yn ei düwch
Ernes fach o'r glesni mawr.[16]

Y tebyg yw i John Roderick Rees ystyried yn ddwys pa un a oedd am gynnull y *juvenilia* hwn ai peidio, ond iddo benderfynu cynnwys y cerddi yn y diwedd am eu bod yn cynrychioli cyfnod ei ddatblygiad cynnar fel bardd, ond hefyd am iddo fethu eu hallanoli fel '[g]wrthodedigion llwyd' am resymau teimladol neu sentimental. Ystyriai Parry-Williams i gerddi o'i waith ef droi'n lludw gan eu nwyd eirias ond hwyrach y gwelai John fod yna wreichionen neu ddwy yn weddill o hyd yn ei gerddi mabinogaidd. Dichon hefyd nad oedd John am ddiarddel dilysrwydd profiadau llencyndod. I ddarllenydd gwaith y bardd, fe ddengys y cerddi hyn, er cymaint eu llacrwydd emosiynol ac ieithyddol, ffenomenau a nodweddai'r mudiad rhamantaidd yn gyffredinol, o ba le y cychwynnodd a thrwy hynny allu mesur ei gyrhaeddiad yn ddiweddarach yn ei yrfa.

---

16 *Cerddi John Roderick Rees*, t. 20.

Ymgorfforiad yw ail ran y gyfrol o *Cerddi'r Ymylon* heb newid dim ar drefn, mynegiant na chynnwys y gwaith. Mae'r rhan olaf yn cwmpasu'r gwaith a gynhyrchwyd gan y bardd o 1960 hyd 1983, ond perthyn y rhan fwyaf o'r cerddi i'r cyfnod 1960–1973 pan oedd yn dal i addysgu yn Ysgol Uwchradd Tregaron. Gellid bod wedi cyhoeddi'r adran hon ar wahân i'r gweddill gan fod y cynnwys yn fwy cyfoes o ran themâu a mynegiant na'r rhannau blaenorol. Fel y saif, mae *Cerddi John Roderick Rees* yn cynnwys cerddi sydd yn rhychwantu rhyw ddeugain mlynedd o farddoni ysbeidiol. Rheswm arall dros gyhoeddi'r casgliad cyflawn oedd fod *Cerddi'r Ymylon* allan o brint ers dros ugain mlynedd erbyn hynny.

Yn gynwysiedig yn rhan olaf y gyfrol y mae dwy bryddest. Y gyntaf yw 'Ffynhonnau' a ddaeth yn agos at ennill Coron Eisteddfod Genedlaethol Abertawe a'r Cylch yn 1964 ac a roddwyd yn flaenaf gan un o'r beirniaid, T. H. Parry-Williams. Y bryddest arall yw 'Unigedd', un o dair pryddest a haeddai'r Goron yn Eisteddfod Genedlaethol Caerdydd 1960 pan enillwyd hi gan Gardi arall, W. J. Gruffydd (Elerydd), Ffair-rhos. Mewn *vers libre* yr ysgrifennwyd 'Ffynhonnau' ond 'Unigedd' ar fydr ac odl, a hynny dros 220 o linellau. Rhodianna'r bardd ei fro gynefin yn y ddwy bryddest gan sôn ar y ffordd am 'yr ysgol gansennog' a 'dyddiau apartheid y gegin ddeufwrdd'.[17] Mae'n bortread o unigedd personol Sara'r forwyn wedi ei gyfleu ar gefndir o unigedd natur ar un llaw ac unigedd llawn pobl ar ddiwedd ei hoes yng nghartref yr henoed.

Dychwelyd i dir sur a siglenllyd a wna'r bardd yn 'Ffynhonnau' hefyd.[18] Cerdd 250 llinell sydd yn edrych ar y newid diweddar a ddigwyddodd ym mro Pen-uwch a Bethania yw hon. Fe ddaeth gwelliannau gwladol i rymuso

---

[17] 'Unigedd', *Cerddi John Roderick Rees*, tt. 118–25.
[18] 'Ffynhonnau', *Cerddi John Roderick Rees*, tt. 97–105.

a harddu gwedd gwlad a ddibynnai gynt ar rwydwaith o ffynhonnau. Diflannodd 'pyllau'r mawnogydd' ac i'w lle daeth y 'ffynhonnau ffyniannus'. Ymyrrwyd ar y bywyd traddodiadol llonydd, plannwyd coed, pibellwyd dŵr a sychu'r gors, a'r brodorion sydd bellach yn amgenach eu byd. Braenaru'r tir a wna llinellau fel a ganlyn ar gyfer gwaith diweddarach y bardd:

> Trosolwyd y pîn a'r ffynidwydd
> I blygion y mawn,
> A daeth glesni egingoed
> I wanwyno gaeafau'r diffeithdir,
> A rhoi gwreiddyn newydd i linach y llu
> A alltudiwyd gynt i Lundain y llaeth
> Rhag y tlodi.
> Surni'r dŵr llonydd
> Yn gymun y croesau blaendardd
> Ar allorau gïach y waun.[19]

Ni ellir llai na sylwi fod naws a mynegiant y canu wedi newid cryn dipyn erbyn hyn. Er mor wledig ei chefndir a chlòs y gymdeithas a bortreadir, mae'r ieithwedd yn llawn o elfennau cyfoes. Mae'r tempo wedi newid erbyn y chwedegau ac er bod myth rhamantaidd a murddungarwch rhai o feirdd hanner cyntaf y ganrif yn dal i gyniwair ym meddylfryd rhai o'r beirdd gan gynnwys John Roderick Rees, mae'r canu erbyn hyn yn llai ymwybodol delynegol grefftus, ac yn fwy uniongyrchol a disentiment. Mwy cymhleth yw'r ymateb bellach a llai o hiraethu sentimental am yr hyn a fu ac a gollwyd. Gwir fod yn y bryddest 'awyrgylch o heneiddiwch'[20] ac o falltod a oedd yn nodweddiadol o gerddi'r cyfnod, ond y mae'n nodi

---

[19] 'Ffynhonnau', *Cerddi John Roderick Rees*, t. 101.
[20] Alan Llwyd, 'Mae'r tempo wedi newid', *Taliesin*, Cyf. 49 (Hydref 1984), t. 32 (9–48).

cyfeiriad newydd a sylfaenol yn agwedd ac ym mynegiant y bardd.

Dengys trydedd ran *Cerddi John Roderick Rees* fel y troes y bardd fwyfwy at y *vers libre*, er cymaint fu bygythiad y ffurf honno i'r telynegwyr traddodiadol a cheidwadol ar un adeg.[21] Dengys ddylanwad 'Adfeilion' T. Glynne Davies, a oedd yn ei dydd yn gerdd newydd ac unigolyddol ar sail ei rhythm, ei geirfa a'i chyseinedd, heb sôn am ei ddelweddau graffig i bortreadu trasiedi cymdeithas ar chwâl yn nydd y moderneiddio. Y bryddest hon, mae'n debyg, a ysgogodd John Roderick Rees i geisio llunio pryddest ardalyddol mewn cywair a ffurf debyg i honno. Ni chefnodd y bardd ar fesur ac odl o hynny ymlaen; i'r gwrthwyneb, oblegid y mae dros 97% o'r cerddi yn dilyn patrwm lle y mae'r elfen fydryddol yn llywodraethol.

Un o'r ffactorau diddorol ynglŷn â thrydedd ran y gyfrol yw'r amrywiaeth ffurfiau a ddefnyddir i ateb diben y gerdd a'i chynnwys. Gwelir i John Roderick Rees ymdrwytho yn y traddodiad barddol yng Nghymru ac na wnaeth ymdrech i gefnu'n llwyr ar y canu telynegol rhamantaidd ei naws, fel y dengys ei gerdd 'Carreg Filltir':

> Penfoel a llwyd dan y mwswgl llaith
>   A chribau y rhedyn praff;
> Edrydd yn nannedd y llwch a'r llaid
>   Ei neges ddiwefus i'r craff.
>
> Anodd i lygad yw canfod mwy
>   Rigolau y cerfio cain;
> Fe'u dryswyd ganwaith â chynion llym
>   Y cesair a'r gwyntoedd main.
>
> Bu'n gwarchod cyniwair cenedlaethol sionc
>   A'i geiriau'n goleuo'r daith;

---

21 Gw. Bobi Jones, '*Vers Libre* ac yn y blaen', *Barddas*, Rhif 90 (Hydref 1984), tt. 1–2

> Saif bellach fel gwyliwr a gollodd ei gof
> Dan bwys ei flynyddoedd maith.[22]

Yn ogystal â'r ddwy bryddest y cyfeiriwyd atynt eisoes, ceir hefyd ryw dair soned, saith cywydd, deg englyn, rhyw ugain o delynegion amrywiol gan gynnwys y delyneg ddiddorol ei hymadrodd 'Adlais'[23] a ddyfarnwyd yn gyd-fuddugol yng nghystadleuaeth y delyneg yn Eisteddfod Genedlaethol Abertawe yn 1964:[24]

> O darth y selerydd ar lannau Mersi
> Daeth crïoedd cwrcathlyd y farf a'r jersi.
>
> Ar donnau gitâr, y sigl dihenydd
> Yn furum o Baris i Efrog Newydd.
>
> Tyrfaoedd pib-lodrau y bocs chwe cheiniog
> Â'u traed yn glustiau i'r gwewyr serennog.
>
> Wrth wreiddiau'r alawon, mae dryswig y Congo
> A rhithmau cyntefig tabyrddau'r Babongo.

At hynny, cynhwysir tua 12 o gerddi cyfarch, y mwyafrif ohonynt i'w gyd-athrawon a staff Ysgol Uwchradd Tregaron adeg eu hymddeoliad. Cyflawni swyddogaeth benodol a wna yn ei unig hir-a-thoddaid ac mewn cyfres o dribannau i J. Henry Jones ar ei ymddeoliad fel cyfarwyddwr addysg yng Ngheredigion yn 1972.

Mae llawer o'r cerddi i destunau gwledig ac yn ddrych i holl fywyd cymdeithasol y wlad. Dyma fardd sydd yn dathlu bywyd ei fro gan groniclo digwyddiadau lleol yn bennaf,

---

22 *Cerddi John Roderick Rees*, t. 95.
23 *Cerddi John Roderick Rees*, t. 150.
24 Gw. *Cyfansoddiadau a Beirniadaethau Eisteddfod Genedlaethol Abertawe a'r Cylch 1964*, gol. E. Lewis Evans, t. 88.

boed hynny'n dro trwstan, ymddeoliad, priodas neu farwolaeth. Rhoddai John fri ar eglurder a symlrwydd gan wfftio prif nodweddion y mudiad modernaidd a adweithiodd yn ddeallusol yn erbyn nodweddion esthetaidd o'r fath. Gwerinwr oedd John ac er mor unffurf a thraddodiadol yr ymddengys ei gerddi, maent yn tystio i feddwl clir a threiddgar y telynegwr o Gardi ar ei orau. Diwydiannwyd eneidiau'r werin a daeth cynnydd materol yn uchelgais ac esmwythach byd yn hanfod. Nid yw themâu'r gyfrol mewn gwirionedd yn mentro y tu hwnt i 'heddwch bro a thyddyn'. Dyma gaer diwylliant lle y crëwyd 'cof â'i cherrig' a rhwng y muriau piglwyd y curodd calon y cyndeidiau:

> Cefais ddewrder o erwau'r tir diffaith,
> Ac anadlu iaith hen genedlaethau.[25]

At bwrpas amrywiol y lluniodd bum emyn a chyfieithu i'r Gymraeg chwech o gerddi Saesneg i'w canu ar lwyfan. Er na ellir honni i'r cerddi adlewyrchu bywyd y genedl, na bywyd yng Ngheredigion ychwaith yn ei holl agweddau ac yn ei holl amrywiaeth gwledig, eto y maent yn gerddi sydd yn seiliedig ar werthoedd cymdeithasol pendant ac a ddeil yn bwysig ac yn berthnasol hyd heddiw ar sail y diwylliant y maent yn ei gynrychioli. Hwyrach y gellir dweud am W. B. Yeats, a oedd yn draddodiadwr a modernydd yr un pryd, y rhoddai bwyslais yn anad dim ar grefft y bardd a hynny weithiau ar draul y cynnwys. Gellir honni felly hefyd, ond nid i'r un graddau, am John Roderick Rees. Gan na chredai yn y traddodiad barddol pur a disymud, golygodd hynny y gallai goleddu i ryw bwynt Foderniaeth Ewropeaidd. Lledodd honno ffiniau ei farddoniaeth, yn arbennig o 1983 hyd 1991. Mae ei safiad, ei arddull a'i

---

25 Gerallt Lloyd Owen, 'Y Gwladwr', *Cerddi'r Cywilydd* (Caernarfon, 1972), t.44.

olygwedd yn ei gyfrol olaf, *Cerddi Newydd 1983–1991* yn fwy eangfrydig, er nad yn arbrofol, ac yn cynnwys cerddi dychanol, cyfeiriadol a beirniadol eu naws; mae nifer sylweddol o gerddi yn y *vers libre* a cherddi a gododd wrychyn amryw o Gymry.

Dywedir gan Lowri James mewn adolygiad ar *Cerddi John Roderick Rees* 'mai croniclwr gorffennol Cymru yw'r bardd'.[26] Dengys y gyfrol hon er hynny dristwch y sefyllfa o weld y Cymry eu hunain yn cefnu ar eu bro mebyd a'i diwylliant, ond ar yr un pryd hawlia'r rheini a arhosodd fawl a gwrogaeth y bardd am eu haberth yn cyfannu yn eu tro gylch y rhod.

Cerddi Newydd 1983–1991 (1992)

Dwy bryddest fuddugol yn Eisteddfodau Cenedlaethol Cymru Llanbedr Pont Steffan a'r Fro yn 1984 a'r Rhyl a'r Cyffiniau yn 1985 yw cynnwys traean o'r gyfrol hon. Cerddi cymdeithasol, dathliadol a galarnadol yw'r mwyafrif llethol o'r gweddill. Ymddangosodd rhai ohonynt mewn cylchgronau'n barod, yn arbennig *Barddas* yn ystod yr wythdegau, e.e. 'Felna Ma' Hi', 'Yn Nyddiau'r Pasg' ac 'Y Barcud'. Awen bwyllog, fyfyriol y bardd aeddfed a geir yn y gyfrol hon: darlunio'r cof, delweddu profiad, a'r bardd bellach wedi canfod ei lais ei hun. Ni ddaw i'r amlwg themâu neu ymagweddu newydd sbon a phrin y gellir disgwyl hynny gan fardd fel John Roderick Rees. Cyrhaedda'r gyfrol ei huchafbwynt gyda'r bryddest 'Glannau' sydd yn garreg filltir ac yn benllanw ar ei yrfa farddonol. Dywedodd R. M. Jones fod llwyddiant cerdd yn dibynnu ar 'gyd-drawiad emosiynol' rhwng y bardd a'i gynulleidfa.[27] Os felly, nid yn gymaint â'i bod yn pwysleisio

---

26 'Barddoniaeth 1984', *Barddas*, Rhifau 92/93 (Rhagfyr 1984/Ionawr 1985), tt. 7–8 (7–10)
27 *Tafod y Llenor* (Caerdydd, 1974), t. 284.

hanfod cymdeithasol barddoniaeth ond trawodd y gerdd hon dant yn ymwybod nifer o'i darllenwyr hefyd. Gellir ymglywed â loes a'r digalondid a brofodd bardd 'Y Glannau' yn ystod gwaeledd hir yr hen wraig. Wynebodd y profiad yn ddewr a di-ildio, a'i gamp oedd y modd y llwyddodd i rannu ei brofiadau a'i fyfyrdodau â'i gynulleidfa gan ei gwneud yn rhan o'r sefyllfa druenus ar yr aelwyd unig.

Dywed Dafydd Owen yn ei feirniadaeth: 'artist o fardd a luniodd y gerdd hon'.[28] Honnir gan Donald Evans, beirniad arall yn y gystadleuaeth: 'Yn wir, artist carcus ac awgrymog yw'r bardd hwn, artist sy'n llwyddo i dreiddio'n dyner gadarn, drwy ei ddefnydd o eiriau at lefel ddofn o deimlad dyn'.[29] Traethir ymhellach gan Donald Evans ar y bryddest mewn erthygl a luniodd tua'r un adeg:

> fe fentrodd y bardd hwn ganu cerdd o ddyfnder y profiadau dwys a gafodd wrth ofalu ar ôl ei fam faeth yn ystod ei chystudd olaf. Nid aeth i Ethiopia, nac i Beirut, nac i unman arall. Dewisodd aros gartref, a chanu i'r hyn a welodd ac a deimlodd yn digwydd ar ei aelwyd ei hunan. Yn wir, y mae'r bryddest hon fel rhyw fath o adwaith yn erbyn y gorgyfoesedd ymdrechgar hwnnw sy'n tueddu, weithiau, i lethu ein barddoniaeth ar hyn o bryd. Drwy ganu i raib a gormes anochel henaint, fe ganodd i un o brofiadau mawr yr hil ddynol drwy gydol yr oesoedd.[30]

Ar sail ei dynoliaeth, ei thynerwch, ei chariad a'i mynegiant synhwyrus, diau ei bod ymhlith y gorau o bryddestau

---

28 *Cyfansoddiadau a Beirniadaethau Eisteddfod Genedlaethol y Rhyl a'r Cyffiniau 1985*, gol. J. Elwyn Hughes, t. 32.

29 *Cyfansoddiadau a Beirniadaethau Eisteddfod Genedlaethol y Rhyl a'r Cyffiniau 1985*, t. 26.

30 'Cyfansoddiadau a Beirniadaethau Eisteddfod Genedlaethol y Rhyl a'r Cyffiniau 1985', *Barn*, Rhif 272 (Medi 1985), t. 345 (344–6).

eisteddfodol y Brifwyl yn yr ugeinfed ganrif. Nid yw'n rhyfedd gan hynny i olygyddion *Blodeugerdd o Farddoniaeth Gymraeg yr Ugeinfed Ganrif* (1987) gynnwys y bryddest yn ei chrynswth o fewn ei chloriau.[31]

Gwneir yr un defnydd o gyfeiriadau llenyddol yn 'Llygaid', pryddest fuddugol Eisteddfod Genedlaethol Llanbedr Pont Steffan a'r Fro yn 1984. Mae hon yn bryddest arloesol ac amheuthun ddadlennol ar lawer ystyr.

Does dim dwywaith na ddeil y bryddest yn arwyddocaol a newydd ei llais mewn cyfnod yr oedd llawer o'r farddoniaeth yn swnio'n ystrydebol ac ailadroddus. Arddelai'r mwyafrif o'r beirdd yr un daliadau ac yr oedd perygl yn hynny i farddoni droi'n ddefod gyhoeddus ac yn bropaganda unllygeidiog. Yn y cyd-destun hwn, yr oedd pryddest John Roderick Rees yn arloesol gan iddi dorri'n rhydd o ganonau llenyddol y cyfnod drwy gyflwyno safbwynt amgenach a newydd i bwnc a wyntyllwyd yn helaeth gan amryw o feirdd. Yr oedd yn gyfnod traws-ffurfiannol yn economaidd a demograffig yn hanes cefn gwlad Ceredigion, ac roedd i'r newidiadau oblygiadau difrifol. Yr oedd cefnu ar y cefn gwlad ymhlith y dosbarthiadau proffesiynol yn arbennig ar gynnydd ac yn dwysáu'r sefyllfa gymdeithasol, ac fel Emrys ap Iwan o'i flaen, ni wnaeth John Roderick Rees ond condemnio'r Cymry eu hunain am ddilyn grymoedd y byd diwydiannol. Nid 'Sais-addoliaeth', chwedl Ieuan Gwynedd,[32] oedd hyn, ond ymgais gan rywun i ddehongli sefyllfa cefn gwlad Ceredigion yn sgil y diboblogi a'r encilio. Yr oedd y gerdd yn wrthbwynt i farddoniaeth y dydd, yn ddarlun real mewn llawer ardal o'r hyn a ddigwyddodd yn ail hanner yr ugeinfed ganrif. Mae'n gerdd arwyddocaol hefyd, am ei bod yn ceisio adlewyrchu'r berthynas gymhleth rhwng y

---

[31] *Blodeugerdd o Farddoniaeth Gymraeg yr Ugeinfed Ganrif*, goln. Gwynn ap Gwilym ac Alan Llwyd (Llandysul, 1987), tt. 325–34.

[32] *Ieuan Gwynedd: Detholiad o'i Ryddiaith*, gol. Brinley Rees (Caerdydd, 1957), tt. 75–6.

Cymry a'r Saeson ac agwedd y Cymry at Brydeindod ac at eu hunaniaeth ddiwylliannol Gymreig mewn cyfnod a ystyrir bellach yn ôl-drefedigaethol.[33]

Dengys 'Llygaid', fel amryw o gerddi *Cerddi Newydd 1983–1991*, ymwybod llenyddol a diwylliannol y bardd a hynny mewn cyfeiriadaeth a throsiad. Beirniadwyd y bryddest gan Alan Llwyd gan y canfyddai ynddi 'ôl y chwedegau ar ei harddull' a'i chynnwys.[34] Eiliwyd y sylw hwn gan Gwilym R. Jones: 'Rwy'n ofni mai bardd sy'n canu yn idiom yr oes o'r blaen yw Coronfardd Llambed'.[35] Cyfeirio y maent yn bennaf at duedd y bardd i ddefnyddio berfau a berfenwau gwneud yn null rhai o bryddestau ffasiynol y pumdegau a'r chwedegau, e.e. 'tylluanu a mwsogli', 'wrth adrefu', 'i ffotsamu byw', ac yn y blaen. Mewn pryddest 264 llinell, ni cheir ond chwech o eiriau gwneuthuriedig o'r math y cyfeirir atynt uchod. Mae'n werth sylwi hefyd fod 'Llygaid' yn gerdd sydd yn garreg filltir yn hanes awenyddol y bardd gan ei bod yn nodi ail-ddechrau llenydda wedi cyfnod o ugain mlynedd o dawedogrwydd eisteddfodol.

Mynegi cryno a chynildeb awgrymog yw rhinweddau'r mwyafrif o gerddi'r gyfrol hon fel y rhai blaenorol. O edrych ar y cyfrolau gyda'i gilydd, gwelir mor bwysig oedd prydyddu cymdeithasol y bardd. Mae yn ei gyfrol olaf dros ugain o gerddi y gellir eu dosbarthu fel cerddi mawl, cerddi cyfarch a cherddi coffa i wahanol drigolion yn ardal Pen-uwch. Buasai galw arno hefyd i lunio cerddi ar gyfer rhyw achlysur neu ddathliad penodol, fel y gerdd a luniodd i ddathlu pen-blwydd y papur bro lleol yn ddeg oed,[36] a'r

---

33 Ymhelaethir ar gynnwys y bryddest 'Llygaid' a'i harwyddocâd yn yr ail bennod o'r astudiaeth hon.
34 'Cyfansoddiadau Llanbed ac Ati', *Barn*, Rhif 260 (Medi 1984), t. 334 (332–5).
35 'Colofn Gwilym R', *Barddas*, Rhif 89 (Medi 1984), t. 5.
36 'Pen-blwydd y Barcud', *Cerddi Newydd 1983–1991*, t. 79.

rhigymau a gynhyrchodd ar gais Clwb Ffermwyr Ifainc Ceredigion i ddathlu pen-blwydd y mudiad yn Rali'r Sir yn Nhregaron yn Ebrill 1982. Yr oedd ef ei hun yn rhan o Glwb Cross Inn ar un cyfnod pan oedd yn byw yn Berth-lwyd.[37]

Dathlu daioni a chyfraniadau clodwiw unigolion neu gymdeithas yw'r nod, ac estynnir cortynau'r mawl hwnnw hefyd i gerddi bro fel 'Y Filltir Sgwâr'[38] ac i chwe cherdd a luniodd i wahanol anifeiliaid a fu'n gwmpeini iddo dros y blynyddoedd ar yr aelwyd yn Bear's Hill.[39] Yn y cyd-destun cymdeithasol hwn y cynhyrchodd gerdd o ddiolch i Stephen Morgan, Cartref, Bethania, am rodd o ddrysau newydd i Gapel Bethania ym Mai 1984.[40] Mae'r ddefod gyhoeddus hon yn ei hamlygu ei hun yn y tair cyfrol gan John Roderick Rees, ac ni ddisgwylir bod ynddynt bob amser ddilysrwydd profiad, ond yn hytrach yr hyn a wnaed oedd defnyddio'r awen i gyflawni gorchwyl gyhoeddus yn unol â'r traddodiad Taliesinaidd, chwedl Saunders Lewis.

Dichon mai ymateb i ofyn cymunedol y lluniwyd yr emyn, y garol a hefyd y saith englyn yn y gyfrol. Nid i'r llwyfan cyhoeddus, er hynny, y perthyn dwy soned, tair telyneg a'r pum cerdd fer ar y mesur *vers libre*. Hoff gan y bardd hefyd erbyn hyn, fel Sarnicol gynt, benillion bach ysgafn neu rigymau pamffledaidd i gofnodi argraffiadau neu feirniadaeth gymdeithasol ar ryw sefydliad neu gwango neu'i gilydd. I'r dosbarth hwn y perthyn y tair cyfres o 'Felna Ma' Hi' a dyma flas ohonynt:

> Dwedodd rhyw weinidog rhadlon
> efallai gwell gweld tai'n adfeilion
> na'u bod hwy'n gartrefi Saeson.

---

[37] 'Clybiau'r Ffermwyr Ifainc', *Cerddi Newydd 1983–1991*, t. 93.
[38] *Cerddi Newydd 1983–1991*, t. 46.
[39] *Cerddi Newydd 1983–1991*, tt. 43–5, 81.
[40] 'Rhodd', *Cerddi Newydd 1983–1991*, t. 42.

Sut y credais i, bechadur,
fod Duw yn Dduw i bob creadur?

* * *

Hawdd yw deall lansio llongau
ond sut yn wir mae lansio llyfrau?

* * *

Angen arian at ryfeloedd
hawdd yw codi mil o filoedd;
angen gwella clwyf a chlefyd
prinder arian byth a hefyd.[41]

* * *

Ymhlith cerddi grymusaf y bardd yn y gyfrol yw'r rheini a
luniwyd ar fesur y *vers libre*, yn cynnwys 'Yn Nyddiau'r
Pasg', a 'Sul o Ragfyr: Bethania 1987'. Edrychir ar 'Yn
Nyddiau'r Pasg' fel enghraifft o'r bardd ar ei fwyaf ffeithiol
gynnil a grymus ei gyfeiriadau:

Ddiwrnod cyn Gwener y Groglith,
Ar y stryd yn Aberystwyth,
Cwrdd â dyn ag oen yn ei gôl.
Oen byw, bodlon fel baban diddig
A breichiau anwyldeb amdano.

Pythefnos oed, wedi colli'i fam:
Cnawd ei gymrodyr yn ffresgoch yn ffenest y cigydd;
Ŵyn Pasg.

---

[41] *Cerddi Newydd 1983–1991*, t. 82.

Oen swci:
'Mae'n fy nilyn i bobman,
Fedrwn i mo'i adael gartref
Yn brae i'r piod a'r brain'.
'Cariad mwy na hwn ...'

Dyn dwad yn hipieiddio byw
Mewn encil o dŷ yn rhywle.
Sais. Anghydffurfiwr
A'i leindir yn warchodfa
I'r bychan hwn.

Croesodd fy meddwl y canrifoedd
At y darlun o'r Bugail Da
Oedd 'yn dwyn ymaith bechodau y byd'.

Pawb arall yn fasnachol – normal
Yn gwag-gerddetian
Yn ffroeni bargeinion
O siop i siop.

Ddiwrnod cyn Gwener y Groglith,
Oen cannaid uwch y cyni
Â breichiau tragywydd oddi tano.

Cofir fel y byddai'r Lefiaid yn lladd oen y Pasg dros bawb
halogedig ac fel arwyddlun gwaredigaeth y genedl o'r Aifft.
Yr oedd aberthu oen yn rhan o wasanaeth beunyddiol y
deml, 'y poeth-offrwm gwastadol'. Yn yr ysgrythurau hefyd
y mae'n symbol o dynerwch a diniweidrwydd. Ceir sôn yn
y gerdd hon am oen amddifad diddig ei fyd yng nghôl rhyw
enciliwr, neu hipi, a drigai mewn 'encil o dŷ' ym mherfedd
gwlad Ceredigion. Sais ac anghydffurfiwr a roes i'r bychan
unig warchodfa dros y Pasg. Mae i'r oen, yn wahanol i rai o
anifeiliaid y maes, arwyddocâd hanesyddol a chrefyddol, a'r

hyn a wneir gan y bardd yw sefydlu cysylltedd rhwng y disgrifiad o'r hyn a welodd adeg y Pasg ar y stryd yn Aberystwyth a'r ystyriaethau dynol a llenyddol. Dengys y defnydd o ymadroddion ac adnodau allweddol fel 'cariad mwy na hwn',[42] ac, 'yn dwyn ymaith bechodau y byd'[43] mor fwriadus y ceisir asio'r ddwy elfen ynghyd. Sonnir hefyd am y Bugail Da, a chofir eto i Iesu Grist sôn mai ef yw 'y Bugail da'.[44] Yn gyffredinol, rhoddid yr enw 'bugail' i'r sawl a ofalai am eneidiau a byddai disgwyl iddo dosturio gan ddwyn yr ŵyn yn ei fynwes. Sonnir gan Eseia am Dduw fel Bugail: 'Y mae'n porthi ei braidd fel bugail, ac â'i fraich yn eu casglu ynghyd; y mae'n cludo'r ŵyn yn ei gôl, ac yn coleddu'r mamogiaid'.[45]

Yn y llinell glo ceir sôn am y 'breichiau tragywydd' a chysylltir braich fel arfer â nerth, amddiffyn a chymorth. Unwaith eto, cyfunir nodweddion y dynol 'Anghydffurfiol' â'r modd y gofala Duw dros ei braidd. Y myfyrdod crefyddol a'r ystyriaethau dynol o drugaredd a waddolwyd ar yr oen amddifad. Er mor faterol yw'r cefndir, pawb yn fasnachol yn chwilio am fargeinion 'O siop i siop', cynysgaeddir yr hipi â phatrwm y duwdod ac â symbolau a gysylltir â'r Bugail Da ac Oen Duw yn yr ysgrythurau.

Trwy gydol y gerdd pwysleisir casineb, materoldeb a difrawdod y byd at anifail: 'Cnawd ei gymrodyr yn ffresgoch yn ffenest y cigydd'.[46] Aberthwyd hwynt fel yr aberthwyd Crist 'yn nyddiau'r Pasg'; eraill yn mynd o'r tu arall heibio: 'Yn gwag-gerddetian' yn ddibwrpas ymron. Llwyddir yma i ennyn tosturi tuag at y creadur diymadferth ac edmygedd o'r hwn a ystyrir gan gymdeithas yn rhagfarnol yn wrthgiliwr anuniongred, yn hipi, yn enciliwr di-fasnach a chan hynny'n wrthodedig. Mor gelfydd y

---

[42] 'Nid oes gan neb gariad mwy na hyn', Ioan 15:13.
[43] 'sy'n cymryd ymaith bechod y byd', Ioan 8:21.
[44] Ioan 10:11.
[45] Eseia 40:11.
[46] Cymh. 'Arweiniwyd ef fel oen i'r lladdfa', Eseia 53:7.

priodolir ystyron moesol i nodweddion y dyn a'r creadur, ac wrth wneud hynny, datblygir y gerdd mewn dau gyfeiriad cyfochrog. Defnyddir adnodau ac ymadroddion Beiblaidd i ledio'r ffordd gan bwysleisio arwyddocâd traddodiadol a chysylltiol y bugail yn gofalu'n warcheidiol am ei braidd. Darlunio dynoliaeth a wneir gan ddangos mor amharod ydym i estyn 'breichiau anwyldeb' i'r rhai sy'n anghenus ac amddifad.

Mae'r soned 'Gwellt' yn seiliedig ar ddau waith llenyddol cyferbyniol. Y cyntaf ohonynt yw emyn Ehedydd Iâl (William Jones, 1815–1899):

> Er nad yw'm cnawd ond gwellt
> A'm hesgyrn ddim ond clai,
> Mi ganaf yn y mellt,
> Maddeued Duw fy mai.
> Mae Craig yr Oesoedd dan fy nhroed
> A'r mellt yn diffodd yn y gwaed.[47]

Y gwaith arall yw cerdd ddylanwadol a modernaidd *The Waste Land* (1922) o waith T. S. Eliot (1888–1965).[48] Cerdd yw hon sydd yn ddibynnol ar ddefnydd caleidosgopig o symbolau delweddol a chyfeiriadaeth at amrywiol chwedlau a gweithiau llenyddol. Mae yn y soned gyfeiriad hefyd at gerdd arall gan Eliot, 'The Hollow Men' (1925):

> We are the stuffed men
> Leaning together
> Headpiece filled with straw. Alas![49]

---

[47] 'Ystorm yr Argyhoeddiad', *Blodau Iâl*, gol. John Felix (Treffynnon, 1898), t. 18.

[48] *The Complete Poems and Plays of T. S. Eliot* (London and Boston, 1969), tt. 59–76.

[49] *The Complete Poems and Plays of T. S. Eliot*, t. 81.

Defnyddir y gair gwellt yn fynych yn yr ysgrythurau i ddynodi breuder dyn ac mor fyrhoedlog ydyw gan y gwywa'r gwellt yn gyflym o dan wres haul y dwyrain. Cysylltir mellt â storm ac â disgleirdeb ac ymddengys yn sydyn fel dyfodiad Mab y Dyn.[50] Mae John Roderick Rees yn cyfochri'r cysyniadau llenyddol ac ysgrythurol hyn yn wythawd ei soned:

> 'Roedd hwn yng ngwead cnawd yr hen emynydd
> Yn rhuthr storom fawr ei enaid gynt;
> Ni chafodd fflach y mellt ei ddibris ddeunydd
> A'r Graig yn sylfaen i'w anfeidrol hynt.
> A llanwodd Eliot wag benglogau'i gread
> Â'r soeglyd offrwm hwn o'r cwysi ir;
> Stwffiodd ei sypiau swrth i wyrth ei ganiad
> Ar bererindod lesg ei ddiffaith dir.[51]

Yn y chwechawd mae'r bardd yn ehangu'r darlun y tu hwnt i'r ystyron llenyddol ac yn ei droi'n brofiad personol:

> 'Rwyf innau'n dal i gofio'r dylif melyn
> Mewn dyddiau fu o fol y dyrnwr mawr,
> Y grwndi esmwyth oddi ar dannau'i delyn
> A dawns y pentwr euraid ar y llawr,
> A loes im heddiw mewn afradus fyd
> Yw llaib y fflam ar draws y soflydd ŷd.

Yma y mae'r gwellt yn troi'n ffigur a dry wedyn yn brofiad uniongyrchol o'r gorffennol pan oedd yn amaethu. Da yw'r disgrifiad o'r awel yn cyhwfan yn yr ŷd fel bysedd ar dannau'r delyn; yna fe'i gwêl yn dawnsio'n euraid ar y sofl. Mae'r cwpled clo'n feirniadaeth ar y gwastraff ar ffermydd dwyrain Lloegr a'u harfer afradus o losgi gwellt ar y maes

---

50 Mathew 24:27.
51 *Cerddi John Roderick Rees*, t.62.

yn hytrach na'i gynaeafu a'i ddefnyddio fel y gwnaethid gynt ar dyddynnod Ceredigion.

Mor amrywiol yn y gerdd yw gwead y profiad. O'r delweddol i'r materol, o'r llenyddol i'r ymresymiadol gan mai amcan y bardd yn y pen draw yw gwneud datganiad sydd yn feirniadaeth ar gymdeithas ac ar y diwydiant amaethyddol. Sylwer mor rhesymegol yw strwythur y soned a'i hadeiladwaith traddodiadol fesul pedair llinell. Yn yr wythawd mae'n manylu ar y cysyniadau llenyddol sydd i'w destun. Wedyn amlygir ym mhedair llinell gyntaf y chwechawd y teimladau personol sydd ymhlyg yn yr hen ddull o gynaeafu ŷd pan ddefnyddid y 'dyrnwr mawr'. Yn y cwpled olaf, mae'r bardd yn symud o'i gysylltiad personol â'i destun at feirniadaeth nid yn unig o'r amaethwyr ŷd, ond o'r byd gorllewinol afradus yn gyffredinol.

Hwyrach nad 'Gwellt' yw soned orau John Roderick Rees yn y gyfrol a'i bod yn haeddu rhagorach diweddglo na'r hyn a geir iddi, ond amlyga ddull ffurfiol y bardd o ddilyn fformiwla arferol y soned, a sut y mae'r ffurf yn rhoddi i gerdd unoliaeth a fframwaith pendant. Yr oedd ffurf benodol a fframwaith eglur yn elfennau pwysig yn ôl John Roderick Rees ac yn sicrhau uniongyrchedd mynegiannol, ac iddo ef hefyd, y mesur a fyddai'n pennu naws a natur y cynnwys.

Cyfrol yw *Cerddi Newydd 1983–1991* sydd yn dathlu ailddechrau gyrfa lenyddol wedi tawedogrwydd o ryw ugain mlynedd. Wedi colli Coron Eisteddfod Genedlaethol Abertawe yn 1964, daeth i'r penderfyniad na wnâi ymgeisio am y Goron genedlaethol fyth mwy. Profiad diflas oedd boddi yn ymyl y lan. Yn y cyfamser, yr oedd bywyd a barddoniaeth wedi trawsnewid; tyfodd technoleg, disodlwyd yr hen grefftau a dadfeiliwyd yr hen ffordd o fyw yng nghefn gwlad.

Dwy gerdd yn y casgliad a barodd gryn anesmwythyd i rai oedd 'Margaret Thatcher'[52] a 'Moliant i Ronald Reagan'.[53] Mewn adolygiad o'r gyfrol, mae Gwynn ap Gwilym yn datgan:

Anodd iawn yw cymryd o ddifrif fardd sy'n disgrifio America fel 'ernes ... o Ryddid tragywydd' i'r llongeidiau a ddaeth yno 'o Asia ac Ewrob'. Beth am y llongeidiau caethweision a ddygwyd yno o Affrica? Anodd eto yw derbyn fod Thatcher yn cynrychioli 'ymennydd Rhydychen' (fe wrthododd y Brifysgol honno radd er anrhydedd iddi), nac ychwaith yn 'tariannu' unigolion rhag 'bwliganiaeth' (arall fyddai tystiolaeth y glowyr, er enghraifft). Ac y mae rhywbeth yn naïf o dabloidaidd mewn moli'r hen ryfelfarch Reagan fel 'lluniaidd ŵr llawen yn amddiffyn rhyddid dyn'.[54]

Yr hyn a gythruddodd Gwynn ap Gwilym oedd na ddefnyddiodd y bardd ei gelfyddyd i gadarnhau a lledaenu efengyl cenedlaetholdeb fel eraill o'r 'prifeirdd Cymreig sydd ar dir y byw'. Y maent hwy, meddir, yn 'genedlaetholwyr a deallusion', ond John Roderick Rees ar y llaw arall yn wrth-genedlaethol, yn wrth-sosialaidd ac yn wrth-gyfryngol. Ychwanegir gan yr adolygwr ymhellach:

O ddarllen y drydedd gyfrol hon o gerddi John Roderick Rees, mae'n anodd osgoi'r casgliad nad ef yw'r chwerwaf a'r rhyfeddaf o'n prifeirdd. Diau mai'r rheswm am hyn yw ei fod yn cynrychioli meddylfryd trwyadl werinaidd ... Rhyngddo ef a'i bethau am hynny, wrth reswm. Ond pan fo bardd modern yn llyncu'n ddihalen agweddau hen do o wladwyr diaddysg – tlodion o Dorïaid, gwrthwynebwyr aberth mamau

52 *Cerddi Newydd 1983–1991*, tt. 57–8.
53 *Cerddi Newydd 1983–1991*, tt. 51–2.
54 'Chwerwder a Mawl', *Barn*, Rhif 358 (Tachwedd 1992), t. 42.

Comin Greenham, a gelynion mwy neu lai uniaith Cymdeithas yr Iaith – gyda'u capeleiddiwch siwgwraidd, a hyd yn oed yn defnyddio eu mesurau barddol treuliedig, y mae'n fforffedu ei hawl i gydymdeimlad neb sy'n perthyn i genhedlaeth iau.

Tybiodd rhai mai dychanu a wnâi John Roderick Rees yn y ddwy gerdd foliant i Margaret Thatcher a Ronald Reagan, ond cyfeiliorni yr oeddynt, fel y dengys Alan Llwyd:

Ond nid cerddi dychan mohonyn nhw, ond cerddi o fawl dilys. Mae hyn yn codi'r broblem honno o'r berthynas rhwng y bardd a'i ddarllenydd, a'r gangen honno a fewn theorïaeth fodern sy'n rhoi cymaint o bwyslais ar ymateb darllenydd. A oes gan feirniaid hawl i ganmol cerddi John Roderick Rees fel cerddi dychan grymus, ac yntau'n edmygu'r gwrthrychau y canodd iddyn nhw? A oes gan ddarllenwyr hawl i roi lliw eu personoliaeth nhw eu hunain ar ddarn o farddoniaeth, a gweddnewid ystyr a safbwynt y darn hwnnw yn llwyr? Ac eto, byddai'r rhan fwyaf helaeth ohonom yn tybio mai cerddi dychan yw'r cerddi hyn gan John Roderick Rees, pe na baem yn gwybod pwy a'u lluniodd.[55]

Yn ei deyrnged i'r ddau wladweinydd enwog, ni ellir amau diffuantrwydd a dilysrwydd yr awdur yn ei fwriadau, serch hynny. Fel y dywedodd Dyfnallt Morgan yntau am waith bardd yng nghystadleuaeth y Goron yn Eisteddfod Genedlaethol Aberteifi yn 1976: 'Nid oes gan feirniad hawl i amau diffuantrwydd llenor pan na fydd hwnnw'n gweld pethau yn yr un ffordd ag ef'.[56] Mewn ymateb i adolygiad Gwynn ap Gwilym, sylwodd John Roderick Rees ei fod yn

---

55 *Y Grefft o Greu* (Llandybïe, 1997), t. 292.
56 *Cyfansoddiadau a Beirniadaethau Eisteddfod Genedlaethol Aberteifi a'r Cylch 1976*, gol. J. Tysul Jones, t. 39.

sôn am 'genedlaetholwyr a deallusion' a'i fod yr un pryd yn cyplysu'r ddwy garfan. Ychwanega:

> Atgoffodd y gosodiad fi o sylw cydnabod o brifathro, nad oedd y diweddar T. J. Morgan, bardd a llenor o'r radd flaenaf, yn 'gadwedig' (dyna ei air) am nad oedd yn perthyn i'r blaid iawn. Beth am y prifeirdd a fu, W. J. Gruffydd a John Eilian, er enghraifft, y naill yn Rhyddfrydwr a'r llall yn Dori? A yw credo ddogmatig un safbwynt yn un o nodweddion yr hyn a fedyddiwyd yn 'ôl-foderniaeth'?[57]

Er i Gwynn ap Gwilym gollfarnu'r gyfrol, cafodd glod gan eraill. Soniodd Idris Reynolds am y bardd fel 'crefftwr geiriau' ac fel 'artist y brws awgrymog a'r lliwiau cynnil', gan ychwanegu fod y bryddest 'Glannau' 'yn un o emau disgleiriaf cystadleuaeth y Goron Genedlaethol'.[58] Terfyna ei adolygiad drwy grybwyll perthynas annatod y dyn a'i gynefin:

> Yn sicr bydd croeso brwd i'r gyfrol hon. O fewn ei chloriau cawn gwmni'r awdur yn ei wahanol hwyliau; ochr yn ochr â gŵr di-flewyn-ar-dafod yr annibyniaeth barn cawn gip ar galon dyner y cymydog triw. Mae'r gyfrol hefyd yn deyrnged i ffordd o fyw hen gynheiliaid ein tir a'n diwylliant ym 'mil troedfeddi y gwynt' ar y Mynydd Bach. Cynnyrch gwarineb y gymdeithas honno yw'r llyfr a'r bardd. Diolch amdanynt.

Nid yw bardd annibynnol ei farn, anuniongred a pharod i leisio barn yn cydymffurfio'n reddfol ag eraill o aelodau barddas ynglŷn â thynged y gymuned wledig a chymaint

---

[57] 'Adolygu Adolygiad', *Barn*, Rhif 362 (Mawrth 1993), t. 43 (42–3).
[58] Adolygiad ar *Cerddi Newydd 1983–1991*, *Barddas*, Rhif 188–189 (Rhagfyr/Ionawr 1992), t. 46.

camwri a achosir gan y mewnfudwyr o'r dwyrain. Erbyn cyhoeddi'r *Cerddi Newydd 1983–1991* yr oedd wedi bod wrthi'n barddoni am dros hanner can mlynedd a byd a bro wedi mynd trwy gyfnod o chwyldro cymdeithasol. Y mae themâu arbennig yn gofyn am ieithweddau arbennig ac am fesurau addas. Rhinwedd John Roderick Rees, o'i gymharu â bardd fel Iowerth C. Peate, er enghraifft, yw iddo gyfoesi ei iaith a'i fesurau yn llawer o'i gerddi olaf. Mae'r ieithwedd yn llai ffurfiol glasurol bellach a'r rhythmau'n fwy naturiol ac ystwyth. Er ei fod ar drothwy ei henaint pan luniodd rai o gerddi'r gyfrol, nid oes ynddynt awgrym ei fod yn symud i'r cyfeiriad hydrefol hwnnw na phwyslais ychwaith ar y syniad o amser yn darfod fel a geir ym marddoniaeth llawer o feirdd o'i genhedlaeth ef.

Wrth sylwi ar grefft y bardd gwelwyd nad oes yma duedd i fod yn eironig nac i adael i'w awen garlamu ar gyfeiliorn yn rhy rwydd. Nid oes yn y cerddi ymdrech i gyflawni strôc na gwrhydri llenyddol. Awen wladaidd delynegol a feddai ac i'r wlad a'i phethau a'i chymeriadau y canodd yn bennaf. Hwyrach erbyn heddiw mai digon treuliedig a dyddiedig yr ymddengys peth o gynnyrch *Cerddi'r Ymylon* gan fod y dull o amaethu a natur y gymdeithas a ddisgrifir ynddi yn anghyfarwydd ac yn perthyn i hanner cyntaf yr ugeinfed ganrif cyn dyddiau'r mecaneiddio a'r 'cyfarth meteloedd'.[59]

Diau y byddai rhai'n cyfrif John Roderick Rees yn fardd Sioraidd Cymreig ar sail y modd y canodd ei delynegion i'w fro a'i thirlun mynyddig. Eto gwelwyd erbyn y gyfrol olaf fod yna nodau modernaidd yn ymddangos yn ei ganu a'i lid ar y Cymry hunanol a materol sydd mor ddi-hid o'u hetifeddiaeth. Gwelsom hefyd na ellir labelu John Roderick Rees fel bardd gwlad yn unig, yn fardd coleg, yn fardd eisteddfodol nac ychwaith yn fardd yr adwaith modern.

---

59   Gwyn Thomas, 'Dyddio', *Y Weledigaeth Haearn* (Dinbych, 1965), t. 29.

Cyfuniad ydyw o'r carfanau hyn oll. Llwyddodd i sugno maeth o'r holl ffynonellau a thraddodiadau fel y gwnaeth R. Williams Parry o'i flaen.

Nid ystyriai John Roderick Rees ei hun yn arloeswr nac yn arbrofwr fel eraill o feirdd Mynydd Bach, yn arbennig Prosser Rhys a J. M. Edwards. Cynnal y safonau ieithyddol a mynegiannol oedd ei nod, sef y rheini a osodwyd gan ei ragflaenwyr ym myd Barddas. Gwelir o'r tair cyfrol fel y rhoes bwyslais ar iaith lân a chain ac anelai at gynildeb llym mewn mynegiant, yn arbennig yn ei delynegion. Yr oedd ganddo barch at grynoder a ffurf ac at ddawn bardd i gyfathrebu â'i ddarllenwyr. Ymwrthodai ag unrhyw duedd i ddilyn ffasiwn ac amheus ydoedd o ddiffuantrwydd rhai beirdd a geisiai ddilyn chwaeth a thuedd eu cyfnod.

Yr hyn a dery'r darllenydd hefyd o ddarllen y cyfrolau yw meistrolaeth y bardd ar gynifer o fesurau ond heb geisio arddangos ei ddawn a'i ffraethineb parod mewn cywydd ac englyn fel y gwnâi llawer eraill o'i gyfoeswyr yn y sir. Nid bardd gwlad y dull cyffredin mohono er lluosoced y cerddi mawl, y cerddi pen-blwydd, cerddi ymddeoliad cyd-weithwyr, emynau priodas; eithr yr hyn a wneir yma, ac yn arbennig yn yr ail gyfrol, yw boddhau disgwyliadau a gofynion cymdeithasol bro.

Ef oedd Bardd Llawryfog y Mynydd Bach. Ei agenda oedd cynnal canonau dyrchafol y bardd gwlad drwy adfer mawl a thalu teyrnged i'w gydnabod, i gymwynaswyr ardal a'r gymdogaeth. Yr oedd ymroi i gyflawni defodaeth gyhoeddus yn rhan o swyddogaeth y bardd gwlad ac arno ddyletswydd oesol i wneud barddoniaeth yn berthnasol, yn rhan o ffrwyth darllen darllenwyr bro. Ef yn wir oedd John Betjeman ei filltir sgwâr.

Bardd annibynnol a phendant ei farn a'i chwaeth oedd John Roderick Rees. Ni pherthynai i un carfan o feirdd, i glic nac ysgol arbennig. Yn wir, dirmygai glicyddiaeth o unrhyw fath, ac am hynny fe'i hystyrid gan rai yn 'wahanol', yn ormod o Dori, yn wrth-Gymreig bron, yn wrth-sosialaidd, yn unllygeidiog.[60] I John, melltith oedd mudiadau llenyddol a mudiadau llenyddol-wleidyddol a'r duedd ymhlith adolygwyr a darllenwyr i godi rhai beirdd yn uwch nag eraill, nid am eu bod yn rhagorach beirdd ond am fod ganddynt y ddawn i ddweud y pethau iawn yn y llefydd iawn. Amharod ydoedd i dderbyn theorïau cenadwriol beirdd a glustnodwyd yn ffeministaidd neu gomiwnyddol, er enghraifft, gan y tybiai fod llawer ohonynt namyn beirdd eilradd a enillai fri a statws ar sail eu hideoleg wleidyddol. Nid oedd hyn ond pegynnu safbwynt ac ymenwogi er mwyn elw personol. Gwyntyllwyd safbwynt gyffelyb gan Vaughan Hughes yntau ar drothwy nawdegau'r ganrif ddiwethaf:

> Fuo'r Wythdegau ddim yn ddegawd dda i rheini ohonom sy'n digwydd gweld pethau'n wahanol i bobol eraill. Efallai mai Mrs Thatcher osododd y cywair. Ei llinyn mesur hi ar bawb ydi, 'Is he One of Us?' Felly mae pethau hefyd yn y byd llenyddol Cymraeg. Sgwennwch adolygiad sydd ddim yn folawd i galedwaith a gweledigaeth ac anffaeledigrwydd awdur ac fe fydd yn rhaid i chi fod yn barod i gael eich bychanu a'ch dirmygu.
>
> Braf yn y Nawdegau fyddai gweld y dadleuon a godir a'r syniadaeth a fynegir mewn adolygiadau yn cael eu trafod a'u hateb. Yn lle hynny dehonglir pob beirniadaeth fel un bersonol ac anwybyddir pob dadl. Ymhellach ymosodir ar grebwyll y beirniad. Hwn, wrth gwrs, yw hoff dric yr Unben.[61]

---

60 Gwynn ap Gwilym, 'Chwerwder a Mawl', *Barn*, Rhif 358 (Tachwedd 1992), t. 42.

61 'Llai o'r Llyfu', *Barn*, Rhif 325 (Chwefror 1990), t. 14.

Ymddengys i John Roderick Rees brofi peth anhawster i ddod o hyd i gyhoeddwr i'w gerddi ar un adeg gan iddo synio am hynny mewn rhagair i gyfrol o farddoniaeth gan Llywelyn Griffiths, y Felin-fach, cydnabod ysgol iddo ond a hanai'n wreiddiol o ochrau Trichrug yng nghanolbarth Ceredigion. Roedd y ddau ohonynt yn cydefrydu yn Ysgol Sir Tregaron. Beirniedir y duedd ymhlith gweisg a chyhoeddwyr i roddi blaenoriaeth i gyfrolau 'pwysigion' nad oes obaith gwerthu eu gwaith:

Fel y gwn o brofiad, y mae'n anodd i rywun y tu allan i gylch cyfrin y dewisolion ymwthgar weld eu gwaith rhwng cloriau llyfr tra bo gorlif cyfrolau sychion pwysigion yn hel llwch hyd bris gostyngol ar silffoedd siopau llyfrau.[62]

I'r rheini a gred fod yng ngherddi John Roderick Rees rym a diffuantrwydd, gloywder crefft ac angerdd mynegiant, bydd iddynt ddilynwyr. Nid arbrofwr blaengar oedd John Roderick Rees serch hynny, ac nid rhyfedd felly na ellir disgwyl i'r cyfrolau a drafodwyd uchod apelio i'r un graddau ag a wnaethant gynt. Wedi dweud hynny, gellir honni'n hyderus i'w gerddi gyfrannu'n hael at waddol y canu rhydd gwledig yng Nghymru yn y ganrif ddiwethaf. O'r profiad unigol personol symudir at y lluosog gymdeithasol, o'r heddiw ym Mhen-uwch at yr yfory pan ddaw eraill i'r maes a hawlio'r dyfodol lle y bu'r tadau'n llafurio gynt. Y gobaith hwn yn y dyfodol ac ym mharhad bywyd a rydd i'w gerddi eu gweledigaeth gyfannol ac arhosol.

---

62 Rhagair yng nghyfrol o farddoniaeth W. Llywelyn Griffiths (Llew Coop), *Cerddi Syml Bardd Gwlad* (Felin-fach, 1997).

John Roderick Rees yn traddodi ar y Goron yn yr Eisteddfod Genedlaethol yn Aberystwyth yn 1992, gyda W.R.P. George, yr Archdderwydd Ap Llysor, yn gwrando. (Llun: Y Cymro)

Theorïau llenyddol a beirniadaethau eisteddfodol

Cyflwyniad

Wrth ffocysu ar feirniadaethau John Roderick Rees, priodol yw atgoffa ein hunain iddo gael ei drwytho a'i gyfareddu gan gynnyrch y tair cyfrol bwysig a dylanwadol a ymddangosodd rhwng 1925 a 1935, sef *Cerdd Dafod*, John Morris-Jones, *Y Flodeugerdd Gymraeg*, W. J. Gruffydd ac *Elfennau Barddoniaeth*, T. H. Parry-Williams. Dyma'r llyfrau a fu'n gyfrifol am addysgu a chyflyru meddyliau nifer o feirdd Cymru gan eu goleuo yng ngweithiau nid yn unig feirdd Cymru ond yng nghonfensiynau barddoniaeth Ewrop a'r tu hwnt. Gan mai bardd eisteddfodol oedd John Roderick Rees yn bennaf i gychwyn, ac i'r prif wobrau yn eisteddfodau Ceredigion ar ôl yr Ail Ryfel Byd gael eu cynnig naill ai am delyneg neu gyfres ohonynt ar destun neu destunau a nodwyd gan y gwahanol bwyllgorau eisteddfodol, mae'n amlwg i John droi at y llyfrau uchod am arweiniad i'r hyn a ddisgwylid mewn telyneg. Gellir ychwanegu *Odl a Chynghanedd* Dewi Emrys atynt hefyd gan fod yr awdur yn gyfrifol am golofn farddol 'Y Babell Awen' yn *Y Cymro* ac a roes gryn ganmoliaeth a chroeso i gynigion cynnar John Roderick Rees. Yn wir buasai'n anfon telynegion at Dewi Emrys am feirniadaeth ac arweiniad yn gyson yn y pedwardegau.[1]

Y nod yn y telynegion hyn oedd cydymffurfio â'r patrymau a osodid gan W. J. Gruffydd, T. H. Parry-Williams a Dewi Emrys gyda'u pwyslais ar grynoder a chynildeb, ar geisio cyfleu eiliad o danbeidrwydd neu deimlad personol yn syml a dirodres mewn iaith goeth a dethol. Daeth gwaith beirdd mor amrywiol â Cynan, Ceiriog, Crwys, I. D. Hooson, T. Gwynn Jones, William Jones, R. Williams Parry, R. Silyn Roberts, Wil Ifan a W. J. Gruffydd yn wybyddus i lawer a ymddiddorai mewn barddoniaeth Gymraeg ac yn arbennig yn y delyneg a'r soned gan i T. H. Parry-Williams gynnwys enghreifftiau o'r ffurfiau mewn atodiad i'w *Elfennau Barddoniaeth.* Golygai hyn mai gweithiau'r beirdd hyn a ddynwaredwyd gan feirdd eisteddfodol rhamantaidd o'r tridegau ymlaen a beirniadwyd yr efelychu hwn gan Thomas Parry yn *Llenyddiaeth Gymraeg, 1900–1945* (1945).[2]

Yr oedd yna hefyd ganu llai personol a haniaethol deimladwy, a hwn a greodd fwyaf o argraff ar John Roderick Rees. Amhersonol a diriaethol yw'r cynnyrch yma, a gellir cyfrif beirdd fel I. D. Hooson, Iorwerth Peate ac R. Williams Parry ymhlith y rheini a fabwysiadodd y dull hwn o ganu. Telynegion a geir gan y beirdd hyn sydd yn ymateb i wrthrych mewn ffordd bersonol, ac yna'n cyfleu nid y teimlad fel y gwnâi llawer o feirdd ar ddechrau'r ganrif, ond yn hytrach weledigaeth o'r gwrthrych. Pan edrychir ar gerddi R. Williams Parry, er mor bersonol yw'r weledigaeth, eto amhersonol hollol yw llawer o'i gerddi yn eu mynegiant. Er i feirdd fel Crwys a Wil Ifan geisio rhoddi

1 Bu Dewi Emrys yn gyfrifol am y golofn farddol yn *Y Cymro* o 1936 hyd 1952 ac yr oedd yn ddylanwad pwysig ar feirdd Cymru ar y pryd. Cyhoeddodd bigion o farddoniaeth ei ddisgyblion yn y gyfrol *Beirdd y Babell* (1938).

2 *Llenyddiaeth Gymraeg, 1900–1945* (Lerpwl, 1945), t. 32.

mynegiant i'r hyn a ystyrid ganddynt yn dlws neu
farddonol, a gorffen y delyneg wedyn â chwpled neu linell
orchestol i ryfeddu neu syfrdanu'r darllenydd neu i ddysgu
gwers iddo, yr oedd y delyneg erbyn hynny wedi symud
ymlaen i feysydd mwy myfyrdodol ac eang ei chwmpawd.
Llwyddodd y delyneg i ddianc o afael Rhamantiaeth 'a
gafael anfeirniadol y dauddegau'.[3]

Y Delyneg

Soniodd Derec Llwyd Morgan am 'ddrwg-effeithiau'r
delyneg' ac fel yr aeth yn amherthnasol i feirdd 'tywyll' y
Gymru fodern:

> Y mae'r beirdd wedi deall ers deng mlynedd ar hugain a
> mwy na ellid parhau i delynega'n drydanol. Fe ddeallon
> nhw fod y testunau a oedd mor newydd i'w
> rhagflaenwyr – serch a rhithiau hiraeth ac yn y blaen –
> yn dreuliedig, a bod y dull telynegol o'u trin yr un mor
> dreuliedig.[4]

Yr oedd Derec Llwyd Morgan wedi rhag-weld tranc y
delyneg mewn darlith yn y Babell Lên yn Eisteddfod
Genedlaethol 1969. Yna, yn 1972, mae John Roderick Rees
yn ei feirniadaeth ar gystadleuaeth y delyneg yn cyfeirio at
broffwydoliaeth Derec Llwyd Morgan:

> Mae'r delyneg wedi marw, yn ôl rhai beirniaid, ac eto
> dyma ddeunaw ar hugain ohonynt, 'yn eu gynau
> gwynion', lawer tro ac weithiau 'ar eu newydd wedd'.
> Ffenomen gyfarwydd yw dweud fod hwn a hon a'r llall

---

3 R. M. Jones, *Llenyddiaeth Gymraeg 1902–1936* (Llandybïe, 1987),
   t. 453.
4 'Drwg-effeithiau'r Delyneg', *Y Genhinen*, Cyf. XX, Rhif 2
   (Gwanwyn 1970), t. 63 (62–5).

wedi darfod amdanynt fel cyfryngau artistig; fe'i dywedwyd am y stori fer, yr ysgrif a'r nofel, yn eu tro. Ni welais gollfarnu yr englyn a'r cywydd, er hyned ffurfiau ydynt, i'r un difodiant, fel petai eu harfogaeth allanol haearnaidd hwy yn gwrthsefyll y pryf.[5]

Y gwir amdani, yn ôl John Roderick Rees, yw nad oes bai o gwbl ar y cyfrwng a'r ffurf, ond yn hytrach ar y prinder beirdd sydd yn ymddiddori yn y delyneg.

Fe wnaeth John Roderick Rees feirniadu cystadleuaeth y delyneg yn yr Eisteddfod Genedlaethol dair gwaith i gyd. Y tro cyntaf yn yr Adran Ieuenctid yn Eisteddfod Genedlaethol Maldwyn 1965; yr eildro yn Eisteddfod Genedlaethol Sir Benfro 1972, ac yna yn Eisteddfod Genedlaethol Aberteifi a'r cylch 1976. Gesyd y nodweddion a ddisgwylir ganddo yn 1965:

1. Gwreiddioldeb syniad. Rhaid ceisio gweld hen wrthrych mewn goleuni newydd.
2. Uniongyrchedd mynegiant. Ni thâl crwydro gwlanog, digyswllt.
3. Dylai'r ansoddeiriau fod yn awgrymog yn hytrach nag yn addurniadau dibwynt, ac felly'r cyffelybiaethau a'r trosiadau.
4. Y gamp yw bod yn gynnil a ffres heb fod yn 'dywyll'; braidd gyffwrdd heb golli yn y niwl.

Gwelir o'r rhestr uchod bod y pwyslais ar gynnal y ddelfryd o'r delyneg glasurol, a'r pwyslais ar gynildeb diaddurn, uniongyrchedd ac ar eglurder syniad gan osgoi tywyllwch y beirdd modern. Wrth graffu ar feirniadaeth 1972, yr un yw'r meini prawf o hyd ond rhoddir pwyslais ychwanegol yma ar annhestunoldeb rhai o'r ymgeiswyr. Mae'r pwyslais

---

5   *Cyfansoddiadau a Beirniadaethau Eisteddfod Genedlaethol Sir Benfro 1972*, gol. J. Tysul Jones, t. 72.

ar y mynegiant ac ymhlith ei ymadroddion ceir: 'rhyddieithol', 'mynegiant gorgynefin', 'mynegiant anarbennig', 'cynildeb awgrymog', 'cystrawennu diwast', 'hen drawiadau', 'gorgryptig', 'nid yn addurnol', 'yn gynnil heb fod yn esoterig'. I nodi gwendidau eraill y cystadleuwyr ceir: defnyddir ansoddeiriau ac ymadroddion fel: 'gorgywasgedig', 'rhy haniaethol', 'yn gynnil a chanolbwynt ac uchafbwynt iddynt', 'ailadroddol', 'nid yw'n ddigon testunol i'm chwaeth i', 'sŵn y glec yn troi'n oraddurn', 'amharu ar unoliaeth', 'mwy diriaethol ac uniongyrchol', 'consurio naws', 'ei phensaerniaeth yn gadarn', ac yn y blaen.

Defnyddir yr un ymadroddion drachefn fel y gellir disgwyl yn y feirniadaeth yn 1976 yn Eisteddfod Genedlaethol Aberteifi a'r cylch, gan restru'r prif wendidau ar ddechrau ei sylwadau: 'ymadroddi ystrydebol', 'gwëad llac', 'gormes odl', 'diffyg canolbwynt', 'anhestunoldeb', 'aneglurder', 'canu adleisiol'. Ar y diwedd, cydnabu 'mai chwaeth bersonol yw'r beirniad olaf bob amser' a chan hynny y mae'n rhannu'r wobr rhwng pedair telyneg: dwy ar fesur ac odl a dwy yn y *vers libre*. Mae'n amlwg er hynny, erbyn canol y saithdegau, fod y *genre* hwn yn yr Eisteddfod yn methu denu'r beirdd cyfoes er cymaint yw poblogrwydd y cyfrwng ar y Talwrn ar y radio. Y buddugwyr cyson yw: Dafydd Jones, Ffair-rhos, T. R. Jones, Ffowc Williams, Tegwyn Harries ac Eirwyn George – yr oll yn eisteddfodwyr brwd a llwyddiannus a wnaeth gyfraniad mawr at hybu'r diwylliant eisteddfodol yn eu cylchoedd bychain a hefyd yn genedlaethol.

Y Soned

Rhoddwyd cyfle arall i John Roderick Rees bwysleisio rheolau crefft a ffurf pan feirniadodd gystadleuaeth y soned yn yr Eisteddfod Genedlaethol. Er bod i'r soned draddodiad yn ymestyn yn ôl i'r Oesoedd Canol yn yr Eidal, ac i'r unfed ganrif ar bymtheg mewn gwledydd fel Lloegr, Ffrainc a'r Almaen, ac yn y mwyafrif o wledydd Ewrop, eto bu'n rhaid i Gymru ddisgwyl hyd 1833 cyn gweld ei soned gyntaf yn Gymraeg.[6] Bu'n rhaid disgwyl deng mlynedd arall cyn cael y soned Betrarchaidd gyntaf gan Fardd Mawddach,[7] ond erbyn diwedd y bedwaredd ganrif ar bymtheg yr oedd wedi datblygu'n ffurf bur boblogaidd.

Beirniadodd John Roderick Rees gystadleuaeth y soned yn yr Eisteddfod Genedlaethol ddwywaith: y tro cyntaf yn Eisteddfod Genedlaethol Casnewydd yn 1988 ac yna eilwaith yn Eisteddfod Genedlaethol De Powys, 1993. Nid oes awgrym ym meirniadaethau John fod y cystadleuwyr wedi ceisio ymestyn ar ffurfiau Shakespearaidd a Phetrarchaidd y cyfrwng yn y naill eisteddfod na'r llall ac ni chânt eu hannog ychwaith i wneud hynny yn y dyfodol gan y beirniad. Nid yw John Roderick Rees er hynny yn synio yn ei feirniadaeth am ddiffyg gwreiddioldeb wrth ymdrin â'r ffurf; yn hytrach yr hyn y tynnir sylw atynt yw'r duedd i 'lapio gormod geiriau am y syniad', 'goreirio', 'anarbenigrwydd mynegiant', 'cwpledi llac', 'ail-ddweud',

---

6   Olrheinir twf a datblygiad y soned yng Nghymru gan Herman Jones, *Y Soned Gymraeg hyd 1900* (Llandysul, 1967); gw. hefyd ar y ffurf ragymadrodd Alan Llwyd, *Y Flodeugerdd Sonedau*, gol. Alan Llwyd (Llandybïe, 1980), tt. 9–22. Y soned gyntaf oedd honno a gyhoeddwyd yn *Y Drysorfa* yn Chwefror y flwyddyn honno gan ryw R.G.W. na wyddys yn hollol pwy ydoedd. Nid soned reolaidd mohoni, ond yn hytrach cymysgedd o'r Petrarchaidd a'r dull Shakesperaidd. Gwelir y soned yn llyfr Herman Jones, *Y Soned Gymraeg hyd 1900*, t. 45.

7   Brodor o'r Bermo oedd Robert Jones (Bardd Mawddach). Mab i gapten llong a anwyd yn 1804 ac un o ddisgynyddion Morysiaid Môn ar ochr ei fam. Bu farw yn Llundain yn 1866.

'ymylol destunol', 'rhy gyffredin anarbennig a thuedd i eilio gosodiad yn hytrach na datblygu syniad', 'amherseinedd', 'afradu'r acen grom', 'odli ymwthgar', 'dwbledau llac'. Ymhlith y nodweddion, ceir: 'soned gwbl destunol', 'uniongyrchedd canmoladwy ac ystyr ddigwmwl', 'cyffyrddiadau cyrhaeddgar', 'cyffyrddiadau cynganeddol yn anymwthiol', 'clo yn gafael a newydd', 'soned uniongyrchol ddi-lol', 'uniongyrchedd anymwthgar'. Gwobrwyir soned draddodiadol yn 1993 o waith Vernon Jones, bardd eisteddfodol profiadol o Bow Street, Ceredigion. Sonnir amdano fel 'Bardd y dethol ymadroddi; hoffais ddiriaethau "bys yr haul" a'r coelcerthi gynt yn "fagïod yn y gwyll". Nid oes camau gwag yn y soned hon ...'[8]

Disgrifir cystadleuaeth y soned yn Eisteddfod Genedlaethol Cymru Casnewydd, 1988, fel un 'wastad ei safon, heb godi i'r entrychion na disgyn i'r dyfnderoedd' gydag un ar hugain yn cystadlu. Dau weinidog a orfu, a disgrifir soned T. R. Jones, Glanrhyd, Aberteifi, gan John Roderick Rees fel 'soned gymen, grefftus' gyda 'gorffen awgrymog'.

Yn gydfuddugol yr oedd soned O. T. Evans, Aberystwyth, sydd hefyd yn debyg o ran naws a mynegiant, ond yn fwy ansoddeiriog a haniaethol. Disgrifir soned O. T. Evans gan John Roderick Rees fel gwaith 'sonedwr profiadol, di-feth gynnil ei gyffyrddiad ... Dyma uniongyrchedd canmoladwy ac ystyr ddigwmwl'. Er mor ffurfiol glasurol yw cywair y soned, mae'n ddiddorol i John groesawu'r ffurf anffurfiol gyfoes 'pâr', sef 3ydd person unigol presennol y ffurf 'peri', yn hytrach na'r ffurf fwy llenyddol 'pair'.

Hwyrach yn wir nad yw'r gyfundrefn eisteddfodol yn caniatáu arbrofi dilyffethair, ac mai anodd i'r mwyaf arbrofol o'r beirdd yw hybu newydd-deb o fewn

---

8   *Cyfansoddiadau a Beirniadaethau Eisteddfod Genedlaethol De Powys, Llanelwedd, 1993*, gol. J. Elwyn Hughes, t. 66.

cyfyngiadau mesur ffurf a thestun. Nid yn yr Eisteddfod Genedlaethol, mae'n debyg, y gellir disgwyl llenyddiaeth arbrofol a chyffrous. Mae llawer o'r enillwyr yn gystadleuwyr proffesiynol bron, ac ni wnânt ddim arall ond cystadlu. I John Roderick Rees yr oedd i'r eisteddfod ar lefel leol a chenedlaethol werth diwylliannol, a chamgymeriad fuasai ei bychanu a'i dilorni. Yr oedd ef ei hun yn gynnyrch yr eisteddfod, wedi dechrau fel ymgeisydd yn eisteddfodau bach cefn gwlad Ceredigion, yna wedi 'graddio' ac ennill sylw yn yr Eisteddfod Genedlaethol a derbyn gwahoddiad i fod yn feirniad yno pan oedd ond ychydig dros ddeugain oed. Honnwyd gan R. M. Jones unwaith mai: 'Rhan yw'r Eisteddfod o gwlt egnïol poblogrwydd, ac felly'n amwys braidd o ran ei gwerth canolog i lenyddiaeth.'

Dywedir ei bod hi'n gymorth i ysgogi'r diddordeb mewn llenyddiaeth ymhlith rhai pobl na fyddant yn debyg o ymhoffi ynddi heb hynny. Ac yn siŵr, ffocws ydyw i sefydliadau hwyliog megis Ymryson y Beirdd a sbort ardderchog yr Orsedd.[9]

Mae'n achlysur cymdeithasol yn ddiau, ond ni ellir honni mai ymylol yw llawer o gynnyrch yr Eisteddfod Genedlaethol wrth ystyried safon a datblygiad llenyddiaeth yr ugeinfed ganrif. Hoff gan John Roderick Rees fu cynnal hanfodion neu feini prawf oesol mesurau fel y delyneg a'r soned. Creodd y traddodiad ddull arbennig o feddwl am farddoniaeth, derbyn y rhagdybiau, amddiffyn yr hanfodion cydnabyddedig a diystyru'r anghonfensiynol a'r anuniongred. Yr hyn sydd yn arwyddocaol hefyd ynglŷn â beirniadaethau John yw ei barodrwydd cyson i nodi natur oddrychol ei ddyfarniad drwy ychwanegu cymal fel 'yn fy marn i' ar y diwedd sydd yn amlygu ei dyb mai greddf a chwaeth sydd yn llywodraethu ar derfyn dydd ac mai myth

---

[9] *Llenyddiaeth Gymraeg 1902–1936* (Llandybïe, 1987), t. 245.

i bob pwrpas yw anelu at feirniadaeth gwbl wrthrychol a diduedd. Nid yw hyn yn gyfystyr â honni nad yw cerdd yn meddu ar ryw gymaint o nodweddion er mwyn iddi fod yr hyn ydyw, ond nid yw hynny'n dirymu'r ffaith fod i feirniadu ogwydd oddrychol fel y mae John Roderick Rees yn ei bwysleisio yn barhaus.

Y Pryddestau

Bardd oedd John Roderick Rees a ymhoffai ym mydr rheolaidd y mesurau traddodiadol ond a droes yn achlysurol yn unig at y *vers libre*, yn bennaf at lunio'i bryddestau eisteddfodol o 1964 ymlaen. O ddarllen ei dair beirniadaeth yng nghystadleuaeth y Goron, ymddengys y chwiliai am yr un nodweddion ag a wnâi adeg beirniadu cystadleuaeth y delyneg. Bydd yn clodfori 'dawn delynegol' beirdd yn achlysurol, ynghyd â'u geirio awgrymog, a'u cyffyrddiadau cynnil. Ymhlith y rhinweddau eraill a glodforir yng ngwaith y cystadleuwyr yr oedd: 'mynegiant eglur', 'ymadroddi'n afaelgar', 'delweddu grymus a geirio awgrymog', 'cynildeb cwbl ddi-wast', 'gwreiddioldeb', 'tyndra cystrawennol crefftus', 'gwreiddioldeb ei gweledigaeth a thestun' (am y casgliad o gerddi). Gellir rhestru'r gwendidau a genfydd yn y cerddi yn yr un modd: 'traethu llac a digyswllt', 'anghynildeb', 'afradus-eiriog', 'heb ias newydd-deb', 'rhy ryddieithol a rhethregol unffurf', 'y dweud yn hirwyntog a llac', 'heb arwahanrwydd barddoniaeth', 'rhy fyrlymus-eiriog', 'braidd-gyffwrdd pur amheus yw'r cysylltiad testunol', '[g]ormod o orchest geiriau', '[g]wallau iaith', 'Pedestraidd', 'gormod o wallau iaith', 'diffyg lliw personol ar ymadroddi', 'llawer o niwlogrwydd y wers rydd', 'llithro i eiriogrwydd a rhethreg'.

Yn gyffredinol, y prif wendidau yw:

- annhestunoldeb
- llacrwydd mynegiant
- tywyllwch ac aneglurder
- geiriogrwydd a rhethreg
- diffyg newydd-deb.

Ymhlith y prif gryfderau a ganmolir, mae:

- geirio awgrymog
- uniongyrchedd
- cynildeb
- testunoldeb
- eglurder
- iaith lân.

Nid yn annisgwyl hwyrach, unwaith yn unig y llwyddodd John Roderick Rees i gytuno â'i ddau gyd-feirniad yn y cloriannu terfynol. Y tro cyntaf iddo feirniadu oedd yn Eisteddfod Genedlaethol Bro Madog yn 1987 pan gynigiwyd y Goron am gasgliad o gerddi ar y testun 'Breuddwydion'. Cydfeirniadu a wnaeth ar yr achlysur hwnnw â Bobi Jones ac E. G. Millward, a John Gruffydd Jones a orfu. Y tro hwn, yr oedd y tri beirniad yn unfryd unfarn mai casgliad 'Cloch Maban' oedd yn deilwng. Mae John Roderick Rees yn gorffen ei feirniadaeth yn gadarn: 'Y mae "Cloch Maban" ar ei ben ei hun, yn fy marn i, ac yn haeddu Coron Bro Madog mewn cystadleuaeth dda'.[10] Cafodd casgliad John Gruffydd Jones, a oedd cyn hynny wedi ennill Tlws y Ddrama a'r Fedal Ryddiaith yn yr Eisteddfod Genedlaethol, ganmoliaeth gan Alan Llwyd hefyd, a'i disgrifiodd:

---

[10] *Cyfansoddiadau a Beirniadaethau Eisteddfod Genedlaethol Bro Madog, 1987*, gol. J. Elwyn Hughes, t. 34.

Y gwir yw fod cerddi'r Goron yn boddhau ac yn cyffroi. 'Rwy'n methu gwthio 'Y Bont yn Argenteuil' o'm meddwl. Y mae'r un cynildeb tawel, awgrymog ynddi ag a geir yng ngherddi R. S. Thomas i ddarluniau yn *Between Here And Now*.[11]

Os cafwyd unfrydedd llwyr yn Eisteddfod Genedlaethol Bro Madog, nid felly fu'r sefyllfa y tro nesaf yr oedd John yn beirniadu'r Goron, a hynny yn Eisteddfod Genedlaethol Aberystwyth yn 1992. Cynigiwyd y Goron y tro hwnnw am gasgliad o gerddi heb fod dros 300 llinell ar y testun, 'Cyfannu'. Y beirniaid a wahoddwyd oedd Marged Haycock, John Roderick Rees a Gwynne Williams. Gosododd Marged Haycock ar dop y dosbarth cyntaf, 'Pen-cwm', 'Bedwargoed', 'Rheidol' a 'Ceffyl Gwyn'. Barnai John Roderick Rees mai 'Bedwargoed' a haeddai'r wobr gyda 'Pen-cwm' 'yn ail teilwng iddo'. Y tri chystadleuydd a ragorai yn ôl Gwynne Williams oedd 'Pen-cwm', 'Bedwargoed' a 'Ceffyl Gwyn'. Er y cydnabu John fod egni a newydd-deb yn ymadroddi y 'Ceffyl Gwyn' (Cyril Jones) ei duedd yn gyson oedd 'llithro i eiriogrwydd a rhethreg ac nid yw'r ffurfiau llafar yn gweddu i arddull ei gerddi, fel y maent yn asio yn arddull "Pwll Deri" (Dewi Emrys) dyweder'.[12] Er bod Marged Haycock yn tueddu at 'Rheidol', yr oedd yn amlwg mai isel yn y gystadleuaeth y gosodwyd cerddi'r ymgeisydd hwnnw gan y ddau feirniad arall. Drwy gyfaddawd, felly, yr enillodd y 'Ceffyl Gwyn' y ras yn Aberystwyth.

Cyhoeddwyd cerddi 'Bedwargoed' (Norman Closs Parry) yn *Barddas* yn rhifyn Medi 1992[13] a gellir gweld yr elfennau yn y cerddi a roes y boddhad mwyaf i John

---

[11] 'Golygyddol', *Barddas*, Rhif 125 (Medi 1987), t. 5.

[12] *Cyfansoddiadau a Beirniadaethau Eisteddfod Genedlaethol Cymru, Ceredigion, Aberystwyth 1992*, gol. W. J. Jones, t. 54.

[13] *Barddas*, Rhif 185 (Medi 1992), tt. 2–5. Ailargraffwyd yn ddiweddarach mewn cyfrol o waith y bardd, *Bedwargoed* (Llandysul, 1993), tt. 100–13.

Roderick Rees: cynildeb eu mynegiant, a newydd-deb eu themâu'r adeg honno o gofio disgrifiad y bardd o ddifa gwartheg adeg haint y traed a'r genau. At hynny, gwir mai 'cof bellach yw'r cyfan' yn llawer o'r cerddi, ond eto llwyddodd y bardd i roi gwedd newydd i'w atgofion a hynny drwy gyfrwng ei synhwyrau a rhythmau iaith sy'n apelio at glust y darllenydd. Gwyneth Lewis oedd 'Rheidol' yn y gystadleuaeth,[14] a Dewi W. Thomas oedd 'Gwas y Gilfach'[15] a osodwyd gan John Roderick Rees ymhlith y tri chyntaf.

Y tro olaf i John Roderick Rees feirniadu cystadleuaeth y Goron oedd yn Eisteddfod Genedlaethol Meirion a'r Cyffiniau yn 1997. Y flwyddyn honno cynigiwyd y Goron am bryddest i nifer o leisiau heb fod dros 200 llinell ar y testun 'Branwen'. Ymddengys mai cystadleuaeth siomedig a gafwyd yn gyffredinol, ac yn ôl John yr oedd y testun a osodwyd yn rhannol gyfrifol am safon anarbennig mwyafrif y cyfansoddiadau:

> Mae nodi 'pryddest i leisiau' yn gwamalu rhwng barddoniaeth 'bur' a drama fydryddol. At hynny, y mae gosod darn nodedig ac adnabyddus o lenyddiaeth yn destun i un arall, yn ganibaleiddio moddau ac yn peri unffurfiaeth ar y naill law neu grwydro annerbyniol ar y llall.[16]

Wedi rhagymadrodd, gesyd John Roderick Rees amlinelliad o'r hyn a ystyrir ganddo'n bryddest:

---

14 Gwelir ei chasgliad yn *Cyfrif Un ac Un yn Dri* (Llandybïe, 1996), tt. 31–42.

15 Cyhoeddwyd ei gerddi yn *Barddas*, Rhif 187 (Tachwedd 1992), tt. 16–18.

16 *Cyfansoddiadau a Beirniadaethau Eisteddfod Genedlaethol Cymru Meirion a'r Cyffiniau, 1997*, gol. J. Elwyn Hughes, t. 43.

(a) credaf mai darn o farddoniaeth yw pryddest ac nid drama o fath yn y byd;

(b) mai ansawdd y farddoniaeth, felly, yw'r peth hanfodol;

(c) bod mesur o gymhwysiad perthnasol yn cyfoethogi cerdd uchelgeisiol, pan na all aralleiriad wella ar y gwreiddiol.

Yn cloriannu'r pryddestau yr oedd Nesta Wyn Jones, Gwyn Thomas a John Roderick Rees, a'r tro hwn hefyd ni chafwyd unfrydedd barn ymhlith y tri beirniad. Yn y dosbarth cyntaf, yn ôl Gwyn Thomas, yr oedd 'Aderyn y Ddrycin', 'Erin', 'Llwch' a 'Ffarwel Haf', a barnai fod 'Ffarwel Haf' (Cen Williams) yn llawn deilwng o'r wobr. Rhoes Nesta Wyn Jones wyth ymgeisydd yn y dosbarth cyntaf: 'Erin', 'Aderyn y Ddrycin', 'Ers Talwm', 'Efnisien', 'Pegi', 'Mavis', 'Llwch' a 'Ffarwel Haf'. Barnai John Roderick Rees na allai ond gosod un ymgeisydd yn y dosbarth cyntaf, sef 'Pegi', ac nid parod ganddo goroni neb arall ac eithrio'r bardd hwn, a ddisgrifir ganddo fel 'Athrylith o fardd' a luniodd orchest o gerdd. 'Erin' ydoedd Gwynne Wheldon o Borthmadog;[17] 'Aderyn y Ddrycin', Grahame Davies;[18] 'Llwch', Siân Northey;[19] a 'Pegi', Ifor ap Glyn.[20]

Ni osodir 'Pegi' yn y dosbarth cyntaf gan Gwyn Thomas: 'Y mae yma ymadroddi medrus ond efallai y byddai'r cyfan yn ffitio'n well i destun fel "Alltud".'[21] Mewn beirniadaeth sydd yn ymestyn dros ddeng tudalen o'r *Cyfansoddiadau*, barn Nesta Wyn Jones oedd, er mai 'Pegi' oedd delweddwr

[17] Cyhoeddwyd ei gerdd yn *Barddas*, Rhif 244 (Rhagfyr/Ionawr/Chwefror, 1997–1998), tt. 2–3.

[18] Ceir y gerdd yn *Barddas*, Rhif 244 (Rhagfyr/Ionawr/Chwefror, 1997–1998), tt. 45–7.

[19] Gwelir yn *Barddas*, Rhif 243 (Hydref/Tachwedd 1997), tt. 42–4.

[20] *Barddas*, Rhif 243, tt. 36–8. Ailargraffwyd yng nghyfrol Ifor ap Glyn, *Golchi Llestri Mewn Bar Mitzvah* (Llanrwst, 1998), tt. 41–8.

[21] *Cyfansoddiadau a Beirniadaethau Eisteddfod Genedlaethol Cymru Meirion a'r Cyffiniau*, t. 44.

'gorau'r gystadleuaeth a'i ddyfeisgarwch yn destun edmygedd', eto, 'pechod anfaddeuol oedd camddyfynnu geiriau "Crugybar".'[22] Ni wyddys beth sydd gan hynny i'w wneud â safon a natur cerdd 'Pegi', ac aiff y beirniad rhagddo i honni, 'Rywsut, 'rwy'n anfodlon gollwng gweddill y chwedl dros gof, i ganolbwyntio ar yr agwedd hon yn unig, sef alltudiaeth'. Anodd gan rai fu derbyn y fath feirniadaeth ar sail fod y thema honno'n chwarae rhan mor bwysig yn y chwedl. Sylwodd John Roderick Rees fod yng ngherddi 'Pegi' lefelau amrywiol o alltudiaeth, rhai ohonynt yn fwy amlwg na'i gilydd. Dywed y chwedl i Branwen dreulio tair blynedd yn alltud heb weld enaid o Gymru. Cyffelyb fu profiad yr alltudio o Gymru yn y bedwaredd ganrif ar bymtheg a'r ganrif ddiwethaf i'r rhai a aeth i Lundain gan adael ar ôl eu cynefin a'u câr. Yr oedd y cymeriadau yng ngherddi 'Pegi' yn dyheu am 'werddon', rhyw ddihangfa, a hynny yn y pen draw yn esgor ar ddadrith 'y gwyn fan draw'. I John Roderick Rees, yn ddaearyddol, dwy badell y glorian Gymreig oedd Iwerddon Branwen a Llundain y llaeth ond mewn gwahanol gyfnodau, a hadau gwewyr a hiraeth yn sigl y ddwy badell.

Teimlad John Roderick Rees oedd na wnaethpwyd yng ngherddi Cen Williams ond cyflwyno ailbobiad o'r chwedl ac ymylol yw'r ymgais a geir ynddi i greu unrhyw arwyddocâd cyfoes. Honnodd y bardd coronog yn *Golwg* fod i'r cerddi buddugol olygwedd wleidyddol gan y gwelai'r perygl y bydd Cymru'n 'rhwygo'i hun yn ddarnau fel y gwnaeth sawl tro yn ystod ei hanes'.[23] Rhy ysgafn a thelynegol deimladwy oedd arddull Cen Williams i John, i wayw hanfodol y sefyllfa yr oedd Branwen ynddi. Ar y llaw arall, yr oedd cerddi 'Pegi', Ifor ap Glyn, yn gynnil a chyhyrog a'i weledigaeth yn wreiddiol o'i chymharu â'r hyn

---

22 *Cyfansoddiadau a Beirniadaethau Eisteddfod Genedlaethol Cymru Meirion a'r Cyffiniau*, t. 38.

23 *Golwg*, Cyf. 9, Rhif 47 (7 Awst 1997), t. 5.

a gaed yn y cerddi buddugol. Yr oedd gan 'Pegi' orchest o gerdd, 'cerdd dda' oedd gan 'Ffarwel Haf'.

Mewn erthygl fer a ymddangosodd yn *Barddas* yn dilyn yr Eisteddfod yn 1997, mae John Roderick Rees yn ymhelaethu ar y rhesymau pam y dewisodd gerddi 'Pegi' yn fuddugol:

> Mae mwy o gyfiawnhad yn fy ngolwg i dros y cymhwyso unigol hwn rhwng Branwen a chymeriadau o gig a gwaed na thrwy ei delweddu hi yn Gymru haniaethol, a honno yn fythol ddolefus bob amser. Nid yw'r dehongliad treuliedig hwn yn apelio ataf fi fel y mae darluniau dynol, amrywiol a chredadwy pryddest *Pegi*. Mae Branwen yn y gerdd gan *Pegi* megis 'alter ego' (hunan arall) i'r holl gymeriadau.[24]

Dengys yr ymateb uchod nifer o ffactorau am John Roderick Rees y dyn, a John Roderick Rees y beirniad hefyd. Yn gyntaf, amlwg iddo bwyso a mesur yn fanwl waith yr ymgeiswyr ac yr oedd yn barod i dreiddio'n ddyfnach na'r ystyr arwynebol yn y cerddi. Yr oedd hefyd yn barod i amddiffyn ei safbwynt a'i hesbonio'n dreiddgar fanwl yn wyneb unrhyw wrthddadl, a chyn dod i benderfyniad gwnâi'n siŵr fod ganddo resymau cadarn a dilys dros ddewis un ymgeisydd ar draul y gweddill. Nid ar chwarae bach y deuai i benderfyniad terfynol; yn wir, treuliasai oriau lawer yn darllen ac ailddarllen nifer o'r cerddi a anfonwyd i'r gystadleuaeth a hynny er dyledus barch i'w hawduron. Yr oedd yn feirniad cydwybodol, deallus ac effeithiol. O ran eu cynnwys, yr oedd cerddi Cen Williams yn wleidyddol bersonol, yn haniaethol wlanog, yn ffansïol ac yn rhygnu ar thema a oedd yn orgynefin bellach, neu, a defnyddio geiriau John Roderick Rees ei hunan, yn

---

[24] 'John Roderick Rees yn amddiffyn ei farn', *Barddas*, Rhif 243 (Hydref/Tachwedd 1997), t. 2.

'amddiffynnol gynefin'. Ar y llaw arall, y mae cerddi Ifor ap Glyn yn llawer mwy tebyg i arddull John ei hun, yn uniongyrchol, yn berthnasol i'n dyddiau ni, yn fwy eang eu cynfas, yn foelach eu haddurn, yn llai geiriog, a'r dyfynnu o'r chwedl wreiddiol yn rhoddi i'r cerddi unoliaeth celfyddydol.

Nid cymeradwy gan John Roderick Rees gerddi apocalyptig, haniaethol, gwleidyddol; chwaethach ganddo'r bardd sydd yn llwyddo i ymfiniogi, diriaethu, ac a all lunio cerddi â challestr ar eu min ac sydd yn tystio i fyfyrdod a chais am dreiddio i ddyfnderoedd profiad a gwelediad. Er cymaint dylanwad T. Gwynn Jones, W. J. Gruffydd, Parry-Williams a Williams Parry ar farddoniaeth John, y mae'n amlwg iddo allu ymryddhau yn ei feirniadaeth lenyddol o'r hyn a elwid yn gyffredinol yn ganu syml, arferol a disgwyliedig rhan gyntaf y ganrif ddiwethaf. Ni ellir honni am eiliad fod John Roderick Rees yn coleddu nodweddion Moderniaeth fel mudiad yn ei feirniadaeth lenyddol, eto yr oedd ganddo feddylfryd digon eang a rhyddfrydol i groesawu, a hynny'n anymwybodol efallai, rai o ddamcaniaethau mudiad a ddaeth i Gymru drwy feirdd fel Parry-Williams a Saunders Lewis.

*John Roderick Rees yn cael ei goroni gan yr Archdderwydd
Elerydd yn Eisteddfod Genedlaethol Llanbedr Pont Steffan
yn 1984*

Pennod 8

Ei bersonoliaeth
a'r cof amdano

Er mwyn ceisio goleuo rhywfaint ar dair agwedd wahanol ar John Roderick Rees y person, ceisir yn fras ddilyn damcaniaeth William James gan rannu'r bersonoliaeth yn dair rhan, neu'n dair ffased ar yr hunaniaeth: y fi, myfi a minnau.[1]

Y Fi cyntaf oedd y John Roderick Rees encilgar, swil ond hynod o gyfeillgar a didwyll i'w gylch cyfyng o gyfeillion, y cwmnïwr diddig a rhadlon ar yr aelwyd yn Bear's Hill, a hynny ymhlith y bobl a garai ac y gallai ymddiried ynddynt. Hwn oedd y John mwynaidd a charedig, cefnogol ac agos atoch a ymfalchïai yn llwyddiant ei gyn-ddisgyblion a'i gydnabod. Yn ystod y seiadau pwyllog wrth y tân fe'i clywid yn dynwared ei arwr a'i gyn-ddarlithydd T. H. Parry-Williams yn llafar-adrodd darnau o 'Adfeilion' T. Glynne Davies; bryd arall ddarnau o sonedau a rhigymau'r maestro a fawrygid gymaint ganddo. Yn dilyn y dyfynnu llafar hwn ceid y pwyslais ar y canu clir, dealladwy ond cynnil a gwirebol. Yr adeg hon ar ei diriogaeth ei hun, un o 'ceidwad

---

[1]   Gw. dosbarthiad yr Americanwr William James (1842–1910) o'r hunan, sef y *Me* a'r I. Mae'n rhannu'r *Me self* yn dair adran: (1) *The material self*, (2) *The social self*, (3) *The spiritual self*. Am ragor o wybodaeth, gw. W. E. Cooper, 'William James's theory of the self', *Monist*, Vol. 75, No. 4 (1992), t. 504; http://www.iep.utm.edu./james-o/

y ceyrydd' ydoedd, amddiffynnwr y delyneg dreiddgar a fyddai'n pwyso a mesur pob gair fel y gwnâi un o grefftwyr y Mynydd Bach. Gwae'r hwn a roesai ormod o baent ar y cynfas; rhaid wrth rym ac awgrymusedd y gair unigol yn hytrach na phentyrru geiriau i'r hyn a elwid yn gerdd fodern gyfeiriadol ac awgrymog.

Yr oedd ynddo ar adegau duedd i ddibrisio'i gyflawniadau fel athro gan gredu mai mwy cydnaws â'i anianawd fuasai iddo fod wedi ymgeisio gynt am swydd mewn sefydliad fel y Llyfrgell Genedlaethol. Bryd arall, byddai'n ymhyfrydu fod cynifer â 28 o'i gyn-ddisgyblion ar un adeg yn athrawon yng Ngheredigion, y mwyafrif ohonynt wedi dewis Cymraeg fel prif bwnc yn y coleg. Yr oedd yn berffeithydd llym ym mhopeth yr ymgymerai ag ef, yn ddiarbed ei ymrwymiad, am ei fod hwyrach fel pawb arall yn ofni methu. Hyn sydd yn esbonio'r duedd a feddai i osgoi cyfrannu a chyfranogi mewn chwaraeon yn yr ysgol ac yn y coleg yn Aberystwyth. Cas ganddo hefyd wersi celf a gweithgareddau a fyddai'n gofyn iddo berfformio o flaen y dosbarth. Ar yr adegau hynny, yr oedd yn agored i gael ei feirniadu gan ei gyfoedion a chan ei athro dosbarth. Gallai hefyd fod yn groendenau i unrhyw feirniadaeth negyddol, yn arbennig gan rywun nad oedd ganddo feddwl mawr ohono.

Ei gais am hunanberffeithrwydd hefyd a'i gyrrai i ddisgwyl gan eraill yr un safonau aruchel ac a greai ymhlith ei ddisgyblion uchelgais i gyflawni hyd eithaf eu gallu cynhenid. Dewisai ei gyfeillion a'i sefyllfaoedd cymdeithasol yn ofalus, gan na ddymunai fel rheol gymysgu â phobl a ystyriai'n ymwthgar, ymffrostgar a hunanhyderus. Nid person hunandybus a hunanymddiriedus mohono, a gwnâi ei orau i osgoi sefyllfaoedd lle y byddai'n ofynnol iddo gymysgu â'r hwn a fyddai'n falch o dywallt ar glustiau ei wrandawyr ei farn ddigyfaddawd ar bawb a phopeth. Wedi dweud hynny, rhoddai John Roderick Rees, fel y gŵyr pawb a'i hadnabu, bwyslais mawr ar gwrteisi a boneddigeiddrwydd wrth ymwneud â phobl ac arfer cyffredin ganddo fyddai codi neu gyffwrdd ei gap wrth gyfarch gwraig am y tro cyntaf, arfer a aeth allan o ffasiwn ers tro byd erbyn hyn. Dyma John y cwmnïwr hynaws, y croesäwr a'r diddanwr ar yr aelwyd, y dyn cynnes a naturiol tuag at ymwelydd; un a chanddo ymarweddiad boneddigaidd a hawddgar, ond hefyd y person mewnblyg a'r perffeithydd llym a'i câi'n anodd wynebu methiant o unrhyw fath. Gan hynny, pwysleisiai'r manylion, a hyd yn oed wrth ddarllen llyfr neu bapur newydd, byddai ganddo lyfr nodiadau wrth law i gofnodi ei sylwadau ac i gywiro'r gwallau a'i blinai, yn arbennig y cystrawennau Seisnigaidd sydd yn britho llawer o gylchgronau Cymraeg cyfoes. Ni wnâi'r athro yn ei anianawd adael llonydd iddo hyd yn oed wedi gorffen gwaith.

Y Myfi, neu'r ail Fi, oedd y person cyhoeddus yn traddodi beirniadaeth yn ymddangosiadol hyderus ar lwyfan yr Eisteddfod Genedlaethol neu yn neuadd eisteddfod bentref. Hwn oedd y gŵr a gyfrannai'n gyson i raglenni radio ac S4C ac a allai fynegi barn yn rhesymegol a dysgedig, a'r farn honno wedi ei seilio ar ymchwil academaidd a myfyrdod gŵr a amddiffynnai'n ddigyfaddawd ryddid gwareiddiad i fynegi barn. Pwysleisiai hefyd bwysigrwydd darparu cyfleon digonol yn y wasg a'r cyfryngau torfol i wahanol farnau ac athrawiaethau gael eu gwyntyllu heb i ragfarnau golygyddol eu mygu.

Wrth geisio dadansoddi'r Finnau neu'r trydydd Fi, sef yr elfen gyfrinachol, eneidiol ac ysbrydol, nid hawdd cael gafael gyda sicrwydd ar yr hunaniaeth gudd hon yn ei waith. Dyma'r cyflwr o beidio â bod yn rhywun neilltuol, yn aelod o gymuned neilltuol neu'n rhan o gymdeithas ddiwylliannol leol. Dangoswyd yn gynharach yn y gwaith fod ganddo adnabyddiaeth y Crynwyr bron o'r hyn a elwid ganddo yn 'oleuni mewnol', sef y gwybod sy'n seiliedig ar yr anymwybod, neu'n hytrach ar yr adnabod mewnol, goddrychol. Roedd yn ymwybodol o'r mold Methodistaidd y'i ganwyd ef iddo a'r disgwyl i gydymffurfio â'r traddodiad, ond nid oedd yn gwbl hapus â'r disgwyliadau a'r rhagfarnau cymdeithasol a berthyn i Anghydffurfiaeth gonfensiynol a chyfundrefnol.

Yn hytrach, dilynai ei ragfarnau a'i dueddiadau emosiynol ac eneidiol ei hun gan ymwrthod â llawer o ddamcaniaethau a dulliau ymresymu ysgolheigion Beiblaidd. Yn hyn o beth, yr oedd yn debyg i rai awduron cyfoes fel y dramodydd Samuel Beckett (1906–1989) a ddefnyddiai eiriau, yn arbennig yn *Wrth Aros Godot* (1955), oherwydd eu gwerth symbolaidd yn unig. Dengys ei sylwadau ar grefydd ei ddyled i emynwyr am ei eirfa grefyddol, ond yr oedd hefyd yn ymwybodol o annigonolrwydd a therfynau cwmpawd pob geirfa, a'r pryd hwnnw yn ddiau byddai'n troi at y Finnau mewnol a chyflenwol am ystyr i'r gwahanol hunaniaethau sy'n rhan hanfodol a sylfaenol o'r Hunan.

Ymddengys iddo hyd y diwedd fynd drwy gyfnodau o ysictod yr amheuwr crefyddol a'i gwnâi yn anodd iddo dderbyn ar adegau ymrwymiadau'r ffydd Bresbyteraidd yn y cyd-destun cyfoes. Ceisiai'n gyson ailddiffinio a hyd yn oed, ar dro, ailddyfeisio'i ffydd gan bwysleisio'r rhyddid i addoli yn ôl safiad a phrofiad yr unigolyn. Nid oedd y Beibl serch hynny'n llyfr caeedig iddo a byddai'n mynychu oedfaon ar y Sul ac yn gweddïo bob nos cyn mynd i gysgu. Ysgrythur ydoedd y Beibl iddo, yn hytrach na dogfen lenyddol a hanesyddol; gan hynny, nid busnes y Cristion oedd cymhwyso dysgeidiaeth y Beibl ar gyfer ei oes, ond ceisio yn hytrach gael ynddo rin a rhinwedd y goleuni mewnol.

Honnwyd gan T. H. Parry-Williams mewn ysgrif unwaith mai 'ambell dro yn unig mewn bywyd y byddwn byw'; rhyw hanner dwsin, mwy neu lai, o ddigwyddiadau sydd yng nghwrs bywyd, 'a rhyngddynt nid oes dim byd o bwys'.[2] Petawn yn ceisio rhestru ambell ddigwyddiad arwyddocaol, llenyddol ac anllenyddol, mae'n debyg y byddai'n rhaid cynnwys ei ddiwrnod cyntaf fel glasfyfyriwr swil yng Ngholeg Prifysgol Aberystwyth yn 1947, a hynny wedi naw mlynedd o amaethu ar fferm y teulu. Yna, codi ym mhafiliwn Eisteddfod Genedlaethol Llanbedr Pont Steffan yn 1984 fel enillydd ei goron gyntaf. Wedyn, y diwrnod y dychwelodd i Ysgol Uwchradd Tregaron fel pennaeth y Gymraeg yn 1957. Yn olaf, yn ôl ei dystiolaeth ef ei hun mewn llythyr at yr awdur presennol, y noson a drefnwyd yn Neuadd Goffa Tregaron i ddathlu gwaith a chyfraniad John Roderick Rees i'w fro a'i sir enedigol.

Y dyddiad oedd nos Sadwrn, 6 Rhagfyr 1997, ac erbyn amser dechrau y rhaglen deyrnged am hanner awr wedi saith yr oedd y neuadd yn llawn. Talwyd teyrngedau gan y Cyfarwyddwr Addysg a chan Gadeirydd y Cyngor Sir, gan yr awdur presennol fel cyn-ddisgybl a chan eraill a gynrychiolai wahanol agweddau o gymdeithasau a mudiadau y bu John Roderick Rees yn ymwneud â hwy. Cafwyd cyflwyniad theatraidd o rai o'i gerddi gan fyfyrwyr Adran Ddrama Prifysgol Cymru, Aberystwyth, ac adroddwyd rhannau o'i bryddestau gan lefarwyr lleol. Yr oedd hon yn deyrnged gyhoeddus mewn cywair gwerthfawrogol ac yr oedd yn gysur i'r gwrthrych fod cynifer o drigolion ei ardal wedi ymuno ag ef ar y noson i ddathlu ei weithgarwch llenyddol a'i gyfraniad fel athro i genedlaethau o ddisgyblion yr ysgol leol. Y noson honno, mae'n debyg, y gwelwyd pa mor eang oedd cylch ei ddiddordebau a'i gysylltiadau personol, a pha mor

---

[2]   'Boddi Cath', *Casgliad o Ysgrifau T. H. Parry-Williams* (Llandysul, 1984), t. 40.

bellgyrhaeddol ei ddylanwad. Er i'w siarad plaen a'i agwedd anuniongred ac anghonfensiynol gythruddo rhai, yr oedd yn amlwg hefyd fod ganddo ei gefnogwyr selog a barchai ei ddawn a'i sêl frogarol a chymdeithasol. Yn dilyn y noson deyrnged yn 1997, ysgrifennodd lythyr ataf yn nodi ei foddhad a'r dedwyddwch a brofodd yn sgil y gydnabyddiaeth gyhoeddus:

> Wedi pythefnos o gnoi cil a chael porthiant y Cyfarfod Teyrnged yn felys iawn, carwn roi ar gof a chadw fel hyn, mor werthfawrogol yr wyf i chwi fy anrhydeddu fel hyn. Eich syniad chi, eich detholiad chi, eich trefniadaeth effeithiol iawn chi. Diolch o galon. Yn sicr yr oedd yr anrhydedd yn un o uchafbwyntiau fy mywyd ac fe ddangosodd y Cyfarfod yn y rhai oedd yn bresennol (ac efallai fwy yn y rhai nad oeddent!) berthynas dan-yr-wyneb dyn a'i ffrindiau. Daioni profiadau fel hyn sy'n rhoi mesur o falchder i berson iddo fod yn athro ysgol.[3]

Cydnabu, fel y sylwyd yn barod, nad person mohono i ymaddasu i newid amgylchedd. Tri digwyddiad arwyddocaol yn ei fywyd a'i gorfododd i gyfaddawdu a derbyn ei dynged anochel, sef: yn gyntaf, lletya yn Nhregaron adeg ei gyfnod yn ddisgybl yn yr ysgol uwchradd yno; mynd i Goleg Aberystwyth a gorfod lletya eto yn ystod yr wythnos mewn tŷ yng nghanol y dref; ac yn olaf, symud o le bach i fferm Berth-lwyd. Hwyrach i gyfraniadau John Roderick Rees i'r wasg, y radio a'r teledu, greu delwedd benodol ohono fel cymeriad adweithiol ac ymosodol a goleddai syniadau 'trwyadl werinaidd', unllygeidiog, sentimental ac asgell dde y 'tlodion o Doriaid'.[4] Gwir fod

---

3 Llythyr dyddiedig 19 Rhagfyr 1997.
4 Gwynn ap Gwilym, 'Chwerwder a Mawl', *Barn*, Rhif 358 (Tachwedd 1992), t. 42.

ganddo agenda unigol ac anghonfensiynol i rai; eto, gwelsom fel yr amddiffynnai hen werthoedd y tyddynwyr balch a arhosodd yn eu broydd gwledig er cadw Cymru yn Gymru Gymraeg, a gwarchod terfynau gwareiddiad cefn gwlad Ceredigion. Hwy yw'r 'deri nas diwreiddiwyd' gan wyntoedd caledi. Ar sail tystiolaeth y rhai a'i hadnabu orau, er hynny, ceir darlun ohono sydd yn gyferbyniad hollol i'r hyn a gysylltir â John Roderick Rees yn gyffredinol, sef o ŵr a oedd wrth ei fodd ar ei aelwyd, yn gweithio'n dawel wrth ei bwysau, ac yn llawn hwyl a sbri mewn cylch bychan o ffrindiau agos.

Wrth ymdrin â gwahanol agweddau ar weithgarwch John Roderick Rees yn ystod ei oes, mae'n amlwg ddigon i'w gysylltiadau ym myd llenyddiaeth, ac ym maes y còb Cymreig, ymestyn ymhell y tu hwnt i ffiniau'r Mynydd Bach, Pen-uwch a Bethania, a hyd yn oed Ceredigion. Er ei fod yn Gardi i'r carn, yr oedd yn Gymro hefyd. Manteisiodd ar amryw lwyfannau cyhoeddus i hyrwyddo amcanion y tyddynnwr sydd yn ceisio gwarchod yn dragywydd ei ychydig gaeau rhag blys y gweundir. Nid oedd i'w agenda ysbryd diwygiadol a nerthol; yn hytrach, ceisiai ddadlau mor wrthnysig oedd amgylchiadau'r cyfnod i'r hwn a geisiai gadw 'lle bach' a chymuned leol yn fyw mewn man mor anghysbell ac unig â Phen-uwch. Gwir i'w gyfnod ac amgylchiadau ei fagwraeth bennu cyfeiriad ei fywyd ym myd amaeth a gwleidyddiaeth, ynghyd â llawer o'i hydeimledd llenyddol a chelfyddydol, eto yr oedd ganddo hefyd barch yr ysgolhaig at drefn strwythur, a'r gofyn cyson am ailystyried safonau llenyddol.

I'r rhai a fu'n astudio wrth ei draed, diau y gellir mynnu fel y gwnaeth W. J. Gruffydd am John Morris-Jones: er mai 1864 (blwyddyn geni Morris-Jones) a oedd yn gyfrifol am ddiffinio natur cyfraniad y gŵr hwnnw, eto 'ei athrylith oedd cariad anghyffredin, gwyrthiol bron, at y ceinder hwnnw a gyfyd o drefn a chywirdeb'.[5] Rhoddai John Roderick Rees bwyslais cyson yn y dosbarth ysgol ar yr angen i ymgyfarwyddo â rheolau a phriod-ddulliau'r iaith a hynny drwy ymgydnabod o'r newydd â llenyddiaeth o bob math, ac o bob cyfnod yn hanes Cymru. Y clasuron, ie, ond hefyd y beirdd gwlad y tardd eu hawen ym mryniau Ceredigion, neu sir Aberteifi fel yr hoffai gyfeirio at ei sir enedigol. Y beirdd cymdeithasol hyn y tyfodd eu hidiom o'r pridd cynefin oedd cynheiliaid gonest a chymwynasgar y broydd gwledig. Nid hawdd fu argyhoeddi cenedlaethau o blant o'r angen am gywirdeb mynegiant yr iaith ffurfiol ac anffurfiol fel ei gilydd, a hynny mewn cyfnod a oedd yn amddifad o waith ffolio a'r pwyslais ar waith creadigol y disgybl a'r myfyriwr.

Ni ellir llai na sylwi ar ddedwyddwch yr uned deuluol gyfyng yr oedd John Roderick Rees yn rhan ohoni. Ar aelwyd Bear's Hill yng nghwmni ei dad a Jane yr oedd hapusaf. Cynorthwyai ar y tyddyn, ond hwnnw oedd maes gorchwyl ei dad a Jane yn ystod yr wythnos, a byddai yntau'n cynorthwyo adeg y cynhaeaf gwair a gorchwylion tymhorol eraill. Ac eithrio'r gofalon achlysurol hynny, caniatawyd i John ganolbwyntio'n gyfan gwbl ar ei waith fel athro yn Ysgol Tregaron. Ei lyfrau oedd ei fyd, a pharhaodd hynny'n wir amdano am weddill ei oes. Dyma flynyddoedd o ddedwyddwch pur yn ei hanes: yr oedd ganddo swydd amser llawn yn lleol, cyflog da, cartref hapus a difyr, a dau berson i rannu aelwyd ag ef, a'r tri ohonynt yn byw eu bywyd yn syml a naturiol. Drwy gymundeb tawedog y teulu o'i gwmpas y daeth yn ymwybodol o'r rhin a ddeillia o'r ieuad teuluol, gan greu ymdeimlad clyd o dawelwch meddwl a bodlonrwydd cyn i'r cymylau grynhoi yn ddiweddarach.

---

5 'In memoriam: Syr John Morris-Jones', *Y Tro Olaf ac Ysgrifau Eraill* (Aberystwyth, 1939), t. 143.

Derbyniodd John â breichiau agored yr athroniaeth a'r safbwyntiau a goleddid ar yr aelwyd: y pwyslais ar onestrwydd cynhenid yr unigolyn, y ffyddlondeb i egwyddorion sylfaenol er gwaethaf y gost a'r canlyniadau, a'r duedd, fel y gwnâi amryw o'r cyfnod hwn, i fawrbrisio addysg ar draul crefft fel gwaith y saer maen neu'r gof neu waith corfforol ac ymarferol cyffelyb. Nid rhyfedd gan hynny mai ei dad fel arfer a wnâi unrhyw waith atgyweirio angenrheidiol ac adeiladu ar y tyddyn. Ystyriai John Roderick Rees ei hun fel crefftwr lletchwith a gadawai unrhyw orchwyl a hawliau sgiliau ymarferol i'w dad a fuasai'n mwynhau cyflawni dyletswyddau o'r fath. Ef a roesai hoelen mewn astell, calon mewn helm a chlwyd ar ei hechel. Ef yn wir oedd angor yr aelwyd. Gan mai John oedd yr unig blentyn, a bod ei dad yn llwyddo i sicrhau incwm pur sylweddol wrth ddilyn march, ni ddioddefodd unrhyw dlodi nac angen ychwaith o unrhyw fath yn ystod ei fachgendod. Mae'n arwydd hefyd o sefyllfa ariannol y teulu na fu'n rhaid i'r tad fenthyca unrhyw gyfalaf pan brynodd fferm Berth-lwyd a chadw tyddyn Bear's Hill i ddychwelyd iddo i fyw wedi ymddeol ymhen rhyw ddeng mlynedd. Y mae'n amlwg gan hynny fod y teulu'n gyfforddus ei fyd ac yn gallu talu ei ffordd heb orfod aberthu anghenion sylfaenol bywyd.

Hwyrach iddo gael ei amddifadu o'r sbri a'r sŵn, y ffraeo a'r prancio sydd yn gysylltiedig â theuluoedd mwy niferus, ac na chafodd gyfle i ryfygu ac anturio ymhlith plant eraill o'r un oed ag ef. Hyn a'i gwnaeth o'r cychwyn cyntaf yn berson hunanfodlon, mewnblyg a hunangynhaliol a'i câi'n anodd ar adegau i ymuno â'r llif ac i gydymffurfio â'r farn gyffredin gan gyd-fynd â'r rhelyw, yn heddychlon a chymodlon. Ni wnaeth John Roderick Rees ymdrech gydwybodol i lwyr ymarddel â'i gyfoedion a'i gymdogion a theimlo'r angen i fod yn un ohonynt yn eu profiadau a'u dyheadau a'u delfrydau. Er ei ymorchestu yn y gwledig a'r gwerinol a'i ymfalchïo yn ei gefndir a'i wreiddiau, eto nid yn y cymeriadau a fynnai gydymffurfio a bod yn rhan o'r dorf yr oedd ei ddiddordeb, ond yn hytrach yn y rheini a oedd yn meddu ar ddigon o gryfder yn eu personoliaeth i ddilyn eu llwybr unigol ac unigolyddol eu hunain. Beirniadai'r cyfryngau am osod patrymau ac am wneud cymdeithas a dyheadau cymdeithasol yn unffurf ac anwahanol: pawb yn ymddelweddu yn ôl y patrwm gosodedig poblogaidd ac o'r herwydd yn ymdrechu i ymgyrraedd at ryw ddelfryd gyffredin a chyfannol.

Mewn rhaglen ar Radio Cymru yn 1986 o'r enw *Pobl Mewn Print*, dengys ei ddewis o ddarnau gymaint oedd ei ddiddordeb yn yr 'adar brith' neu'r crwydriaid lliwgar mewn cymdeithas, y teip gwerinol a chwedlonol bron yr ymddiddorai Parry-Williams hefyd ynddynt.[6] Ei ddewis ddarnau yn y rhaglen oedd 'Siors' (Crwys), 'Thomas Morgan yr Ironmonger' (W. J. Gruffydd), 'Patrick Ffarier' (D. Emrys Rees)[7] a 'Dic Aberdaron' (T. H. Parry-Williams). Pobl oedd llawer o'r rhain na allent ymuniaethu â'u llwyth ac ymgolli yn y ffrwd gymdeithasol, ac o'r herwydd fe'u cyfrifid yn bobl ar wahân, yn wrthodedigion nad oeddynt yn rhan o'r patrwm cymdeithasol cydnabyddedig. Dyma'r cymeriadau hynod a rhyfedd weithiau a apeliai at John Roderick Rees – y rheini a gâi eu dilorni'n gyffredinol am nad oeddynt yn rhan hapus o'r norm, yn cydymffurfio â'r patrwm cyhoeddus. Dyma gymeriadau serch hynny a wnaeth gyfraniad mawr i gefn gwlad Ceredigion, ac iddynt hwy y mae'r diolch am ddiwyllio yn llythrennol lawer o'r anialdir diffaith yn y sir a hynny yn rhai o'r broydd gwlypaf hefyd.

---

6   Darlledwyd ar BBC Radio Cymru ddydd Sul, 3 Awst 1986.

7   Yr oedd D. Emrys Rees, awdur yr ysgrif hon a welir yn *Cymdogion* (Llandysul, 1962), cyfrol o naw ysgrif, yn gefnder i dad John Roderick Rees, ac yn athro mathemateg yn Ysgol Uwchradd Abergwaun.

Hwynt-hwy, grwydriaid tlawd, am driswllt y dydd a oedd yn gyfrifol yn aml am rewynnu a chwteru'r corsydd, adeiladu pontydd dros nentydd, torri coed, cwympo swêj neu chwynnu swêds, codi cloddiau a gwrychoedd rhwng maes a maes, a nifer o orchwylion cyffelyb eraill. Gwrthgilwyr oll, diotgar yn fynych ac anghenus, ond rhai a ddeuai ar eu tro i ymofyn am waith a chaniatâd i gysgu ar y daflod wair. Ymddengys i'r trueiniaid hyn a droediai ffyrdd cefn gwlad y sir greu argraff arhosol ar enaid sensitif ac i'r argraff honno ddwysáu gyda'r blynyddoedd. Yr oeddynt hefyd yn destun edmygedd iddo gan iddynt ddewis neu gael eu gorfodi gan ryw amgylchiad adwythig neu'i gilydd i ddilyn eu rhych herfeiddiol eu hunain, yn eu ffordd eu hunain gan anwybyddu sen a barn gyhoeddus. Yr oedd eu harwahanrwydd a'u dewrder i fyw bywyd amgenach na'r gweddill ohonom, a hynny ar eu pennau eu hunain ac ar wahân i'w cyd-ddynion, yn hawlio ystyriaeth a pharch gan y gymuned. Hyn a rydd undod i drigolion daear, sef bod pob person yn wahanol, a phob dyn yn arbennig iddo ef ei hun ac ar wahân i bawb arall. Y mae pawb yn annhebyg i'w gilydd a hynny sydd yn debyg rhyngddynt. Mae yna ryw linyn o gyffredinolrwydd yn cysylltu holl fforddolion y byd, yn cyfannu'r cwbl.

Bu edmygedd John Roderick Rees o'i dad yn anfeirniadol a diamod. Moldiodd ei fywyd a'i ymarweddiad arno – yr hunan-barch, ac yntau'n drwsiadus a bonheddig ar bob achlysur. Coler a thei hyd yn oed i farchnad a sioe a'r pwyslais ar fod yn 'feunyddiol fonheddig', yn wladwr diymhongar, anwladaidd. Gweld urddas yn y pethau bychain ar lawr gwlad; parch at yr egwyddorion sydd yn coleddu rhyddid barn a'r sythwelediad i amgyffred yr hyn sy'n bwysig mewn bywyd. Mynnai'r hawl terfynol hefyd i arddel barn groes i eiddo'r sefydliad yr oedd yn perthyn iddo. Rhoddai bwyslais ym maes crefydd a gwleidyddiaeth ar y gydwybod unigol ac ar ryddid i gyhoeddi cred yn onest ac yn agored, er bod hynny fel arfer yn golygu dewrder ac ymwrthod â chyffes ffydd yr 'enaid taeog'.[8]

Sonnir gan y Ffrancwyr am y *fin de siècle*, sef y profiad anhapus a brofir pan welir un cyfnod yn dod i ben gan ddwyn gydag ef ddiddordebau, syniadau a gobeithion a fu'n cynnal athroniaeth yr oes honno cyhyd. Tuedd ymdeimlad o'r fath yw creu ysbryd o anobaith, diymadferthedd ac ansicrwydd am yr hyn sydd yn dilyn a beth sydd gan y dyfodol i'w gynnig. Yr ansicrwydd hwn a ddilynodd yr Ail Ryfel Byd mewn llawer ardal wledig yng Nghymru ac a esgorodd yn y pen draw ar allfudiad y Cymry a mewnfudiad y Saeson. Cerddodd amryw feirdd y llwybr sy'n arwain at bruddglwyf ac anobaith llwyr, ond nid felly John Roderick Rees. Cydnabu fregusrwydd yr iaith a'r diwylliant Cymraeg yn sgil dyfodiad y Saeson, ond gan lynu'n ffyddiog wrth y syniad sylfaenol o oroesiad adferol bywyd mewn man a allai ddychwelyd i'w ystad gyntefig oni fyddai yno bresenoldeb dynol i ddiwyllio'r tir.

Ymhyfrydai droeon yn y ffaith i Ysgol Gynradd Pen-uwch oroesi oblegid y mewnfudiad, ac eironig drist yw i'r ysgol gau ei drysau am y tro olaf yn 2014 a'i rhoddi ar y farchnad gan y Cyngor Sir yn 2015. Bu John Roderick Rees ynghlwm wrth nifer o ddigwyddiadau yn gysylltiedig ag Ysgol Pen-uwch o 1973 ymlaen. Golygodd y gyfrol yn dathlu canmlwyddiant yr ysgol yn 1979, *Rhwng Gwenffrwd ac Arth: Canmlwyddiant Ysgol Penuwch*. Nid nepell o'r ysgol hefyd ceir cerflun yn dathlu ei fuddugoliaethau yn yr Eisteddfod Genedlaethol. Yn 1993, derbyniodd Ysgol Gynradd Pen-uwch wahoddiad gan Gyngor Celfyddydau Cymru i ymchwilio a chofnodi trwy gyfrwng celf weledol agweddau ar hanes yr ardal. Gosodwyd y cerfluniau a luniwyd yn ystod gweithredu'r Cynllun ar dir Brynamlwg a

---

8 'Nodiadau'r Golygydd', *Y Llenor*, Cyf. VII, Rhif 2 (Haf 1928), t. 67.

thrwyddynt cofnodir y Brenin Gwalia, John Roderick Rees yn gwisgo'i goron, bywyd caled yr amaethwyr mynydd ac olion llwybrau'r porthmyn. Cafwyd mewnbwn hefyd gan John Roderick Rees, Aneurin Jones, yr artist o Aberteifi, a'r cerflunydd John Clinch. Cyflwynwyd y cyfanwaith i'r gymuned mewn seremoni arbennig ar 19 Gorffennaf 1993. Dymuniad y plant oedd y byddai'r cerfluniau hyn yn gofnod parhaus i atgoffa'r gymuned o hanes cyfoethog eu hardal yn ucheldir noeth Ceredigion. Ymfalchïai John Roderick Rees i'r ysgol ddathlu ei gyfraniad tra oedd yn fyw fel y gallai gyfrannu at y cynlluniau gwreiddiol a'r broses greadigol ymarferol, a hynny am dros gyfnod o dymor cyfan. Bu hefyd yn un o lywodraethwyr yr ysgol ac yn llywydd y ffair haf a gynhaliwyd yno. Byddai'n cyfrannu at ddathliadau'r Nadolig gan lunio dramodig i'r plant i'w hactio o flaen eu rhieni a chyfeillion yr ysgol. Dilyn hynt llawer o ysgolion gwledig eraill Ceredigion fu tynged ysgol Pen-uwch hithau gyda dim ond 16 o blant ynddi yn y flwyddyn olaf.

Ymddengys i'r Ffrancwr Roland Barthes (1915–1980) gyhoeddi marwolaeth yr awdur yn 1968 yn dilyn ymddangosiad ei draethawd enwog a bwysleisiai nad oes gysylltiad rhwng yr awdur a'i waith.[9] Mae'n honni nad yw union amgylchiadau creu gwaith llenyddol na cheisio deall y broses greadigol o unrhyw bwys i'r darllenydd. Creadigaeth unigryw yw pob gwaith llenyddol a phob darllenydd â'r hawl i'w ddehongli yn ei ddull ei hun. Bydd rhai beirniaid blaengar yn canolbwyntio eu sylw ar y testun a'i adeiledd, sŵn a synnwyr a'r berthynas rhyngddynt. Eu

---

9   Cyfieithwyd o'r Ffrangeg i'r Saesneg yn 1977, 'The Death of the Author' a ymosododd ar y 'prestige of the individual' a geisiai esboniad terfynol yn yr awdur ei hun yn hytrach na rhyddhau'r gwaith i ddiffiniadau a darlleniadau lluosog. Swyddogaeth beirniad, meddai, yw ceisio dehongli'r arwyddion a ddefnyddir gan y bardd i'w fynegi ei hun yn hytrach na cheisio dadansoddi ystyr y gerdd ac asesu ei gwerth. Gw. *Twentieth Century English Literature*, eds. Laura Marcus and Peter Nicholls (Cambridge, 2004), t. 761.

tuedd yn aml yw difrïo'r feirniadaeth gyd-destunol gan dradyrchafu'r dadansoddiad testunol pur a chanolbwyntio ar egluro'r technegau sydd ar waith mewn llenyddiaeth. Serch hynny, dengys gwaith John Roderick Rees nad oes modd gwerthfawrogi ei gyfraniad yn gyflawn heb sylweddoli mor gaeth ydyw i'w ddylanwadau hunangofiannol a chofiannol. O astudio hynt a helynt ei fro y gellir llawn ddirnad paham y bu iddo ddewis llwybrau yn ei fywyd a fyddai'n adlewyrchu'r gwerthoedd a gysylltid â bro ei fabinogi.

Hwyrach i'w ddaliadau ar dro, fel y gwelsom, greu delwedd benodol o gymeriad digon ymosodol a fynnai sicrhau ymlyniad wrth agenda benodol. Deallwyd ar ddechrau'r bennod hon, er hynny, fod yna ail ddarlun ohono nad oedd yn amlwg ond i ychydig dethol o'i deulu a'r rhai a'i hadnabu orau: yr athro ymroddedig o flaen ei ddosbarth a'r cwmnïwr a'r ymgomiwr diddan ar ei aelwyd yng nghwmni ei gylch bychan etholedig o ffrindiau agos.

Soniodd fwy nag unwaith am ei fwriad i ysgrifennu hunangofiant, ond gwyddai'r un pryd, mae'n debyg, na fuasai fyth yn gallu cyflawni ei nod oblegid yr aberth a'r amser a gymerai iddo gyflawni gorchwyl o'r fath. Yr oedd ei ddiddordebau mor eang, ac anodd fuasai iddo ganolbwyntio neu ffocysu'n ddigon hir ar un gweithgaredd penodol am gyfnod mor estynedig ag a gymerasai iddo gwblhau ei hunangofiant. Ceffyl plwc oedd John Roderick Rees heb yr awydd i ganoli ei sylw ar yr oriau hir o lafurio ac ar orchwylion sydd yn golygu dyfalbarhad a'r angen ar adegau i losgi'r gannwyll yn ei deupen wrth geisio chwilota a gwirio ffeithiau fel y gwna llenor neu ymchwilydd academaidd cydwybodol. Diau hefyd fod yna amharodrwydd cynhenid bron yn perthyn i John i ddinoethi gormod arno'i hun. Yr oedd gwarchod yr hunan yn bwysig iddo, gan ymwasgu i ddiogelwch cragen ei hanfod ei hun er mor gyfriniol yr ymddengys hynny. Ychydig oedd ei ddiléit yn hynt a helynt pobl eraill y tu allan i'w gylch cyfrin, a chan hynny ymwrthodai ag unrhyw gais gan bobl ymwthiol i ymyrryd ac i geisio cael ganddo fanylion neu wybodaeth a ystyriai ef yn bersonol. Yr oedd hefyd, fel y gellid disgwyl, yn berson amddiffynnol a chroendenau ac ambell brofiad neu feirniadaeth yn treiddio'n ddwys ac arhosol i'r byw.

Hwyrach nad oedd rhwydweithiau llenyddol John Roderick Rees mor eang ag eiddo llawer o'i gyfoeswyr yng Ngheredigion. Gwelwyd hefyd fel y meithrinodd ddelwedd fel aderyn drycin ar sail ei barodrwydd i fynegi barn ddiflewyn-ar-dafod a di-dderbyn-wyneb ar wahanol bynciau llosg y dydd. Gweithio a wnâi fel bardd o fewn y traddodiad, gan feistroli gwahanol fesurau'r canu rhydd, eu caboli a'u rheoli dros y blynyddoedd. Er cymaint ei ganu yn ôl gofyn cystadleuaeth neu alw lleol, canodd gerddi ingol bersonol a'r rheini'n bennaf a'i hanfarwolodd fel bardd.

Brwydr y mae dyn i'w cholli o'i chychwyn yw'r frwydr ag Angau Gawr. Negyddu'r syniad o anfarwoldeb a wneir gan Parry-Williams mewn sonedau fel 'Dychwelyd'[10] oblegid mudandod a llonyddwch sydd yn aros dyn: 'llithro i'r llonyddwch mawr yn ôl'. Ofn y llonyddwch a'r distawrwydd terfynol hwn oedd gan y bardd o Ryd-ddu.

Hwyrach y gellir honni yma mai crefydd leol, crefydd hen bethau a hen gysylltiadau, oedd crefydd John Roderick Rees, crefydd wedi'i gwreiddio wrth hen orsedd gras y tadau a fu'n dyrchafu llygaid i'r mynyddoedd o'u tyddynnod corsiog. Yr oedd cynnal y grefydd hon yn weithred greadigol ac ymarferol bwysig iddo ac yn rhan o'i hunaniaeth. Fel T. S. Eliot yn gynharach yn y ganrif, arddelodd John y gorffennol fel grym i wrthsefyll bygythiad y chwalfa yn y presennol.

---

[10] *Casgliad o Gerddi T. H. Parry-Williams*, t. 46.

Wrth edrych yn ôl dros fywyd y gwrthrych y mae'n amlwg iddo fwynhau bywyd iachus a heini hyd y diwedd. Gwarchodai ei iechyd a'i gorff yn ofalus a chredai'n gryf yn rhinweddau iachusol pob math o berlysiau. Petai'n dioddef o unrhyw anhwylder, byddai ganddo feddyginiaeth wrth law yn y cwpwrdd bwyd. Darllenai'n eang am effeithiau meddyginiaethol perlysiau gwyllt, ac fe'i gwelid yn fynych yn yfed te dail poethion. Yr oedd yn frwd dros gadw ei gorff a'i feddwl yn iachus a chan hynny, byddai'n cerdded yr un llwybr bob dydd am ryw awr er mwyn manteisio ar yr awyr iach ac er mwyn cadw'r cyhyrau'n ystwyth.

Bu byw'n syml a dinod heb geisio gwireddu unrhyw uchelgais alwedigaethol na bodloni unrhyw gynneddf a allai ei ddwyn y tu hwnt i'w gwmpasgylch cynefin. Gwelsom yn barod fod gan John Roderick Rees werthoedd na ellid eu cyfrif mewn termau economaidd noeth. Er na cheisiodd lunio unrhyw waith gyda'r bwriad o'i gyhoeddi ar ôl canol y nawdegau, bu'n brysur yn cnoi cil ar wahanol lenyddiaethau, Saesneg yn bennaf, ac yn darllen nifer sylweddol o hunangofiannau a chofiannau, y rhan fwyaf eto gan awduron Saesneg eu hiaith. Darllenai'r *Western Mail* yn ddyddiol a'r *Sunday Times* a'i sypyn cylchgronau o glawr i glawr.

O 1994 ymlaen, gallodd fwynhau cwmni eneidiau hoff, cytûn ar ei aelwyd glyd wrth danllwyth o dân yn y gaeaf neu dros baned o de fin nos o haf. Yn 2006, ac yntau'n 85 mlwydd oed, rhoes y gorau i yrru car a thrwy hynny collodd ei annibyniaeth. Cyn hynny, gallai ar ei berwyl wythnosol daro i Aberystwyth i sicrhau rhai anghenion a galw i mewn i siop lyfrau neu swyddfa post. Bellach yr oedd yn gaeth i'w aelwyd ac yn ddibynnol ar gydnabod i'w ddwyn ar ambell siwrnai i weld lleoedd diddorol ar draws Cymru. Gan nad oedd ganddo bellach anifeiliaid i ofalu amdanynt, ac eithrio ei ast ffyddlon, Daisy, a Blackie, ei gath, yr oedd rhyddid iddo fynd lle y mynnai heb boeni'n ormodol pryd y dychwelai ar yr amod y câi ddod yn ôl i gysgu bob nos i Bear's Hill. Sylwyd eisoes mai hoffusach gan John gwmni ei anifeiliaid na chwmni pobl yn aml, a buont hwythau'n driw iddo yntau hyd at y diwedd. Dilynai Daisy ef i bobman gan ymateb yn gyfriniol, bron, i bob gair ac osgo o eiddo'i meistr. Syllai'r hen ast i'w lygaid ac afraid geiriau i gyfleu'r ddealltwriaeth reddfol a oedd rhyngddynt. O henaint y bu'r ast a'r gath farw, y ddau o fewn mis i'w gilydd, a hynny ddwy flynedd cyn marw eu meistr yntau. Claddwyd yr anifeiliaid yn barchus fel y gweddill o'u hil ar dir y tyddyn. Gwelodd golli dau gyfaill ffyddlon a thriw a gadawsant wacter mawr ar yr aelwyd. Hyn sydd yn esbonio'r dagrau o hiraeth a gollwyd uwch eu beddau annwyl hwy, dagrau nad oedd ganddo ofn na chywilydd sôn amdanynt wrth ei gyfeillion am fisoedd lawer.

Cyfrannai'n gyson i goffrau'r RSPCA ac unrhyw achos lleol a gynigiai loches ac ymborth i anfeiliaid gwyllt a dof. Prynai ei gardiau Nadolig yn flynyddol o'r RSPCA a hael oedd ei ymborth dros fisoedd y gaeaf i'r adar a fanteisiai ar garedigrwydd yr henwr addfwyn a drigai yn Bear's Hill.

Bu'n ffodus yn ei iechyd a'i galluogodd i fyw yn ei hen gartref hyd y diwedd. Bu iddo fwynhau iechyd rhagorol drwy gydol ei fywyd ac eithrio'r tair llawdriniaeth fechan a gafodd i gael gwared ar bolypau a dyfai yn ei drwyn. Cafodd yr olaf ohonynt yn Ysbyty Singleton yn 1994 o dan Dr Ian Jones, llawfeddyg a hanai o Dregaron. Yna, yn 1996 ac 1999, cafodd lawdriniaethau bychain eraill, y naill yn ysbyty cyffredinol Bronglais yn Aberystwyth a'r llall yn ysbyty preifat Bancyfelin lle y bu'n glaf am ddau ddiwrnod. Ac eithrio'r troeon hynny bu cyn iached â'r gneuen drwy gydol ei oes, ac er gwaethaf llanw'r blynyddoedd fe barodd yn dalsyth a heini gan fodloni ar y 'pethau bychain' mewn bywyd. Roedd bob amser yn daclus a gofalus ei wisg, fel ei dad o'i flaen, a'i hoffter o wisgo tei yn bradychu'r gyfrinach nad ffermwr o frid mohono, ond tyddynnwr gwerinaidd o natur fonheddig.

Gan fod Bear's Hill yn ymyl y ffordd fawr, deuai amryw drwy lidiart y clos i ymweld ag ef ac fe'u croesewid hwy i mewn am gyfeillach. Yno yng nghanol ei lyfrau a'i oriel o luniau, a dystiai mor goethwych oedd llinach hen gobiau'r teulu, y gwelid ef, fel yn ei ddosbarth yn yr ysgol gynt, yn bwydo fflamau pob sgwrs â dyfyniadau a chyfeiriadau at weithiau rhai o brif feirdd, llenorion, haneswyr a gwleidyddion yr ugeinfed ganrif. Yr oedd yno yn ei elfen yn rhannu o'i brofiad maith a'i ddoethineb gan bwysleisio'n gyson mai'r cof yn aml sydd yn tragwyddoli profiad diflanedig y synhwyrau, a bod cofio'n gelfyddyd y mae'n rhaid i bob bardd wrthi. I John Roderick Rees, diben barddoniaeth oedd diddanu ar wahanol lefelau yn hytrach na chyfathrebu â'r deallus. Gan hynny, rhodder i'r darllenydd gynildeb, eglurder a chyffro eneidiol. I gadarnhau'r farn honno byddai'n dyfynnu mewn sgwrs linellau o weithiau Ceiriog, Crwys, Cynan, Wil Ifan, T. Rowland Hughes a nifer o feirdd eraill y ganrif ddiwethaf. Barddoniaeth y beirdd hyn, yn ei dyb ef, a bery'n fyw ar wefusau gwerin Gymraeg ddiwylliedig tra pery honno.

Cafodd urddas a chysur yng nghwmni ei bobl ei hun. Gallodd fwynhau bywyd a chymdeithasu hyd at ei fisoedd olaf. Ni sylwodd neb o'i weld mor ysgafn ei gerddediad ac mor dreiddgar ei feddwl fod bywyd yn newid, ac nid er gwell ychwaith:

> A phan rydd yr hydref ei ias i'r mêr
> Y disgyn y dail yng nghoedwigoedd y sêr.[11]

---

11 R. Williams Parry, 'Canol oed', *Cerddi'r Gaeaf* (pumed arg.,
Dinbych, 1971), t. 15.

Mor hoff y byddai o ddyfynnu'r cwpled uchod o waith R. Williams Parry gan esbonio trasiedi byrhoedledd bywyd.[12] Er i John Roderick Rees yntau fwynhau hirddydd haf, yr oedd hydref yn bresenoldeb trist a disgysur yn y cefndir a gwelwyd hynny ar ei fwyaf amlwg yn ystod dwy flynedd olaf ei fywyd.

Ym mis Mawrth 2009, rhoddwyd iddo'r newydd ei fod yn dioddef o gancr ar y pancreas yn dilyn ymchwiliad yn Ysbyty Bronglais yn Aberystwyth. Yr oedd cyflwr ei iechyd erbyn hynny wedi dirywio'n raddol, ac yn amlwg yr oedd rhywbeth difrifol yn ei boeni. Yn nodweddiadol ohono, dioddefodd ei waeledd a'i gystudd olaf â dewrder. Ei ofn pennaf oedd y'i gorfodid gan y meddygon i fynd i ysbyty neu i gartref preswyl am gyfnodau hir gan y gorfu iddo dreulio cyfnodau sylweddol yn gaeth i'w wely yn ystod misoedd olaf ei fywyd. Rhag iddo gael ei orfodi i adael ei aelwyd, cytunodd criw o gymwynaswyr lleol i'w warchod yn eu tro yn ystod y dydd a'r nos. Lluniwyd rota ac enwau naw o'i gymdogion arni, pob un o'r gwragedd â'i chyfrifoldeb, pob un yn cymryd ei thro i ofalu amdano'n ofalus yn ei gystudd. Roedd yr hwn a ymgeleddodd ei dad a'i fam faeth yn eu cystudd olaf bellach yng ngafael yr 'Erydwr mawr' ei hun, a hwnnw'n cnewian y 'glannau/o

---

[12] Er trylwyred ei wybodaeth o waith R. Williams Parry a'i edmygedd ohono fel bardd, arwyddocaol yw ei ymateb i gais yn Awst 1962 gan W. Leslie Richards, yn sôn am fwriad Llyfrau'r Dryw i ddechrau cylchgrawn misol newydd yn dwyn y teitl *Barn*, ac yn gofyn iddo ef fod yn gyfrifol am yr 'Atodiad Addysgol' yn y cylchgrawn arfaethedig. Byrdwn y llythyr oedd ceisio ganddo ddarparu cyfres o erthyglau ar un o'r llyfrau gosod, *Yr Haf a Cherddi Eraill*, ar gyfer y pumed a'r chweched dosbarth mewn ysgolion uwchradd. Mae'r ateb yn enghraifft arall o ddiffyg hyder John Roderick Rees:

> Diolch am eich cylchlythyr ynglŷn ag 'Atodiad Addysgol' y cylchgrawn arfaethedig, Barn. Rhaid imi gyfaddef nad oes gennyf yr hunan-hyder gofynnol i lunio'r erthyglau a awgrymwch ar gynnwys 'Yr Haf a Cherddi Eraill'. Peth haws a'i oblygiadau'n llai pell-gyrhaeddol fydd ceisio darparu tipyn o fwyd cartref ar gyfer fy niadell fach fy hun, yn yr ysgol.

LlGC, Papurau W. Leslie Richards, Llsgr. 43/19. Llythyr dyddiedig 14 Awst 1962.

filfedd i filfedd'. Er iddo yntau sylweddoli'n gynnar fod y 'dadfeilio ar daith' ni wnaeth gydnabod hynny, ond yn hytrach frwydro yn erbyn y gelyn yn yr ystafell gystudd: 'Heb sŵn ond tinc-dwy-ganrif y cloc'.[13] Nid oedd am droi cefn ar ei ddaear fawn a'i fro hyd yn oed yn ei ddyddiau olaf. Drwy'r haf clafychodd yn ei boenau a'i flinder, ac erbyn Awst yr oedd yn gaeth i'w aelwyd a'i wely. Er hynny, ni allai dderbyn yr anochel ac ymbiliai ar y meddygon am gymorth i oresgyn rhu'r môr 'ar y penrhyn hwnnw'; roedd ynddo'r ystyfnigrwydd hyd y diwedd i lynu wrth 'hil werin y bryniau pell' – yn gaeth wrth rwymyn bro a chymdeithas.[14]

Daeth awr y diwedd yn hwyr nos Sul, 11 Hydref, ar yr aelwyd yn Bear's Hill. Dyma'r aelwyd lle y bu farw ei dad yng Ngorffennaf 1969, a Jane yn Ebrill 1981. Nid oedd yn y tŷ y nos Sul honno ond cwmnïydd a'r nyrs. Llithrodd y llong yn dawel o afael y glannau, y llong lawn urddas anymwthgar yn gadael glan am fudandod y môr.

Yn nodweddiadol o ŵr mor gymen, trefnus a thrwyadl, yr oedd wedi trefnu ei gynhebrwng yn fanwl ymlaen llaw. Yr oedd am osgoi'r rhagrith a berthyn i angladdau cyhoeddus; felly, nododd y llond dwrn o deulu agos a ddymunai i fod yno i ffarwelio â'i weddillion: 'Llond côr o gynulleidfa' yng nghapel Bethania, chwedl John ei hun unwaith mewn cerdd.[15] Trefnwyd ei arwyl i ddigwydd ddydd Gwener, 16 Hydref, am 1.00 o'r gloch. Diwrnod oer ond heulog o hydref ydoedd. Darllenwyd Salm 121: 'Dyrchafaf fy llygaid i'r mynyddoedd', a chanwyd emyn poblogaidd yr Americanwr Lewis Hartsough, a gyfieithwyd gan Ieuan Gwyllt: 'Mi glywaf dyner lais'. I ddiweddu'r gwasanaeth, canwyd hoff emyn yr ymadawedig, o waith David Charles:

---

13 'Jane', *Cerddi John Roderick Rees*, t. 137.
14 'Brenin Gwalia', *Cerddi John Roderick Rees*, t. 83.
15 'Sul o Ragfyr: Bethania 1987', *Cerddi Newydd 1983–1991*, t. 68.

O Iesu mawr, rho d'anian bur
I eiddil gwan mewn anial dir,
I'w nerthu drwy'r holl rwystrau sy
Ar ddyrys daith i'r Ganaan fry.

Pob gras sydd yn yr Eglwys fawr,
Fry yn y nef neu ar y llawr,
Caf feddu'r oll, eu meddu'n un,
Wrth feddu d'anian di dy hun.

Mi lyna'n dawel wrth dy draed,
Mi ganaf am rinweddau'r gwaed,
Mi garia'r groes, mi nofia'r don,
Ond cael dy anian dan fy mron.

Ar y daflen angladdol fe'i disgrifir fel 'Mab gofalus a thyner
y diweddar David a Mary Rees. Mab maeth Jane Walters.
Tad caredig Roderick a thadcu hoffus Tirion, Siôn a Ffion.
Cefnder balch John, Mair a'r diweddar Wil, Tom, Maggie a
Addie'. Ar waelod y dudalen flaen, ceir efelychiad o gwpled
gan Parry-Williams:

Canodd ei gân yn groyw i'w ardal ei hun,
Canodd hi, ac nid yw ein llên yr un.[16]

Ymhlith y didwyllaf o'r teyrngedau a dalwyd iddo y mae
eiddo Vaughan Hughes a'i disgrifia fel:

Tyddynnwr o brifardd a fawrygai annibyniaeth barn
uwchlaw popeth. Yn wladwr o'i gorun i'w sawdl,
ymfalchïai lawn cymaint yn y tlysau a enillodd ei deulu

---

16 Cymh. cwpled T. H. Parry-Williams yn ei gerdd i'r 'Bardd' yn
   Ugain o Gerddi (ail arg., Llandysul, 1963), t. 36:
       Canodd ei gân yn gyfalaw i derfysg Dyn;
       Canodd hi, ac nid yw ein llên yr un.

ym maes y Cobiau Cymreig ag a wnâi yn ei ddwy goron genedlaethol.[17]

Mewn ysgrif goffa dwymgalon iddo, mae Huw Evans o'r Alltgoch, Cwrtnewydd yng Ngheredigion, gŵr a'i hadnabu'n dda, yn ei goffáu fel hyn:

> Os bu erioed ymgorfforiad o baradocs, Jac oedd hwnnw. Y dyn swil, unig am wn i, a drigai'n feudwyaidd bron ond eto a draddodai'n festrolgar ar lwyfan y Genedlaethol. Y talp o Gymreictod pur y teimlai mewnfudwyr o Saeson yn gartrefol yn ei gwmni; yr ysgolhaig disglair a oedd â daear fawn yn glynu wrth ei draed. Uchelwr o werinwr. Er dringo ysgol academia, ni ffolodd ar ei dysg, waeth bardd gwlad o brifardd oedd Jac, tyddynnwr o ŵr gradd.[18]

Gŵr y myfyrdod mawr yn bodloni ar y pethau bychain. Lluniodd Donald Evans awdl 190 o linellau er cof amdano a phwysleisia yntau mewn englynion milwr mai 'Un oedd â mawndir Pen-uwch' ac 'Un oedd â hanfod tyddyn':

> Ac yn un ag ef hefyd
> Y tyddynwyr, gwŷr gweryd,
> Fel yntau hwythau o hyd.[19]

Aiff Donald rhagddo i sôn am gariad greddfol John at anifeiliaid:

---

17   *Barn*, Rhif 563/4 (Rhagfyr/Ionawr 2009/10), t. 37.

18   'Portread', *Cyfansoddiadau a Beirniadaethau Eisteddfod Genedlaethol Blaenau Gwent a Blaenau'r Cymoedd 2010*, gol. J. Elwyn Hughes, tt. 163–6.

19   'Rhuddin Amser: Y Tyddynnwr', *Barddas*, Rhif 307 (Ebrill/Mai/Mehefin 2010), tt. 19–21.

Ei dwr o greaduriaid – a garai'n
        Un gyr o anwyliaid,
    Fel 'taent yn berchen enaid,
    I gyd â'r ysbryd o raid.

Gorffen ei gerdd ag englynion penfyr sydd yn fynegiant croyw o gyswllt annatod y gwrthrych â phridd mawnog ei fro:

Coledd parch at dywarchen – y braenar,
        Byw ar rin ei elfen –
    Y ddaear oedd ei awen.

Deil Bear's Hill yno o hyd yn sgwatio'n wyngalch ar gynteddau'n gors. Ni newidiwyd fawr ohono. Deil y glwyd ar fin y ffordd i'r clos, a bron na ellir gweld y deiliad gynt ar derfyn seiat hwyr yn brysio i'w hagor i dywys ymwelydd allan yn ddiogel i'r ffordd fawr. Yn y cae ar bwys y bwthyn mae beddau'r mawrion ym myd y cobiau, gan gynnwys Brenin Gwalia, a Rhosfarch Frenin. Ychydig lathenni o ddrws y tŷ mae'r beudy a'r stabl sy'n dwyn i gof y delyneg o eiddo'r bardd i'r Arddwr:

Ara' deg Darbi, gan bwyll Dic,
        Y llencyn sydd wrth y llyw,
    Hwn yw Cae Delyn, caregog a bas,
        A'i bob modfedd yn ddaear fyw.[20]

Yma y bu hen wehelyth John Roderick Rees yn cerfio grwn o'r grug ac yn arddu yn ddiddig y deuddeng erw. Heddiw mae eu hegni hwythau, ac yntau gyda hwy, yn fwrlwm ym mhridd y tyddyn. O fynd allan drwy'r glwyd, troi i'r dde a dilyn yr hewl hyd nes cyrraedd Bethania. Troi i'r chwith

---

[20] 'Arddwr', *Cerddi'r Ymylon*, t. 63.

yno a dilyn lôn gul nes cyrraedd capel a mynwent y pentref. Sylwi ar y fynwent ar lain o dir llechweddog braidd yn ymyl y capel. Rhesi o gerrig beddau wedi eu gosod yn systemaidd. Nid oes rhaid chwilio'n hir oblegid wrth y glwyd y mae beddau'r pedwar: David a Mary, John Roderick a Jane. Rhanna John yr un gofadail â'i rieni. Nesaf iddo ar wenithfaen nadd mae enw Jane Mary Walters 1894–1981, 'Fu megis mam i Jack am 58 mlynedd'. Dwg cofadail John enwau ei fam, Mary, a'i dad, David, a'i enw a'i ddyddiadau yntau ar y gwaelod ynghyd â thri gair: Athro, Prifardd, Tyddynnwr. Is y trigair mae'r frawddeg:

> Ac uwch pob dim diymhongarwch mawredd a'i wreiddiau ym mhendefigaeth werinol y mawn.

Carreg blaen, ostyngedig a diaddurn i ŵr a lynodd mor gadarn wrth ei etifeddiaeth a'i annibyniaeth barn. Arysgrif foel yn cyfuno mewn trigair yr elfennau annidol hynny a'i gwnaeth yn fardd y 'Glannau', yn Jac y Plow, yn John Roderick, yn Mr Rees mewn dosbarth. Bryd arall yn un a batrymai leiniau glas y tyddyn a ddiwylliwyd gan werin, 'yn anwesu'u cilfachau'n ddigonol dawel',[21] ac yn un o'r deri olaf nas diwreiddiwyd. Ef a fu'n driw hyd dranc i'w gornel fach o Gymru; yn geidwad y gaer, yn gynheiliad y ddoe a ddarfu mwy.

---

[21] 'Unigedd', *Cerddi John Roderick Rees*, t. 119.

O'r chwith i'r dde:
Evan M. Williams, Penllether, Tommy Griffiths Jones,
Vaughan Evans a John Roderick Rees y tu allan i Ysgol Pen-uwch.
Lluniodd John gerdd goffa i Evan Williams, gweler tt.296–7

John Roderick Rees a Hywel D. Roberts (prifathro)
gyda phlant Ysgol Gymraeg Aberystwyth

Pennod 9

Cerddi anghyhoeddedig John Roderick Rees

Priodas Aur Evan a Sally Jenkins, Pantybeudy, Bwlch-llan

> O gam i gam bu'r tramwy – a chwlwm
> Na chwelir yn aerwy;
> Edrych ar aur y fodrwy,
> Golud maith eu hirdaith hwy.

Llinellau i Kate Lloyd yn 70 mlwydd oed, 6ed Awst 1996
(*gynt o Gilfach-y-rhew, Ffair-rhos*)

> Aelodau'r teulu, cofiwch y 'date',
> Pen-blwydd arbennig i Auntie Kate.
>
> Awn yn ôl yn y meddwl i Gilfach-y-rhew,
> Lle bu dechrau'r daith a gerddodd mor lew.
>
> Saith deg yw 'oed yr addewid', medden nhw;
> Mae hi'n cario'i blynyddoedd yn ysgafn, ar fy llw.
>
> 'Roedd hi'n chweched o ddeg o blant yn eu tro
> Aeth i Ysgol Ysbyty, yng nghalon y fro.

Cerdded tair milltir, boed law, boed wynt,
Dyna oedd raid yn y dyddiau gynt.

Gadael yr ysgol yn bedair ar ddeg
Ac wrth droi i'r byd, dymuno gwynt teg.

Ac yn awr, fe garwn i chi
Glywed am ei bywyd diwyd hi.

Bu'n weithgar ryfeddol bob cam o'r daith
Ac mae'n haeddu seibiant wedi hirddydd gwaith.

Dyma gerrig milltir ei mynd a'i dod
O aelwyd i aelwyd yn ennill clod.

Rhoi cwmni ifanc i Mrs Jones, Dôl-coed –
Gweddw'r ficer – oedd yn myned i oed.

Symud i Dolfor, fferm Edwards, hen lanc,
Hyd nes iddo ymddeol a rhoi'r stoc yn y banc.

Blwyddyn yn unig yn Ty'nddôl, Ffair-rhos,
Yn dal i weini ar aelwyd a chlos.

I fferm Pontargamddwr, Mr Davies,
Pedwar bachgen a merch
(Nan Davies oedd hi, trwy ei gwaith BBC,
Iddi rhoes Cymru ei serch).

James, Treflyn, Tregaron, cadw tŷ iddo fe,
Yntau'n hen lanc yn ymddeol i'r dre.

Aeth Kate adre'n ôl at ei mam a'i thad
A phedwar brawd, a rhoi yn rhad

O'i llafur eto, i'r aelwyd hen
I gynnal y cyfan â'i gofal a'i gwên.

Ar ôl dyddiau'i rhieni, at Enoc, ei brawd,
A gafodd afiechyd, yn enbyd ei ffawd.

Yn y Bont, i Maes-y-dderwen,
Ymddeol o'r diwedd, yn fodlon a llawen.

A dysgodd Cymru mai *Halen y Ddaear
A fu Kate, Gilfach-y-rhew, er ei dyddiau cynnar.

Aelodau'r teulu, cofiwch y 'date',
Pen-blwydd arbennig i Auntie Kate.

* *Dewiswyd Kate Lloyd i gael Gwobr Halen y Ddaear, S4C.*

Drwy'r Ffenestr

Syllu'n ddisymud drwy'r un hen baen
Ar basiant bywydau, yn ôl ac ymlaen,

A hir ddyfalu eu perwyl hwy
Ar rawd ddigyffion mewn byd di-glwy.

Gweled y goeden yn ymyl y mur
Yn foel aeafol heb brofi cur.

A begeriaid adar y cangau noeth
Er newyn yn trydar yn llawen ddoeth.

Gwylio'r cymylau mewn awyr blwm,
Ac ymyl arian eu düwch trwm.

John Ellis
(*Cyfarwyddwr Addysg Dyfed*)

I Ddyfed fe roes ddyfal – wasanaeth,
      Rhoes inni ei ofal.
   Arweinydd braf, dihafal,
   Yn ei dir mae'i glod yn dâl.

John S. Jones, Tryal, Llanrhystud, yn 80 oed, 31 Awst 1992

John Jones sydd heddiw'n dathlu
Ei bedwar ugain oed
A rhin ei bersonoliaeth
Yn iraidd fel erioed.

Cyfeillach teulu'r Efail
A fu yn rhan o'i fyd
A chwlwm hen berthynas
Sydd rhyngddynt hwy o hyd.

Fe lynodd wrth draddodiad
Hen ffordd o fyw y wlad,
Oes ddyfal o amaethu
Yn fodlon ar ei stad.

Mae ef yn ŵr y gwreiddiau
Erioed o'r ardal hon,
A brenin ei chymdeithas
Yw dyn yr wyneb llon.

Mewn tristwch a llawenydd
Mae ef yn dod bob tro;
Ei gysur a'i gyfarchion
A gaiff aelwydydd bro.

Haeddiannol ei ddyrchafu
Yn Tabor, temel Dduw,
Yn flaenor i'w aelodau
A chyrddau'n fodd i fyw.

Yn Fethodist, Rhyddfrydwr,
A'i gredo'n sicr iawn,
Boed heulwen ar ei lwybr
Hyd eitha'r hwyr brynhawn.

Cwrdd Diolchgarwch Ysgol Pen-uwch, 1995

Gwanwyn   Myfi ydyw'r Gwanwyn
                Tymor yr hau,
                Rhaid gosod yr had
                I fywyd barhau.
                Had yn y caeau
                A hadau'n yr ardd,
                A'u gwylio'n tyfu
                Yn olygfa hardd.

Haf   Myfi ydyw'r Haf
                A'r gwair a'r ŷd
                Yn llanw y caeau
                A gwyrdd yw y byd.
                Yr haul yn gwresogi
                O ddydd i ddydd,
                A'r anifeiliaid
                Yn crwydro'n rhydd.

Hydref   Myfi ydyw'r Hydref
               'Rwy'n dymor y lliw,
               A myned i gysgu –
               Mae'r ddaear fyw.
               Daw'r cnydau i'r ydlan
               A ffrwythau i'r tŷ,
               A holl waith y gwanwyn
               Sy'n ein bwydo ni.

Gaeaf   Myfi ydyw'r Gaeaf,
               Mae'n fwyn wrth y tân,
               A'r plant yn chwarae
               Yn yr eira glân.
               Daeth rhod y tymhorau
               Unwaith eto i ben,
               Am yr hau, am y medi,
               Diolchwn. Amen.

Angladd Stephen Morgan, Cartref (Nant-coy), 1 Ebrill 1993

"Ddim heb ei feiau," meddai'r sinic. Pwy fu?
Ond ar lithrigfa y ganrif simsan nid aeth gyda'r llu.

Rhyw eironi greulon ac yntau yn mynd tua thre
Oedd hanner cyhoeddi fod y capel a anwesodd am
oes yn marw gydag e'.

I'r penaethiaid Presbyteraidd yn seddau esmwyth
Caerdydd
Aeth yn rhy gostus, mewn capeli gwledig, i gynnal y
Ffydd.

'Roedd Ffŵl Ebrill a haul uwch y bedd cyn y priddo
Cyn inni wasgaru wedi talu ein teyrnged olaf iddo.

Mae marw'n ddirgelwch ac i sicrwydd ni wn i
Beth fydd, os rhywbeth, mwy nag y gwyddoch chi.

Ond pan welaf ben talar hen flaenor am drigain mlynedd,
Mae'r un mor rhesymol i gredu nad diwedd yw'r diwedd.

Mary Jones yn 87 oed, 20 Mai 1995 (Glan-dŵr, Llan-non)

Boed llawenydd
a Duw yn rhwydd,
unwaith eto
mae'n ddydd dy ben-blwydd.

Diolch i'r anweledig Dduw
sydd â'i ddwylo gweledig
yn ein cadw'n fyw.

Pedwar ugain a saith
o flynyddoedd ffrwythlon
a diolch am y cadw
yn dy galon.

Mewn profedigaeth
mae geiriau'n marw.
Gan Dduw y mae Bywyd
mewn tywydd garw.

Rhyddfrydwr oedd Lloyd George
Cân Etholiad 1997 (Pleidleisiwch i Dai Davies, ymgeisydd y Democratiaid Rhyddfrydol yng Ngheredigion)

Fe garai hi, Blaid Cymru,
gael nawdd ei enw'n dad,
gwladgarwr o'r hen ruddin
a garodd iaith a gwlad,
ond lletach oedd ei wreiddiau
a fflach ei grebwyll golau,
Rhyddfrydwr oedd Lloyd George.

Fe garai y Blaid Lafur
roi'i enw ar ei maen;
uwch popeth rhoes i'r werin
y nerth i fynd ymlaen,
ond gwrthod pob caethiwed
a roddai i ryddid niwed,
Rhyddfrydwr oedd Lloyd George.

Ar frig ei etholiadau
am bedwar tro ar ddeg,
heb newid argyhoeddiad
na lliw ei faner deg,
yn biler Tŷ'r Cyffredin
drwy hanner canrif gyndyn
Rhyddfrydwr oedd Lloyd George.

Dan garreg arw Dwyfor
mae tarian y dyn rhydd;
rhown bleidlais dros ei ddycnwch
am iddo gadw'r ffydd.
Aeth Dan, hen geffyl gorsaf,*
ag ef i'w siwrnai olaf,
Rhyddfrydwr oedd Lloyd George.

* *Gorsaf Cricieth*

Barddas, Rhif 245 (Mawrth/Ebrill 1998), t. 41.

Er cof am gyfaill –
Evan Morgan Williams,
Penllether, Pen-uwch[1]
(Bu farw 25 Mawrth 2004)

Un crwn ei ddiddordebau,
Tir, anifail a llysiau,
Naddwr celfyddyd prennau.

Llais dawnus ar gynghorau,
Adroddwr coeth llwyfannau.

Yn rhan o gaer y bryniau
A'i weithgarwch yn furiau.

Gwehelyth gwŷr ceffylau, –
Tyn-waun y dechreuadau.

Yn yr ardd, gwyrdd ei fysedd
A'i gnydau oll yn irwedd,
I wely a rhych, pryd a gwedd.

Cŵn defaid ei hoffterau,
Gwylio eu diwylliannau
Yn cynnil foldio'r preiddiau.

---

1   Evan Williams (Llanfaelog gynt), gŵr diwylliedig ac eang ei
ddiddordebau a ddaeth i amlygrwydd yng Ngheredigion fel
eisteddfodwr brwd a dangoswr merlod mewn sioe. Cyfrannodd
golofn i'w bapur bro, 'Gweld a Chlywed', am dros ugain mlynedd.
Cyfaill oes i John Roderick Rees. Hon, mae'n debyg, oedd un o'i
gerddi olaf.

Darllenwr, anweswr llyfrau,
Deallusrwydd cylchgronau,
A chyfaredd papurau.

Yn gyfaill pur yr oriau,
Ei grefydd iddo'n olau,
Nid â'n angof er angau.

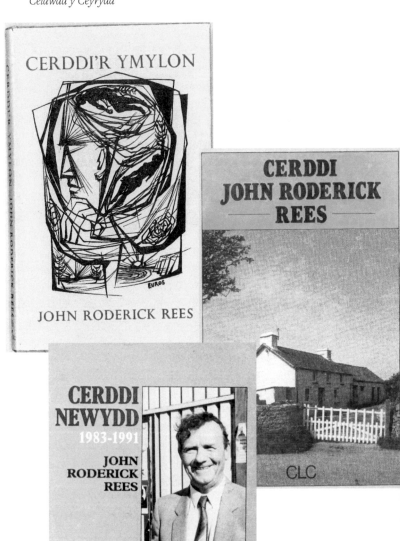

Llyfryddiaeth
John Roderick Rees

Cwysi Ceredigion
Y Cymro
Y Faner

Cerddi'r Ymylon, Llandysul, 1959
Cerddi John Roderick Rees, Llandysul, 1984
Cerddi Newydd 1983–1991, Llandybïe, 1992
*Rhwng Gwenffrwd ac Arth: Canmlwyddiant Ysgol Penuwch
   1879–1979*, gol. John Roderick Rees, Llandysul, 1979

Barddas
Gorffennaf/Awst 1984 Dadl 'Y Bryddest v Dilyniant o gerddi',
   Rhif 87/88, tt. 8–10
Mawrth 1987 adol. ar *Y Corn Olew: cyfrol o gerddi* (Meirion
   Evans), Rhif 119, t. 15
Ebrill 1987 adol. ar *Cerddi'r Machlud* (Mathonwy Hughes), Rhif
   120, t. 16

Awen Aberteifi, gol. Emlyn Evans, Llandybïe, 1961, tt. 83–6:
'Y Critig a'r Bardd', 'Y Fflam', 'Cywain', 'Mynydd' (pedair cerdd)

Barn
Hydref 1965 adol. ar *Cerddi Diweddar Cymru*, gol. H. Meurig
   Evans, Rhan 1, Rhif 36, t. 355
Tachwedd 1965 'Adran Ysgolion', *Cerddi Diweddar Cymru*,
   Rhan 2, Rhif 37, tt. 23–4
Rhagfyr 1965 'Adran Ysgolion', *Cerddi Diweddar Cymru*, Rhan 3,
   Rhif 38, tt. 59–60
Mai 1967 'Cofio Prifathro Tregaron' [D. Lloyd Jenkins], Rhif 55,
   tt. 172–3

Gorffennaf 1970 'Y Gair Olaf', adol. ar *Y Coed* gan D. Gwenallt Jones, Rhif 93, t. 250

Mehefin 1971 adol. ar *Cerddi Hir*, goln. G. R. Hughes ac Islwyn Jones, Rhif 104, t. 240

Tachwedd 1989 Ym marn ... John Roderick Rees, 'Ble'r aeth yr hen Ryddfrydiaeth frwd? – a rhai pethau eraill', Rhif 322, tt. 4–5

Mawrth 1990 Ym marn ... John Roderick Rees, 'Mewnfudo a Phynciau Eraill', Rhif 326, tt. 3–5

Mehefin 1990 Ym marn ... John Roderick Rees, ' "Nithio'r gau a nythu'r gwir" ar lwybrau cyfryngol', Rhif 329, tt. 4–6

Hydref 1990 Ym marn ... John Roderick Rees, 'Does gennyf ond dy allu mawr ...', Rhif 333, tt. 4–5

Tachwedd 1990 'Margaret Thatcher' (cerdd), Rhif 334, t. 47

Chwefor 1991 Ym marn ... John Roderick Rees, 'Hyffordda blentyn', Rhif 337, tt. 4–5

Mawrth 1993 'Adolygu adolygiad', Rhif 362, tt. 42–3

Beirdd y Babell, gol. Dewi Emrys, Wrecsam, 1939, 'Dafad' (soned), t. 104

Blodeugerdd o Farddoniaeth Gymraeg yr Ugeinfed Ganrif, goln. Gwynn ap Gwilym ac Alan Llwyd, Llandysul, 1987
'Hen Ddwylo', t. 323
'Brenin Gwalia', t. 324
'Cyffes', t. 324
'Glannau' (pryddest), tt. 325–34

Cerddi'r Cewri: Casgliad o Gerddi wedi eu dethol ar gyfer dysgwyr, gol. D. Islwyn Edwards, Llandysul, 2002
'Yn Nyddiau'r Pasg', tt. 59–60

Cerddi Heddiw, goln. Gwilym Rees Hughes ac Islwyn Jones, Llandysul, 1968
'Gwenallt', tt. 66–7
'Syr Thomas Parry-Williams', tt. 68–9

Cyfansoddiadau a Beirniadaethau'r Eisteddfod Genedlaethol
1965 Maldwyn, Beirniadaeth y Delyneg (Adran Ieuenctid), tt. 208–10

1972 Hwlffordd a Sir Benfro, Beirniadaeth y Delyneg, tt. 72–9

1976 Aberteifi, Beirniadaeth y Delyneg, tt. 61–3

1987 Bro Madog, Beirniadaeth Casgliad o Gerddi (Cystadleuaeth y Goron), tt. 30–4

1988 Casnewydd, Beirniadaeth y Soned, tt. 71–3

1990 Cwm Rhymni, Beirniadaeth Cerdd Rydd Fer, tt. 59–61

1992 Ceredigion (Aberystwyth), Beirniadaeth Casgliad o Gerddi (Cystadleuaeth y Goron), tt. 49–55

1993 De Powys, Beirniadaeth y Soned, tt. 63–6

1997 Meirion a'r Cyffiniau, Beirniadaeth Pryddest (Cystadleuaeth y Goron), tt. 45–50

Dyrnaid o Awduron Cyfoes, gol. D. Ben Rees, Abertawe, 1975, 'J. M. Edwards', tt. 79–99

Hoff Gerddi Cymru, gol. Bethan Matthews, Llandysul, 2000, 'Glannau', tt. 117–27

Llais Llyfrau

Gwanwyn 1986 adol. ar *Dyddiadur Ffarmwr* (Tom Jones), t. 15

Gwanwyn 1990 adol. ar *Llanw a Thrai* (Ieuan Wyn), t. 18

Gwanwyn 1990 adol. ar *Awen R E: englynion a chypledi* (R. E. Jones), t. 18

The Bloodaxe Book of Modern Welsh Poetry: 20th-Century Welsh-language poetry in translation, eds. Menna Elfyn and John Rowlands, Glasgow, 2003, 'Brenin Gwalia', t. 194

The Welsh Pony and Cob Society Journal

1963 'A Life-time with cobs', tt. 28–31

1968 'Mathrafal Brenin 873 W.S.B.', tt. 21–4

1970 'A Son's tribute to his father', tt. 32–4

1976 'Hendy Brenin 1763 W.S.B.', tt. 102–4

1977 'The Story of High Stepping Gambler II 143 W.S.B.', tt. 98–101

1978 'Gwalia Victor 1431 W.S.B.', tt. 97–9

Y Ddraig

Tymor Mihangel 1947 'Arwerthiant' (ysgrif), Cyf. LXX, Rhif 1,
t. 26

Y Grawys 1948 'Cyffes' (cerdd), Cyf. LXX, Rhif 2, t. 3
'Cymru wledig yn adeg Rhyfel', Cyf. LXX, Rhif 2, tt. 12–13

Haf 1948 'Ôl Traed' (ysgrif), Cyf. LXX, Rhif 3, tt. 8–9
'Merch y Fyddin Dir' (cerdd), Cyf. LXX, Rhif 3, t. 11
'Dymuniad' (englyn), Cyf. LXX, Rhif 3, t. 14

Tymor Mihangel 1948 'Hydref' (cerdd), Cyf. LXXI, Rhif 1, t. 31
'Llais y Werin' (ysgrif), Cyf. LXXI, Rhif 1, tt. 32–3

Haf 1949 'Diogi' (ysgrif), Cyf. LXXI, Rhif 2, tt. 24–5
'Y ddau' (telyneg), Cyf. LXXI, Rhif 2, t. 25

Tymor Mihangel 1949 'Y Cymun' (soned), Cyf. LXXII, Rhif 1, t. 13
'Y Byd Newydd' (ysgrif), Cyf. LXXII, Rhif 1, tt. 17–18

Haf 1950 'Y Prom' (cerdd), Cyf. LXXII, Rhif 2, t. 10

Tymor Mihangel 1950 Golygyddol, Cyf. LXXIII, Rhif 1, tt. 1–2

Tymor Mihangel 1950 'Y Wennol' (cerdd), Cyf. LXXIII, Rhif 1, t. 30

Haf 1951 Golygyddol, Cyf. LXXIII, Rhif 2, t. 1

Y Fflam

Calan Mai 1947 'Hunangofiant Hen Geffyl' (ysgrif), Cyf. 1, Rhif 2,
tt. 10–11

Awst 1947 'Caethiwed' (soned), Cyf. 1, Rhif 3, t. 37

Awst 1947 'Y Fflam' (telyneg), Cyf. 1, Rhif 3, t. 43

Y Nadolig 1947 'Y Preimin' (ysgrif), Cyf. 1, Rhif 4, tt. 44–5

Y Genhinen

Gwanwyn 1952 'Yr Heuwr' (telyneg), Cyf. 2, Rhif 2, t. 104

1952 'Y Medelwr' (telyneg), Cyf. 2, Rhif 3, t. 189

Gaeaf 1953–54 'Efail y Gof', Cyf. 4, Rhif 1, tt. 34–6

Gaeaf 1953–54 'Englyn Coffa', Cyf. 4, Rhif 1, t. 55

Gwanwyn 1954 'Y Gwanwyn' (englyn), Cyf. 4, Rhif 2, t. 124

Gwanwyn 1955 'Y Swper Olaf' (telyneg), Cyf. 5, Rhif 2, t. 109

Haf 1956 i. 'Creu' ii. 'Malurio' (2 delyneg), Cyf. 6, Rhif 3, t. 182

Hydref 1956 i. 'Ymadael' ii. 'Noswylio' (2 delyneg), Cyf. 6, Rhif 4,
t. 234

Y Llenor

'Diogi' (Ysgrif), Cyf. 29, Rhif 1, Gwanwyn 1950, tt. 35–7

Mynegai